P9-CKT-336

DIRECCION GENERAL DE
CULTURALES

EL UNAMUNO CONTEMPLATIVO

PUBLICACIONES DE LA

NUEVA REVISTA DE FILOLOGÍA HISPÁNICA

V

EL COLEGIO DE MÉXICO

EL UNAMUNO CONTEMPLATIVO

por

CARLOS BLANCO AGUINAGA

MÉXICO, 1959

Primera edición, 1959

Durango 93, México 7, D. F.

Printed and made in Mexico
Impreso y hecho en México
por
FONDO DE CULTURA ECONÓMICA

A Iris

PRÓLOGO

A lo largo de la historia de las letras hispánicas pocos nombres como el de Unamuno habrán concentrado en sí la posibilidad de tantas y tan complejas reacciones contradictorias y subjetivas, todas supeditadas, sin embargo, a un solo patrón objetivo, fijo, hace ya tiempo legendario e inmutable. Porque el nombre de Unamuno, que tantas y tan diversas cosas promueve –polémicas viejísimas que no parecen necesitar ni expresarse, de tal manera son aún de todos nuestros días–, suele significar, fundamentalmente, una sola: *agonía*. Y en sus formas más accesibles, más cómodas para el conjuro de todos los encontrados lugares comunes, *agonía* suele ser irracionalismo, paradoja, egoísmo, violencia porque sí, "africanismo" desorbitado... Como resultado, todavía hoy, a tantos años de distancia de la vida y la muerte de Unamuno, nos es casi imposible acercarnos a su palabra escrita libres del lastre de que va cargado ese su nombre hecho entre él, su obra, sus amigos y enemigos, sus lectores, y los amigos y enemigos de estos lectores; difícil llegar a su obra personalísima directamente, sin prólogo, indicaciones y prejuicios recogidos hasta en el aire mismo del mundo de nuestras letras y de nuestro pensamiento. De ahí que las palabras y conceptos que sostienen la leyenda de Unamuno –agonía, irracionalismo gratuito, violencia–, por los significados que en sí tienen y por los que han adquirido, cierren siempre el paso, sorprendentemente vivos y reales y nuevos para cada lector nuevo, a otras posibilidades de la obra de Unamuno que no sean ellos mismos y el mito que a su alrededor se ha creado. Haciendo gala de una vitalidad e independencia que su creador mismo ya temía poseyeran, estas palabras parecen atraer hacia sí dogmáticamente toda lectura destruyendo la posibilidad de cualquier manera nueva de entender una obra tan amplia y compleja, impidiendo la formulación de todo atisbo que no siga por las vías predefinidas de la leyenda que surgió de ellas.

Pero claro que podría ocurrir que además de estas palabras y conceptos no hubiese en la obra de Unamuno ninguna otra realidad distinta de ellos mismos; podría ocurrir que ellos sean la vida toda de la obra de Unamuno: buscarle nuevas dimensiones a esa obra haciendo de lado los más o menos profundamente elaborados lugares comunes que sobre ella corren sería entonces disparatada obsesión de originalidad, buscar por buscar. Porque bien podría ser que, en Unamuno, la realidad única sea la leyenda, según él mismo declaró en *Cómo se hace una novela.*

Ocurre, sin embargo, que al afirmar esto en *Cómo se hace una novela* Unamuno hablaba, precisamente, desde su leyenda, y, por lo tanto, con intención de salvarla para la posteridad. Otras veces, muchas, dijo que palpitaba en él y en su obra un espíritu que no correspondía al de su lucha legendaria y paradójica; más aún, que era su opuesto. De demostrar la verdad de estas afirmaciones se trata en las páginas que siguen. Y ello con el propósito, no de negar la verdad de la agonía, sino de encontrar una manera de comprender el todo de la vida y la obra de Unamuno que, como él decía, se compone de "muchas, de infinitas piezas", como la vida y la obra de todo hombre "entero y verdadero".

Necesario es advertir, sin embargo, que para confirmar en lo posible la verdad de la existencia en Unamuno de un espíritu distinto del de su agonía, no he procedido en la concepción de este estudio de la definición a lo definido; es decir, no creo haber buscado tras la leyenda por el gusto de buscar, ni siquiera porque Unamuno indicó que así debía hacerse. Sucedió más bien que, a lo largo de varios años, ciertos aspectos de la obra y de la personalidad de don Miguel se fueron afirmando en mí a pesar de la leyenda y de la realidad más evidente en que la leyenda se apoya. Siempre me habían llamado la atención un cierto tono meláncolico de su prosa de paisajes, de ciertos poemas, de algunas novelas; una nostalgia y ternura resignadas que parecían palpitar, sin retorcimientos ni exclamaciones, hundidas, dormidas casi, calladas, muy por debajo de sus protestas, gritos y gestos más llamativos. Parecía recorrer todos los años de la vida creadora de Unamuno un tono espiritual que, si algo era, *no* era expresión de su famoso espíritu agónico. Con el tiempo, esta impresión me fue llevando la atención a ciertos ritmos de la frase, a cierta tendencia a la musicalidad en su prosa y verso muy ajena a la práctica y a las teorías del Unamuno agonista; a ciertas metáforas y símbolos, a algunas palabras sueltas de significado muy particular, a varios temas insistentes que parecían expresar una visión del mundo casi punto por punto contraria a la del agonista legendario. Aislando y fijando al principio estas impresiones por oposición a la leyenda, el primer esquema de definición del significado de este Unamuno surgió, pues, diría que inevitablemente, de manera negativa. Todavía en el presente libro, dada la importancia y fuerza de la leyenda agónica, me ha parecido necesario mantener este modo de comprensión por negación. Mi intención última, sin embargo, es pasar a un modo positivo de reconocimiento de los aspectos de la obra y la personalidad de Unamuno que aquí veremos. Nuestro título, a la vez que polemiza todavía por alusión con la realidad y la leyenda del Unamuno "activo", pretende indicar esta posibilidad de interpretación positiva.

Todo lo cual se relaciona directamente con el método que sigo en este trabajo: a pesar de que el primer atisbo de la realidad aquí estudiada fue, al ejemplificarse para mí mismo, principalmente estilístico, he preferido tratar esa realidad temáticamente, supeditando los comentarios estilísticos al desarrollo de los temas e ideas básicos cuando podían ayudar a aclararlos ya que, siendo éste el estudio de las diversas formas en que en la obra de Unamuno se encuentra un modo no agónico de vivir el mundo, era necesario tener en cuenta a cada paso, como referencia, los temas y problemas principales del Unamuno agonista, de los cuales se tiene conocimiento mucho más exacto que de su estilo. Lo cual explica también, y dicho sea de paso, el hecho de que, aunque doy por sobradamente conocida la temática del Unamuno agonista, me haya visto obligado a empezar con un resumen de ella que nos baste para tenerla presente mientras tratamos de llegar al fondo del Unamuno "contemplativo". Tras este principio inevitable, paso a un capítulo general introductorio en el cual dedico largas páginas a las primeras obras de Unamuno (en particular *En torno al casticismo* y *Paz en la guerra*), ya que en ellas encontramos las raíces de todos los temas que a continuación nos ocupan y que, contra lo que se ha pensado, recorren toda la obra de don Miguel durante más de treinta años. Ya después, en cada uno de los capítulos siguientes ha sido necesario hacer constante referencia a esta primera época e, incluso, más de una vez, volver a partir de *Paz en la guerra* y *En torno al casticismo* en uno que otro capítulo. Este procedimiento, que quizá le dé al presente trabajo un cierto aire de insistencia machacona, me ha parecido por ahora el más práctico para demostrar en lo posible la continuidad de los temas y símbolos que nos ocupan y la *insistencia* de Unamuno mismo.

Justo es indicar ya aquí que, desde luego, en el proceso de elaboración de nuestro estudio han sido de gran utilidad ciertas ideas de varios de los que han escrito sobre Unamuno, muy en particular, las páginas de Marías sobre la intrahistoria y la costumbre, y los estudios de Sánchez Barbudo, aunque, según se verá, estamos con la tesis central de estos últimos, así como con su intención, en radical desacuerdo.

No quisiera dejar de mis manos estas páginas sin cumplir con el más grato deber de todo prólogo: agradecer la buena voluntad, la generosidad y la paciencia de tantos amigos como me han ayudado de diversas maneras según este libro iba adquiriendo forma durante varios años que, ahora ya, parecen demasiado largos. Vaya, pues, aquí mi agradecimiento a cada uno de mis compañeros de El Colegio de México; al siempre generoso don Alfonso Reyes, presidente del Colegio; a Raimundo Lida; a don Manuel García Blanco, que tantas molestias se ha tomado por contestar a tantas preguntas nuestras; a José Manuel Blecua; a Marta Morello, que luchó por dejar en claro nuestro manuscrito y sugirió no pocas cosas de importancia; y a Robert E. Rockwood, ahora retirado jefe del Departamento de Lenguas Romances de la Ohio State University, gracias a cuyo interés por nuestro trabajo nos fue posible obtener de la Universidad el tiempo y la tranquilidad necesarios para dar los toques finales a este libro.

The Ohio State University;
Columbus, Ohio, marzo de 1958.

CARLOS BLANCO A.

TEXTOS

A lo largo de este trabajo indicamos los textos de Unamuno, con abreviatura de título, tomo y página, según las siguientes ediciones:

C.	*Cancionero,* Losada, Buenos Aires, 1953.
CH.	*La ciudad de Henoc,* Séneca, México, 1941.
CI.	*Cuenca ibérica,* Séneca, México, 1943.
CV.	*El Cristo de Velázquez,* Calpe, Madrid, 1920.
E.	*Ensayos,* Aguilar, Madrid, 1942 (2 vols.)
FP.	*De Fuerteventura a París,* Excelsior, París, 1925.
OC.	*Obras completas,* Afrodisio Aguado, Madrid, 1950 (5 vols. hasta ahora).
P.	*Poesías,* Madrid, 1907.
RD.	*Romancero del destierro,* Alba, Buenos Aires, 1928.
RSL.	*Rosario de sonetos líricos,* Imprenta española, Madrid, 1911.
T.	*Teresa,* Renacimiento, Madrid, 1926.
Tea.	*Teatro,* Juventud, Barcelona, 1954.

De vez en cuando, para facilitar la referencia cronológica, aunque citamos por *OC.*, añadimos *PG. (Paz en la guerra),* o *ST. (Del sentimiento trágico),* o *AV. (Andanzas y visiones),* o *PT. (Por tierras de Portugal y España),* o *AP. (Amor y pedagogía),* o *TN. (Tres novelas ejemplares y un prólogo).*

Además, citamos por su sigla las siguientes revistas:

HR	*Hispanic Review.*
NRFH	*Nueva Revista de Filología Hispánica.*
RHM	*Revista Hispánica Moderna.*
RUBA	*Revista de la Universidad de Buenos Aires.*

. . . el mito ahoga al personaje mortal, y aun obra sobre este mismo, compeliéndole a hacer esto o lo otro.

(*OC.*, III, 179, nota)

Hay por debajo del mundo visible y ruidoso en que nos agitamos, por debajo del mundo de que se habla, otro mundo de que no se habla.

(*OC.*, III, 724)

. . . el mundo de las pacíficas impresiones, de las humildes imágenes de las cosas cotidianas, continuo sustento de su mente.

(*PG.*, *OC.*, II, 273)

LOS DOS UNAMUNOS

I

EL UNAMUNO AGONISTA: BREVE RESUMEN

> Lo que no es conciencia... no es más que apariencia (*ST.*, *OC.*, IV, 584).
>
> ... y la inmortalidad que apetecemos es una inmortalidad fenoménica, una continuación de esta vida (*ST.*, *OC.*, IV, 530).
>
> Y me pasaré la vida luchando con el misterio y aun sin esperanza de penetrarlo, porque esa lucha es mi alimento y mi consuelo (*OC.*, III, 822).

El Unamuno más vivo en la historia del pensamiento español y europeo, el que más ha influido en nuestra manera de sentir y pensar el mundo, es el agonista que hizo del sentimiento trágico y egoísta violenta –y gesticulante– fe de vida. Un vasco castellanizado recio, de pensamiento y palabras radicales y paradójicos; un hombre al parecer incansable que luchó consigo mismo y con Dios y contra esto y aquello, acosado en su vida por el hambre de inmortalidad y la angustia. Un hombre activísimo –filósofo y novelista, profesor y político, poeta y dramaturgo– que pugnó por despertar en los demás su misma angustia y que luchó dentro y fuera de sí, sobre todo, contra la paz y contra la muerte.

Sin embargo, realidad y mito se confunden demasiado fácilmente en esta simple imagen de Unamuno, ya propiedad común: vamos a tratar de ver en este libro cómo no todo es guerra y voluntad de guerra en la vida y en la obra de don Miguel, ni todo angustia y terror de la muerte. Pero para pasar con mayor seguridad a nuestro tema conviene recordar aquí –y ello nos servirá de constante base de referencia– cómo lo que pueda haber de leyenda en nuestra imagen de Unamuno se asienta firmemente en la realidad de su agonía. Esta realidad podemos resumirla brevemente, para nuestro propósito actual, de la siguiente manera:[1]

[1] No es cosa fácil –y podría parecer descabellado intento– resumir el pensamiento de Unamuno en tan pocas páginas. Sin embargo, nuestro propósito exige aquí una recapitulación, lo más breve posible, de las ideas y temas más conocidos y estudiados de Unamuno para subrayar aquellos

La niñez y mocedad de Unamuno son profundamente católicas: no sólo va Unamuno regularmente a la iglesia y, como tantos otros niños, asiste a los ejercicios espirituales de la Congregación de San Luis Gonzaga, sino que medita seriamente los misterios del dogma, lee libros sagrados y reza con verdadero fervor. Al catolicismo heredado añade él una muy personal atracción por la realidad poética del misterio y una íntima devoción por las cosas y los hombres santos. Esta atracción le lleva pronto, ya en el Instituto, a preocupaciones de índole psicológica, religiosa y metafísica: lee, además de las Escrituras, historias de la filosofía y textos de psicología; trata de absorber el pensamiento de Kant y de Hegel —filtrados por Balmes—, y llega en su entusiasmo de adolescente hasta a inventar algún sistema filosófico que, naturalmente, queda incompleto.[2]

A los dieciséis años, llevado de sus más íntimas inclinaciones, va a Madrid a estudiar Filosofía y Letras. Más Kant y más Hegel, leídos ahora directamente y discutidos en la cátedra y en el Ateneo. Algo de krausismo incluso, y Spencer. El racionalismo va apoderándose de su manera de interpretar la realidad, y la fe religiosa que acorta todos los caminos va quedando relegada al fondo de su alma. No tenemos muchos datos, exteriores o internos, sobre las actividades de Unamuno durante los cuatro años madrileños, pero, por típico, podemos reconstruir su caso. Y sabemos que, ya durante su primer curso universitario, por causa, en parte, de la desidia y, en gran parte, sin duda, influido por el racionalismo filosófico que le absorbe en sus estudios, deja de ir con regularidad a la iglesia.[3] Pasa, pues,

aspectos de su pensamiento que nos conviene tener presentes como puntos de referencia del contrapunto que intento desarrollar. Aparte, naturalmente, de las obras de Unamuno mismo, el lector encontrará las ideas aquí esbozadas, y muchas otras, casi todas estudiadas a fondo, en los mejores libros que sobre Unamuno se han escrito: el ya indispensable de Julián Marías, *Miguel de Unamuno,* el de José Ferrater Mora, *Unamuno, bosquejo de una filosofía* (Losada, 1944), en el magnífico ensayo de J. D. García Bacca, *Unamuno o la conciencia agónica* (en *Nueve grandes filósofos contemporáneos y sus temas,* Caracas, 1947, pp. 95-176), y, recientemente, en el ejemplar libro de François Meyer, *L'Ontologie de Miguel de Unamuno* (Presses Universitaires de France, París, 1955). Amén de los innumerables ensayos y artículos de todo tipo y distintos grados de profundidad que sobre Unamuno por el mundo corren.

[2] Para todo esto, cf. *Recuerdos de niñez y mocedad, OC.,* I, 85 y sigs.

[3] Para lo que sigue sobre la crisis religiosa de Unamuno, cf. Antonio Sánchez Barbudo, "La formación del pensamiento de Unamuno. Una experiencia decisiva: la crisis de 1897" *(HR,* XVIII, 1950, pp. 218-243), así como, del mismo autor, "La formación del pensamiento de Unamuno. Una crisis 'chateaubrianesca' a los 20 años" *(RHM,* XV, 1949, pp. 99 y sigs.) y "La

por una crisis religiosa. Durante ella, una y otra vez, se obliga a sí mismo a volver a misa. Vuelve y reza, pero sus palabras y sus actos no nacen ya de aquella fe sin trabas de su infancia. Parece el joven Unamuno haber perdido sus creencias, haber puesto en grave duda la fe en un Dios creador de los misterios no explicables por la razón.

Podemos fácilmente imaginar el proceso interior de la crisis, pero nos falta información rigurosa sobre su total profundidad. Sólo sabemos que, después de esto, a los cuatro años de haber llegado a Madrid, Unamuno recibe el doctorado; que vuelve a Bilbao y que al poco tiempo se casa con la novia de su adolescencia; que hace de profesor particular, que va viviendo día con día mientras prepara una oposición tras otra oposición y que, según se deduce, por ejemplo, de alguna carta a su amigo Arzadun, parece haber roto por dentro, firmemente asentado en su racionalismo, con todas las convenciones: con las sociales, desde luego, y, podemos suponer, con las religiosas.[4] En estos años, lo que dice Unamuno de sí mismo nos permite vislumbrar al joven racionalista típico de fines de siglo: agudamente crítico, anárquico y, quizá, un tanto escéptico y nihilista.

Pero la procesión debía marchar por zonas aún más interiores, ya que Unamuno no se queda en un satisfecho racionalismo crítico, quizá ateo. Bien sea porque en él sobreviven el ambiente y la herencia religiosa de los primeros años, o bien porque cierta manera de ser muy personal le sigue empujando hacia el misterio, es el caso que en el fondo de su alma crecen la apetencia de Dios y, por su carencia de fe plena, un profundo terror a la muerte. Ya en Salamanca y, por lo que se ha podido deducir, hacia 1897, la situación hace crisis, violenta y trágica.[5] Parecen derrumbarse en estos años las ideas racionalistas que Unamuno

fe religiosa de Unamuno y su crisis de 1897" (*RUBA,* V, 1951, pp. 381-443). Otros autores (por ejemplo González Caminero, *Unamuno. Trayectoria de su ideología y de su crisis religiosa,* Comillas, 1948) han tratado también este asunto, pero los artículos de Sánchez Barbudo —con cuyas conclusiones, como se verá, no estamos de acuerdo— añaden mucho (datos, análisis penetrante) a los planteamientos más generales del problema anteriores a ellos.

[4] Digo "por dentro" ya que, según todas las apariencias externas, como se ve en el caso de su boda a que se refiere principalmente la carta de Arzadun a que aludo, Unamuno sigue al pie de la letra las exigencias de la sociedad en que vive. Cf. pp. 80 y 81 de *El drama religioso de Unamuno,* de Hernán Benítez, Buenos Aires, 1949.

[5] Cf. Sánchez Barbudo, arts. cit. y, ahora, Armando Zubizarreta, "Aparece un Diario inédito de Unamuno", *Mercurio Peruano,* año XXXII, vol. XXXVIII, pp. 182-189.

haya podido tener y sólo le quedan, como últimos e indestructibles restos de sus estudios y su meditar los problemas eternos, la capacidad crítica que le impide *pensar* a Dios como existente y, en el polo contrario, la necesidad y la voluntad de creer en su existencia y en la vida eterna que él nos dará en la muerte. Es esta crisis una dolorosa toma de conciencia que abre para Unamuno el abismo de la angustia en cuyo fondo siente, con absoluta lucidez, la revelación de la nada que le aterra. De su descubrimiento personal, y quizá para consolarse, deduce Unamuno que todos los hombres, y muy especialmente los metafísicos y los poetas, sufren de su mismo mal: miedo a la muerte, necesidad de un Dios creador de la inmortalidad personal e imposibilidad racional de creer en él. De esta toma de conciencia y de su universalización nace toda su obra.[6]

De aquí que, como ya lo dijo él mismo, y como bien ha fijado Marías,[7] el punto de partida ("personal y efectivo", naturalmente; *ST., OC.,* IV, 490) de su pensamiento y sus preocupaciones todas sea el "qué ha de ser de mi conciencia, de la del otro y de la de todos, después de que cada uno de nosotros se muera" *(OC.,* III, 603). Es decir, la obra de Unamuno puede reducirse en último término a su vida y, en ella, a la búsqueda encarnizada de la fe en la inmortalidad. Pero no, naturalmente, de una inmortalidad cualquiera, sino de una inmortalidad de "carne y hueso", es decir, *consciente.* El problema es qué será *de mi conciencia* en la muerte, porque todo "lo que no es conciencia. . . no es más que apariencia" *(ST., OC.,* IV, 584). Quien habla del hombre de carne y hueso "afirma la conciencia" *(ST., OC.,* IV, 470).[8]

Ahora bien, hay que entender, como ha visto a fondo García Bacca,[9] que la conciencia no es para Unamuno, como para los filósofos anteriores, algo puramente presentacional y abstracto, sino el producto del dolor, la realidad *sentimental* más directa,

[6] La historia de esta crisis, por típica, no habría merecido la atención que se le ha dedicado si no surgiera de ella toda la obra de Unamuno. Nada en esa obra —ni un libro, ni un verso, ni una palabra— es abstracción: como ya sabemos, el objeto y supremo objeto de todo filosofar de Unamuno es siempre Unamuno mismo, el hombre que tomó conciencia de sí a raíz de esta crisis religiosa.

[7] *Op. cit.*

[8] En su afirmación de la conciencia no se detiene Unamuno ante la necesidad de recurrir al neologismo: aquí y allá, en *Del sentimiento trágico,* por ejemplo, encontramos el verbo *concientizar(se)* (caps. VII, IX, X, XI, por ejemplo).

[9] *Op. cit.*

descubierta en la vida personal misma: ser hombre es, no sólo saber el mundo por la conciencia pensante, no sólo saberse como sujeto en que se reflejan las realidades extrañas del mundo objetivo, sino sentir esas realidades y sentirse uno a sí mismo dolorosamente,[10] como centro indivisible en que lucha la realidad dual sujeto-objeto en toda su temporalidad encaminada hacia la muerte. Ser hombre es, pues, tener conciencia dolorosa de la temporalidad.[11] De lo que Unamuno deduce —puesto que así lo necesita y, por lo tanto, no del todo lógicamente— que lo esencial de la conciencia es perseverar en sí misma, en el tiempo siempre comprometido; lo esencial de la conciencia es su imposibilidad de concebirse a sí misma como no existente.

Mucho habló Unamuno del conato spinoziano y mucho se ha escrito sobre la manera como lo interpreta (o malinterpreta) para que valga la pena detenerse en ello en este breve resumen. Digamos solamente que gusta de apoyarse en el pensamiento de Spinoza y que, como le dice Víctor a Augusto en *Niebla,* si "el segundo nacimiento, el verdadero, es nacer por el dolor a la conciencia de la muerte incesante" *(OC.,* II, 842), esta conciencia, por razón de su origen, no puede pensarse ni sentirse a sí misma como no existente: tener conciencia es, de necesidad, concebirse como indestructible ante la muerte. "Imposible nos es, en efecto, concebirnos como no existentes, sin que haya esfuerzo alguno que baste a que la conciencia se dé cuenta de la absoluta inconsciencia, de su propio anonadamiento" *(ST., OC.,* IV, 491). "Ainsi —como dice justamente Meyer *(op. cit.,* 8)— la conscience, le *serse,* implique nécessairement la limite, le délimité et le fini; et la conscience de soi ne se donne que dans la conscience d'une distinction et d'une opposition à ce qui n'est pas soi; imaginer une expérience de soi privée de limites, une expérience de l'indéfini homogène, c'est éprouver un glissement même comme conscience et comme être. Un moi qui se confondrait avec l'être sans limites serait tout sauf conscience de soi. Le *serse,* l'expérience originelle d'être, est donc négation de l'infini et du tout". Así, la inmortalidad consciente que Unamuno busca, o es vida real —es decir, limitada— como ésta

[10] "El dolor es el camino de la conciencia y es por él como los seres vivos llegan a tener conciencia de sí" *(OC.,* IV, 573); y antes: "toda conciencia lo es de muerte y de dolor" *(ibid.,* 572). Estas palabras son de *Del sentimiento trágico.*

[11] Para Unamuno el tiempo fue siempre "el misterio de los misterios" (cf. su carta a Ilundain de 1899, en Benítez, *op. cit.,* p. 311); su agonía radicaba "en la pura sensación de cómo se va el tiempo, cómo pasamos por él, cómo desfila la historia" *(OC.,* V, 831).

de ahora en que me conozco y me siento dolorosamente, o no nos sirve. "La conciencia de sí mismo no es sino la conciencia de la propia limitación" *(ST., OC.,* IV, 573) y la inmortalidad que esta conciencia exige para sí no es la de "otro mundo",[12] sino la de éste que vivimos ahora y aquí todos los días. "Toda esta trágica batalla del hombre por salvarse, ese inmortal anhelo de inmortalidad... no es más que una batalla por la conciencia" *(ST., OC.,* IV, 471). Y más adelante en el mismo libro: "La inmortalidad que apetecemos es una inmortalidad fenoménica, es una continuación de esta vida" *(ST., OC.,* IV, 530). El ser concreto y limitado tiende, sí, a ser "todos" (o "todo"), pero "sin dejar de ser él mismo" *(ST., OC.,* IV, 626), "este pobre yo que me soy y me siento ser ahora y aquí" *(ST., ibid.,* 497). Y advirtamos que este yo no es "ese otro yo de matute, el Yo con letra mayúscula, el Yo teórico que introdujo en la filosofía Fichte", sino "este yo concreto, circunscrito, de carne y hueso, que sufre de mal de muelas y no encuentra tolerable la vida si la muerte es la aniquilación de la conciencia personal" *(ST., OC.,* IV, 483): "No hay otro yo en el mundo" *(OC.,* IV, 371). El "secreto de la vida" se puede, pues, reducir a esta fórmula: "ansia de ser todo sin dejar de ser yo" *(OC.,* III, 731). Como dice Ferrater, la vida que Unamuno desea en la muerte consistiría, como la vida aquí, "no sólo en no llegar a hundirse de absoluto en la nada, sino en no llegar a quedar absorbido completamente en el ser supremo, en no ser jamás anonadado" *(op. cit.,* 104).[13]

[12] Cf., en *Poesías,* la "Elegía a la muerte de un perro"; el estribillo angustioso que se repite a lo largo del poema lo forman estos dos versos: "¡El otro mundo!/ ¡Otro... otro y no éste!".

[13] Más aún: no sólo consiste la inmortalidad verdadera en no ser jamás anonadado, sino en no ser jamás dividido: la persistencia de la materia sin alma, que algunos llamarían inmortalidad, es para Unamuno muerte, puesto que, sin alma, "¿cómo sufrimos?" *(C.,* p. 456). (Cf. también la ya citada "Elegía a la muerte de un perro" y *El Cristo de Velázquez,* Segunda parte, VI). Por otra parte, alma sin cuerpo tampoco es vida verdadera, supuesto que sin la carne "no puede subsistir el espíritu" *(OC.,* I, 797). (Cf. también *El Cristo de Velázquez, loc. cit.).* Si se prefiere, podemos decir que la división del ser, por ser la aniquilación de una de sus partes, es la creación de *otro* ser (y de *otro* mundo), es decir, la destrucción de aquel que se sentía en el dolor "aquí y ahora". De donde, entre otras cosas, la manía que el Unamuno agonista les tenía a los místicos (cf. *OC.,* V, 250, por ejemplo) y las curiosas maneras como trataba de demostrar (porque, después de todo, los místicos le atraían) que en el trance *no* desaparece, contra lo que se puede pensar, la personalidad, sino que se afirma *poseedora* de Dios, no poseída *(OC.,* IV, 498, 514 y 642, por ejemplo).

En uno de sus más conocidos sonetos ha pedido Unamuno con gran precisión el cielo que necesitaba para su inmortalidad consciente:

MI CIELO

Días de ayer que, en procesión de olvido,
lleváis a las estrellas mi tesoro,
¿no formaréis en el celeste coro
que ha de cantar sobre mi eterno nido?

¡Oh Señor de la vida, no te pido
sino que ese pasado por que lloro
al cabo en rolde a mí vuelto sonoro,
me dé el consuelo de mi bien perdido!

Es revivir lo que viví mi anhelo,
y no vivir de nuevo nueva vida;
hacia un eterno ayer haz que mi vuelo

emprenda, sin llegar a la partida,
porque, Señor, no tienes otro cielo
que de mi dicha llene la medida *(RSL.,* 126).

Inmortalidad que sea empezar siempre desde el principio y llegar hasta las fronteras de la muerte (de "otra" vida), para volver otra vez a empezar en un repetirse eterno de lo temporal, de la conciencia asentada en la memoria:[14] pero sin entrar jamás en la muerte absoluta ni volver jamás al seno materno en que la conciencia todavía no era.

Difícil sería encontrar en las letras y el pensamiento moderno una voluntad más contraria al soneto del Siglo de Oro "No me mueve mi Dios para quererte": Dios en Unamuno sólo tiene razón de ser en cuanto instrumento para la creación de una inmortalidad a todas luces imposible. "A todas luces": he ahí el problema. La razón, sólo la razón es la que no nos deja y no dejaba creer a Unamuno en la posibilidad real de esta inmortalidad y este cielo. De ahí la agonía.

> Mi alma anhela... no absorción, no quietud, no paz, no apagamiento, sino eterno acercarse sin llegar nunca..., un eterno Purgatorio más que una gloria (citado por Ferrater, *op. cit.,* 105).

Puesto que eso anhelaba, en eso se quedó toda la vida.

[14] Dice en un poema: "Búscate, alma, en el recuerdo y serás tuya;/ nunca olvides... nunca olvides, que el que olvida/ pierde el alma y no la encuentra, y es su muerte/ al morir definitiva" *(P.,* 245) y en *Del sentimiento trágico:* "La memoria es la base de la personalidad individual" *(OC.,* IV, 467).

Es el perfecto círculo vicioso. Al perder la fe de sus primeros años y llegar, lenta pero rigurosamente, al fondo de su racionalismo, vio Unamuno con claridad que lo que verdaderamente echaba de menos en su carencia de fe o en su duda era el cielo que el catolicismo más cotidiano le tenía prometido. El descubrimiento de esta elemental verdad provocó la angustia que culmina en la crisis de 1897. La angustia y el terror a la nada, a su vez, crean la necesidad de lanzarse a la busca de lo perdido.[15] Desde el primer paso el corazón tropieza con la cabeza. Del choque renace la angustia y, asaeteada por ella, la mayor voluntad. La palabra *agonía* pierde entonces su significado más común y se convierte —etimología sentimental— en *agón,* la lucha misma. En esta *agonía,* ya claramente analizada y sentida, se descubre la plenitud de aquella conciencia revelada por primera vez en la crisis: se insiste, por lo tanto, en exigir esta agonía para la inmortalidad, puesto que conciencia dolorosa es vida y lo demás sólo apariencia. La desesperación llega así a convertirse en esperanza y se justifica a sí misma: puesto que de la necesidad nació la lucha y de ésta mayor conciencia que lleva a mayor lucha, la vida más honda debe ser agónica. Con lo que se cierra el círculo. La lanza, como dice Unamuno en un poema, es ya el mejor escudo.[16] Si, además, esta agonía continúa en la muerte, se habrá obtenido lo deseado; si no, habremos vivido a plenitud, y a cualquiera que sea el juez final —o a los demás hombres, si, tal vez, ese juez no existe— le habremos demostrado que dejar morir al hombre es una injusticia.[17] En esta nueva manera de apuesta pascaliana lo importante es, pues, no dimitir de la vida.[18] Y a quien diga que eso no mata la muerte, si la

[15] Cf. *Cómo se hace una novela:* vemos ahí al personaje, Jugo de la Raza, aterrado por la idea de la muerte, lanzarse a la busca de la fe de la niñez perdida (mejor dicho: no se lanza; se "lanzaría", si se escribiese su novela y Unamuno, de verdad, creyese que se puede recapturar el bien perdido. Sobre este problema, y las dos facetas que presenta, cf. nuestro Cap. III).

[16] Cf. "La vida de la muerte", en *RSL.,* 14-15. La misma idea en el ensayo "La locura del doctor Montarco", *OC.,* III, 443-455.

[17] Según decía ya Sénancour, a quien Unamuno cita en *Del sentimiento* a este respecto *(OC.,* IV, 495).

[18] Cf. *OC.,* IV, 564-565. Y una de las maneras de no dimitir es no rendir nunca la capacidad de razonamiento, provocadora de la agonía. En uno de sus sonetos leemos lo siguiente: "Verse envuelto en las nubes del ocaso/ en que al fin nuestro sol desaparece/ es peor que morir. Terrible paso/ sentir que nuestra mente desfallece" *(RSL.,* 11). Veremos más adelante que una de las características del Unamuno no agonista es, precisamente, la tendencia a dejar que su mente desfallezca, y, no pocas veces, ante el es-

muerte existe como aniquilación de la conciencia, baste contestarle que vivir en agonía es vivir más. Y adelante; como los que vayan a seguir la estrella que lleva a la tumba de Don Quijote,[19] el San Quijote cuya realidad de gigantes nouménicos y luchas imaginarias era más real para Unamuno que todos los molinos seudo-fenoménicos[20] o leoncitos que dan la espalda.[21] El medio es un fin en sí y la razón es la sinrazón, puesto que su origen está en una necesidad sentimental indestructible.

Los enemigos de esta agonía no son sólo la razón que dice: "¡locuras!", ni sólo la muerte, sino también los hermanos de la muerte en esta vida: la abulia, el sueño, la inconsciencia y la paz; esa "paz más terrible que la vida misma",

> porque esa paz es muerte en que se abisma
> el loco afán de los perdidos bienes *(RSL.,* 243).

Para la angustia agónica sólo hay un remedio, que es mayor agonía. "El remedio al dolor, que es, dijimos, el choque de la conciencia en la inconsciencia, no es hundirse en ésta, sino elevarse a aquélla y sufrir más. Lo malo del dolor se cura con más dolor... No hay que darse opio, sino poner vinagre y sal en las heridas del alma, porque cuando te duermas y no sientas ya el dolor, es que no eres. Y hay que ser" *(ST., OC.,* IV, 682-683). De la limitación inevitable de ser hombre, limitación voluntaria; de la agonía inevitable, voluntad de agonía.[22]

pectáculo de las "nubes del ocaso". Frente al agonista, veremos, el Unamuno "contemplativo" es el que "dimite", por un instinto irracional incontrolable, de lo que la conciencia llama vida.

[19] Cf. *OC.,* IV, 101-111 ("El sepulcro de don Quijote").

[20] Sobre "nouménico" y "fenoménico" en relación con el *Quijote,* cf. mi artículo "Interioridad y exterioridad en Unamuno", *NRFH,* VII, 1953, pp. 686 y sigs.

[21] Cf. en la *Vida de don Quijote y Sancho,* su comentario al capítulo XVII de la Segunda parte *(OC.,* IV, 266-270).

[22] Si a esta guerra metafísica y religiosa añadimos el hecho de que la temporalidad en que Unamuno vive (y que exige para su muerte) no es nada abstracta, ni sólo el producto de su lucha con la Esfinge, sino también, y muy concretamente, su limitada y egoísta voluntad de renombre en la historia de España en cuanto figura pública de un tiempo muy específico, aumentan las dimensiones del problema. En el nivel personalísimo del individuo que, a una vez, buscaba su persistencia en la Eternidad y en el Tiempo, y de un mismo espadazo paradójico quería para sí la Fama a la vez que la Gloria, se encuentra quizá la tensión más patética de la agonía de don Miguel. Esta lucha por la fama y el nombre —más baja, más, quizá, como lo de todos— también quería Unamuno llevársela consigo a su cielo.

Además de la justificación de la lucha por sí misma para sí, Unamuno saca de su desesperanza otra justificación y esperanza: el llevar a los demás no la paz, sino la espada, de ser una necesidad, se convierte pronto para él en una misión que da sentido a su paso por esta tierra. El poner su conciencia al potro[23] y desnudarla ante los demás le sirve no sólo para su propio consuelo, sino para cumplir la misión que de joven creyó ver en su destino:[24] despertar al dolor y a la agonía a cada uno de sus lectores para que vivan más. Triunfar en una misión así justifica una existencia. Además, y de paso, naturalmente, el dolor que sus "confesiones" de profeta provoquen en los demás le será devuelto a él en forma de lucha que los otros le ofrecen para hacerle sentirse más vivo aún en su contacto con lo ajeno a sí mismo.

Y así, pensadas y repensadas todas estas posibilidades,[25] Unamuno lucha en todas partes y con todos: consigo mismo, con Dios —con el Dios en que a veces cree y con el Dios que otras veces él mismo se crea—, contra los unos y contra los otros, contra esto y aquello. Lucha por las cosas eternas y por las temporales; escribe sobre Kant y sobre la pornografía; sobre la inmortalidad y sobre el ejército español; sobre lo divino y lo

[23] La expresión es de García Bacca *(op. cit.)*

[24] Cf. Carta a Ilundain del 25 de mayo de 1898 (Benítez, *op. cit.*, p. 267). La misión es, sencillamente, la de profeta. Le dice a Ilundain: "¿Adónde iré a parar? No lo sé. Sólo sé que creo haber hallado por ahora mi camino y creo cumplir un deber y una necesidad íntima de mi espíritu a la vez. Hace ya muchos años, siendo yo casi un niño, en la época en que más imbuido estaba de espíritu religioso, se me ocurrió un día, al volver de comulgar, abrir al azar un Evangelio y poner el dedo sobre algún pasaje. Y me salió éste: «Id y predicad el Evangelio por todas las naciones». Me produjo una impresión muy honda; lo interpreté como mandato de que me hiciese sacerdote. Mas, como ya por entonces, a mis quince o dieciséis años, estaba en relaciones con la que hoy es mi mujer, decidí tentar de nuevo y pedir aclaración. Cuando comulgué de nuevo, fui a casa, abrí otra vez, y me salió este versillo, el 27 del capítulo IX de S. Juan: «Respondióles: Ya os lo he dicho y no habéis entendido, ¿por qué lo queréis oír otra vez?». No puedo explicarle la impresión que esto me produjo".

[25] Tantas vueltas le dio a este asunto, y tan repetidamente afirmó que la lucha se justificaba a sí misma, que llegó a dudar de su propia repetición y más de una vez creyó ver en ella alguna trampa; especialmente en sus últimos años llegó a acusarse de "hipócrita". Cf. *Cómo se hace una novela*, por ejemplo. Pueden verse, además, nuestro artículo ya citado y los siguientes artículos de Sánchez Barbudo, en los que, por ciertas razones que veremos y discutiremos más adelante, afirma este autor que, en efecto, toda la lucha de Unamuno era una farsa: "Los últimos años de Unamuno", *HR*, XIX, 1951, pp. 281-322, y "El misterio de la personalidad en Unamuno", *RUBA*, VII, 1953, pp. 201 y sigs., así como los artículos ya citados.

humano, o, mejor, sobre todo lo humano —que tiende necesariamente hacia lo divino— en cuanto que del hombre es perseverar en su ser por medio de la lucha en cualquiera de sus múltiples formas. Esta lucha, a la vez que da, como dio más vida a España, le da más vida a Unamuno mismo. Por ello, habiendo considerado muy bien a lo largo de su vida todos estos puntos de vista, exclamaba en 1911:

> Sobre todo y ante todo, nada de vivir en paz con todo el mundo. ¿Vivir en paz con todo el mundo? ¡Horror, horror, horror! No, no, no; nada de vivir en paz. La paz, la paz espiritual quiero decir, suele ser la mentira y suele ser la modorra. No quiero vivir en paz ni con los demás ni conmigo mismo. Necesito guerra, guerra en mi interior; necesitamos guerra.

Y remata, no sin un tono de burla muy suyo:

> La verdad antes que la paz. Tal es mi divisa. Y para mayor brillo la he puesto en latín: *Veritas primum pace* (*OC.*, III, 987-988).

Idea que remacha, para siempre, en la oración final de *Del sentimiento trágico de la vida:* "Dios no te dé paz y sí gloria". Contra la muerte y la modorra y el sueño y la inconsciencia.

De aquí, entre otras cosas, el estilo de su verso y de su prosa: las paradojas, la repetición obsesionada, las exclamaciones e interrogaciones, la violencia, las torpezas, el insulto. De aquí la *densidad* de su expresión que tanto ha subrayado la crítica, sobre todo al hablar de su poesía.[26] Para despertarse uno a sí mismo y despertar a los demás, la prosa y el verso deben chirriar, herir, ir cargados de problemas, ser como sal en nuestra sensibilidad demasiado acostumbrada a la música fácil, porque la música, según tendremos amplia oportunidad de ver, empuja al sueño y a la inconsciencia,[27] es decir, a la muerte. Deben doler el verso y la prosa como le duele a la vida la realidad de la muerte y como duelen las ideas que luchan entre sí frente

[26] Para lo que se suele citar, naturalmente, su poema "Denso, denso", *Poesías,* 12-13.

[27] Cf. también en *Poesías,* el poema "Música", cuyo principio bastará citar ahora: "¿Música? ¡No! No así en el mar de bálsamo/ me adormezcas el alma; no, no la quiero...". La actitud contraria del Unamuno contemplativo la veremos en nuestro Cap. V.

a la realidad de la muerte. Por eso –*a posteriori,* naturalmente– justificaba Unamuno sus paradojas y sus violencias[28] e, incluso, justificaba las torpezas muchas veces señaladas de sus versos: todo lo que nos distraiga la atención del ritmo y la melodía homogéneos es un despertar a mayor vida. Así, pues, de la misma manera que la lanza es escudo, la pluma no deberá ser lira nunca, sino estilete.[29]

He aquí, pues, muy esquemáticamente, y presentada con la sola intención de fijar en nuestra memoria algunos puntos de referencia que nos sirvan de fondo a las páginas que siguen, la realidad del Unamuno agonista. De ella ha surgido la leyenda que nos impide ver todo lo que en Unamuno no sea la lucha por salvar la conciencia.

> *No quiero morirme, no; no quiero ni quiero*
> *quererlo; quiero vivir siempre, siempre, siempre,*
> *y vivir yo...*
> *¡Dios no te dé paz y sí gloria!*
> *¡Muera don Quijote!*
> *¡Muera Alonso Quijano el Bueno!*
> *¡Que inventen ellos!*
> ....

¡Qué palabras, qué gritos dados para que no los olvidemos nunca, para que cuando pensamos en Unamuno nos salten a la mente y nos indignen, o nos entusiasmen, o, simplemente, por su desnudez y su audacia, nos asombren! ¡Qué material de realidad para la leyenda! De esta realidad y leyenda fundidas y confundidas nacen, por ejemplo, las palabras con que Ortega pretendió definir a Unamuno en 1909:

> Energúmeno español, morabito máximo, que ha elevado a la dignidad universitaria los usos jaquescos y escribe cartas públicas de filosofía soez.

Idea que todavía prejuzga nuestra imagen de Unamuno, y a la que aún añadía Ortega estas torpes palabras:

[28] Para todo esto, cf. mi *Unamuno, teórico del lenguaje,* Segunda parte (México, 1954).

[29] Dice en el *Cancionero* (p. 240): "Haz de tu estilo estilete,/ haz de tu pluma plumero,/ limpia el polvo con acero/ y con acero arremete".

> En los bailes de los pueblos castizos no suele faltar un mozo que, cerca de la media noche, se siente impulsado sin remedio a dar un trancazo sobre el candil que ilumina la danza; entonces comienzan los golpes a ciegas y una bárbara baraúnda. El señor Unamuno acostumbra representar este papel en nuestra república intelectual.

Y no deja Ortega en el tintero su peor insulto: "ornitorrinco". Estaba ofendido porque Unamuno llamó a algunos —que no a él— *papanatas*. "Yo soy uno de esos papanatas", dice, para darle a Unamuno la guerra que pedía.

No vale la pena discutir si los golpes de Unamuno iban o no dados "a ciegas", ni preguntar cuál era el "candil" que iluminaba en aquel entonces la danza del ruedo ibérico; no pretendemos aquí juzgar los aciertos o las fallas de Unamuno. Lo que nos importa ahora de estas palabras de Ortega —y nos importan por ser quien es Ortega— es que cuajan, en insulto, una opinión inflexible sobre don Miguel que va desde el irónico, aunque sin duda cariñoso, "pelotari en Patmos" de Darío, hasta el entusiasmo con que, hoy mismo, casan los jóvenes poetas de España la "reciedumbre" de Unamuno con la sobriedad de Machado y el socialismo de Neruda para oponerlos a las sutilezas de los "esteticistas" de la generación poética anterior que rechazan. Una opinión sin duda justificadísima por la realidad de la vida y la obra de Unamuno, pero que no agota toda esa vida y esa obra. Para bien o para mal, es ésta una imagen de la persona y la obra de Unamuno que, por casi cincuenta años, nos ha llevado a ver en su metafísica, en su política o en su estilo, *sólo* al hombre exterior cuya realidad fácilmente se simplifica en las anécdotas de violencia y paradoja. Las siguientes palabras con que un crítico pretende resumir el pensamiento y el estilo de Unamuno son típicas:

> Unamuno escribe bien, estilísticamente [?], cuando lo escrito es un grito de dolor o la exoneración de una inquietud, siempre en secreción interna de congoja, dudas y tenebrosas cavilaciones.[30]

No busquemos más ejemplos concretos; bastará con que el lector repase mentalmente la impresión que tiene ya formada de Unamuno a través de lecturas directas, comentarios y anécdotas:

[30] Nemesio González Caminero, S. J., *op. cit.*, p. 376. Ni qué decir que cito estas palabras por típicas: podrían ser las de cualquier otro de los muchos que han estudiado a Unamuno y se han referido a su estilo.

las palabras *agonía,* dureza, torpeza, retorcimiento, energumenismo, reciedumbre, parecen agotar toda la vida y la obra de don Miguel. Pero, ¿y *Paz en la guerra,* su tesis y su estilo lento, homogéneo, rítmico y resignado? ¿Y algunos sonetos de Fuerteventura? ¿Y *El Cristo de Velázquez*? ¿Y su prosa de paisajes? ¿Qué hacemos del Unamuno que con tanta ternura, recato y humildad hablaba de sus "pobres" poesías "otoñales"?, ¿o de la poesía de Machado? ¿Y de Wordsworth? ¡Y de Trueba! ¿Cómo clasificar dentro de esta idea fija al Unamuno resignado y suave que tanto quiere a sus más grises personajes: al pobre Basilio de uno de los cuentos de *El espejo de la muerte,* al Pedro Antonio de *Paz en la guerra,* al Apolodoro de *Amor y pedagogía*? ¿Cómo explicar al Unamuno que, según veremos en detalle, prefería perderse en sueños de eternidad inconsciente dentro de los muros de Ávila a tener que volver al tiempo y su lucha cotidiana por la inmortalidad y la fama?

"Il n'y a nulle part de refuge ontologique pour l'être plein", dice Meyer en su excelente libro sobre Unamuno *(op. cit.,* 1): verdad indiscutible si hablamos sólo del Unamuno agonista. Y, sin embargo... Ni esta agonía, interpretada bien o malintencionadamente, ni el estilo de que tanto se ha hablado, agotan la compleja personalidad y la compleja obra de Unamuno. Quedarse sólo con la agonía de Unamuno, por más real que sea, o por mucha importancia que tenga en la historia del pensamiento moderno, es hacer caso omiso de algunas de sus obras más personales y que él más quería; es quedarse, para siempre, en la leyenda.

II

EL UNAMUNO CONTEMPLATIVO: INTRODUCCIÓN GENERAL

> ...tomamos por nuestra personalidad íntima el yo que de ella nos refleja el mundo *(OC.,* III, 94).

> ...el morir un derretirse dulce en reposo infinito debe ser *(P.,* p. 55).

1. Unamuno ante sí mismo. La objetivación del problema de sus dos personalidades

Historia ya leyenda, la maciza y simple figura dominante del Unamuno agonista torturado y energuménico, su voz cegadora, nos han impedido ver el significado tal vez más hondo de aquellas palabras suyas en que explicaba cómo su pensamiento –su vida toda– marchaba por "afirmación alternativa de los contradictorios" *(OC.,* III, 5): creado el mito de Unamuno por la lucha entre el corazón y la cabeza, el estruendo de su guerrear nos ha impedido penetrar en los alternativos "escondrijos y rinconadas" *(OC.,* III, 498) de su alma en que latían, silenciosa y apagadamente, una personalidad y unas querencias muy otras de las del agonista obsesionado por alcanzar una inmortalidad que, como la vida misma, fuese temporal y consciente. A lo largo de los años, el hombre que entre Unamuno mismo y su público hemos creado se nos ha convertido en un tipo fijo, indestructible.

Siempre tuvo Unamuno conciencia de que esto podía ocurrirle, de que ya le estaba ocurriendo desde sus primeros contactos con el público: "¡No voy para estatua!", gritó alguna vez. Tras este grito se escondía su preocupación por el conflicto entre el hombre que uno se es por dentro (o se cree ser) y el hombre que los demás ven (la "leyenda"), lo que él llamaba *el misterio de la personalidad,* preocupación que recorre, obsesionante, su obra toda.[1] Vio siempre Unamuno con claridad y desesperación

[1] Este "tema" central, básico para la comprensión de la obra y la vida de Unamuno, ha sido ya estudiado (cf. Sánchez Barbudo, "El misterio

—cada vez mayor según crecía su fama— que "el mito ahoga al personaje mortal" *(OC.,* III, 179).[2] Por ello, ya desde su primer libro, advertía a sus lectores que un hombre no es un "tipo tradicional" *(loc. cit.),* que hay que desconfiar de los tipos fijos porque "un hombre es la más rica idea, llena de nimbos y de penumbras y de fecundos misterios" *(OC.,* III, 51). Muchos años después insistía en el tema:

> ¿No has oído, lector, querer elogiar a alguien diciendo que él es un hombre de una sola pieza? Y creen [los] que así dicen que es lo mismo que decir de él que es un hombre entero y verdadero. "Nada menos que todo un hombre". ¡Pues bien, no! Un hombre de una sola pieza no puede ser un hombre entero y verdadero, porque un hombre entero y verdadero se compone de muchas, de infinitas piezas *(CH.,* 83-84).

Y más de una vez, simplificando por necesidad expositiva, reduciendo el número de infinitas piezas a las alternativas más radicales, se describió a sí mismo dividido en dos:

de la personalidad en Unamuno", *loc. cit.,* pp. 201 y sigs.) y aunque no estamos de acuerdo con la interpretación que Sánchez Barbudo da a este "misterio", como ello se irá viendo a lo largo de las páginas que siguen, nos parece suficiente aquí referirnos a su artículo y recoger para nuestro propósito los aspectos del problema que en este lugar nos interesan.

[2] En uno de sus artículos leemos lo siguiente: "Se hacen caricaturas de caricaturas... hasta que de tal modo se borra el modelo, que no queda parecido alguno; se forma el tipo tradicional y nadie vuelve a estudiarlo del natural. Y en lo moral pasa lo mismo: el mito ahoga al personaje mortal, y aun obra sobre este mismo, compeliéndole a hacer esto o lo otro" *(OC.,* III, 179, nota). Palabras que van de la mano con este momento de uno de sus diálogos:

> "—¿De modo que usted es un mito?
>
> —¡Pues claro, hombre, pues claro! Soy un mito que me voy haciendo día a día, según voy llegando al mañana, al abismo, de espalda al porvenir. Y mi obra es hacer mi mito, es hacerme a mí mismo en cuanto mito".

(citado por Manuel García Blanco en *Don Miguel de Unamuno y sus poesías,* Salamanca, 1954, p. 178). Nótese que ésta es la justificación de su leyenda de agonista: se aferra aquí Unamuno a una apariencia (al igual que lo hará luego en *Cómo se hace una novela)* en su esfuerzo por salvarse en ella. Cuando más fue creciendo su leyenda más necesidad sintió, alternativamente, de rechazarla y de justificarse en ella: léase *Cómo se hace una novela,* obra en que más violenta es la tensión entre las dos tendencias. Sin embargo, veremos a lo largo de este libro cómo ese "ir de espaldas al porvenir" es, precisamente, lo que rechaza el Unamuno "contemplativo" que tiene uno de sus centros principales en la búsqueda interior de sus "ex-futuros", de aquellos posibles *yos* no públicos que creía a veces haber dejado a lo largo de su camino legendario.

Óyete, hombre, en el reposo,
silencio te cuna Dios,
oye el llanto generoso,
óyete bien a los dos *(C.,* 231).

Porque, como decía ya en 1897,[3] "es de saber que hay en nosotros dos hombres"; y en 1906: "Hay un yo radical, permanente... y otro yo superficial, pegadizo, pasajero" *(OC.,* III, 747); y en 1911: "Hay en cada uno de nosotros dos hombres, el temporal y el eterno" *(OC.,* III, 1005). Además del yo que vemos reflejado en los otros (o que los otros nos ven) hay siempre, pensaba Unamuno, "otro yo, el más primitivo, el que está por debajo del alma" *(OC.,* III, 997).

Cierto que con esta idea, como con algunas otras, Unamuno se confundía –y nos confunde– en imprecisiones: algunas veces, como en *Del sentimiento trágico,* los contrarios eran el corazón y la cabeza, los contendientes de la ya legendaria agonía; otras, como por ejemplo en "Desahogo lírico" *(OC.,* III, 1003-1010), los dos hombres resultan ser el que se entrega a las cosas del tiempo (política, negocios, etc.) y el que piensa sólo en ganar una inmortalidad de carne y hueso; otras, en fin, los contrarios son los que aquí nos interesan: de un lado el corazón que, en lucha angustiada contra la razón, busca una inmortalidad consciente y temporal y, de otro, su contraparte, el mismo corazón dispuesto a entregarse a la paz de lo eterno inconsciente, bien sea esa eternidad la plenitud de Dios o el no tiempo de la Nada; el escondrijo del alma desde el fondo del cual, como decía Pascal, *"on aime à s'égarer".* Un fragmento de "Conversación primera", ensayo dialogado, no deja lugar a dudas sobre la existencia de estos dos *yos.* Hablan "el autor" y un "amigo":

> –Y de todo esto ¿qué sacamos en limpio?– me preguntó [mi amigo] en seguida.
> –¡Bah! –le contesté–, la cosa es matar el tiempo y excitar la imaginación.
> –¿Para qué?
> –Para darle carrera y que corra.
> –¿No será mejor aquietarla y darle reposo?
> –¡Ay, amigo! He aquí mis dos grandes anhelos, el anhelo de acción y el anhelo de reposo. Llevo dentro de mí, y supongo que a usted le ocurrirá lo mismo, dos hombres, uno activo y otro contemplativo, uno guerrero y otro pacífico, uno enamorado de la agitación y otro del sosiego.

[3] En el Prólogo a un libro de poesías de su amigo Arzadun (Bilbao, 1897); citado por Sánchez Barbudo, art. cit., pp. 213-214, nota 10.

Y a continuación el autor le traduce a su amigo, aprobándolo, un pasaje de Burns en que el escocés dice también llevar dos hombres dentro de sí, uno como el caballo salvaje que atraviesa las selvas de Asia y otro igual a una ostra de alguna de las costas desiertas de Europa *(OC.,* III, 962).

Dos hombres, pues, que no son ya el del corazón y el de la cabeza, sino dos querencias contrarias del mismo "corazón" que parece dividirse entre su voluntad de querer *estar* por siempre (fuente de la agonía y la acción) y una oscura tendencia a dejarse ser, sin carne, ni hueso, ni conciencia (esencia, eternidad, fuente de la paz):

> ... con contrarios el alma me hiciste,
> entre el ser y el estar un arcano... *(C.,* 50).

Precisemos, adelantando la idea central que, expresada a través de diversos temas y por medio de varios símbolos, veremos repetirse insistentemente a lo largo de nuestro estudio:

El "corazón" (es decir, una tendencia interior e irracional del hombre; en este caso concreto, de Unamuno) encierra, como uno de sus anhelos fundamentales, la voluntad de perseverar en su temporalidad; desde alguno de los fondos de su alma el hombre anhela una inmortalidad de carne y hueso que sea como esta vida porque encuentra aquí y ahora la plenitud de su existencia en la conciencia de su propia limitación. Como ya hemos dicho, limitación y *voluntad* de límites vienen a ser, en su círculo vicioso, algo así como la causa y su efecto, las dos fuerzas que motivan la agonía. Ahora bien, el hombre que *inconscientemente* (y esto elimina el factor "voluntad") *cree* en la inmortalidad de carne y hueso que anhela sin darse cuenta, es el que tiene la "fe del carbonero". Esta primera posibilidad tan ajena al Unamuno que nace a la conciencia después de la pérdida de la fe de su niñez, no nos interesa aquí. Sí nos interesa el hombre que, a plena conciencia, siente que la razón le niega la posibilidad de su voluntad fenoménica y, a consecuencia de ello, vive en la agonía: éste es el Unamuno que rechaza la fe del carbonero y que, simplificando, reduce su vida interior a la lucha corazón-cabeza y su vida exterior a la presentación de esa lucha para encontrar en su expresión misma —y en sus resultados frente al público—, es decir, en la acción, más agonía y, por lo tanto, más vida.

Pero el "corazón" no es sólo el que anhela los límites en que el agonista vive satisfecho en su propia zozobra (esperanza de la desesperanza), sino que hay en él (más en unos hombres, en otros menos) ciertas "rinconadas y escondrijos", más "primitivos" quizá, que le inclinan misteriosamente a dejarse deslizar por la pendiente suave que lleva a la inconsciencia: se puede dar también en el mismo corazón (y, veremos, concretamente en el de Unamuno) una *tendencia* incontrolable al *derretimiento,* a la *fusión,* a la *dilatación,* a la *difusión*[4] de sí mismo en todo lo otro, llámese esto "otro" Naturaleza, Ser Pleno (Dios o Eternidad), o Nada.[5] Esta tendencia a la entrega, al abandono, al enajenamiento en suma, es plenamente inconsciente, lleva a la inconsciencia y se da, como alternancia siempre inesperada e involuntaria, en ese mismo corazón que anhela por otra parte la inmortalidad de sus propios límites. Alternando, pues, con la voluntad agónica del Unamuno más conocido, lo que vamos a encontrar en estas páginas es su tendencia a la apertura y al recogimiento difuso e inconsciente, su búsqueda de la seguridad no en la zozobra, sino en la dilatación y el enajenamiento que para él es la paz.

Ahora bien, aunque estas dos vertientes de la personalidad de Unamuno (que afirmo ahora categóricamente y cuya existencia iré tratando de probar a lo largo de este estudio) habitan la misma persona, aunque parten de un mismo centro en el que, naturalmente, coinciden, siguen en su expresión caminos distintos que, a diferencia de los de los contrarios corazón-cabeza, no se encuentran en choque directo. Ya hemos visto que cuando la conciencia domina no puede concebirse a sí misma como no existente; de la misma manera, cuando se abandona Unamuno a la contemplación en la idea de la paz o de la inconsciencia, desaparece la voluntad de conciencia. Se dan, pues, estas dos maneras de ser de Unamuno como alternancia, no simultáneamente, y no hay entre ellas guerra. Cuando suena el estruendo de la agonía, calla su ser contemplativo. Y cuando habla el yo contemplativo su voz es, por su naturaleza misma,

[4] Todas las palabras que subrayamos forman parte de un vocabulario que, como veremos, Unamuno emplea insistentemente.

[5] Necesario es aclarar, aunque sea en nota por ahora, que no me ocupo en este estudio de separar lo *positivo* de lo *negativo* de estas inclinaciones de Unamuno; de que, al juzgarlas racionalmente, afirme unas veces que le llevan a "perderse" en la Eternidad, o en Dios, y, otras veces, a hundirse en la Nada: el contenido, la fe o la no fe de Unamuno, que tanto y tan inútilmente se discute, sólo nos va a interesar aquí en cuanto forma específica de nombrar que toma una tendencia no agónica de su ser. La tendencia en sí, no su contenido o su vacío —imposible de precisar muchas veces— es lo que aquí nos ocupa (Cf. nuestro Epílogo).

interior, apagada, gris, difusa: por ello ha pasado casi desapercibida entre las más espectaculares luchas con que alterna.[6] Esta otra voz, este otro Unamuno, (al que seguiremos llamando *con-*

[6] Ferrater Mora, que no poco de esto ha debido intuir, habla en su excelente libro (*op. cit.*, p. 16) de ciertos *silencios* de Unamuno que siempre le han intrigado. Tal vez esos *silencios* correspondan a la vertiente de la personalidad de Unamuno que aquí estudiamos. También Sánchez Barbudo, en sus varios artículos citados, ha hablado de los silencios de Unamuno, y hasta de la existencia de *otro Unamuno.* Así, por ejemplo, le ocupa la "íntima paz que bajo el Unamuno de la palabra apasionada en él se escondía" (*HR,* XIX, p. 285). Es, sin duda, el que más lejos ha llegado en un estudio del Unamuno no agonista; se podría decir, incluso, que es el que con mayor penetración ha buscado dentro de la agonía. Pero, desgraciadamente, no puede evitar tener siempre presente la leyenda del agonista (que, además, por lo visto, le molesta sobremanera) y así, cuando vislumbra que, aquí y allá, parece no reinar la guerra en el alma de Unamuno deduce en seguida que la tal leyenda es más farsa que realidad, como es "farsa" la tan traída y llevada "duda" unamuniana (cosa que, por otra parte, Unamuno mismo propone y *en seguida* refuta con toda razón —según veremos en nuestro Epílogo— en *Cómo se hace una novela).* La agonía de Unamuno es, pues, para Sánchez Barbudo sólo un estruendo con el que don Miguel trataba de acallar sus silencios: "Era silencio de muerte y no paz lo que hallaba ahora en el fondo de su alma..., y de ese silencio trataba de librarse clamando", dice, por ejemplo, en *RUBA,* VII, pp. 206 y sigs. Sospecho que Sánchez Barbudo llega a esta opinión, en primer lugar, porque se preocupa principalmente de resolver la cuestión de si Unamuno creía o no en Dios (es decir, de si su duda religiosa *católica* era auténtica) y, en segundo lugar, porque sólo presta atención a los silencios que aquí vamos a llamar *negativos* y, muy especialmente, cuando aparecen de 1920 en adelante, años en que la crisis de la personalidad de Unamuno se agrava. Cuando estudia estos silencios antes de 1920, en *Paz en la guerra,* por ejemplo, los interpreta también tendenciosamente como revelaciones de la Nada (compárese en este mismo capítulo nuestro análisis de la revelación de Pachico al final de la novela con el que él hace en su artículo "Sobre la concepción de *Paz en la guerra", Ínsula,* núm. 46, subrayando exclusivamente la idea de que detrás de lo contemplado "no hay nada", en tanto que nosotros subrayamos la idea de la "comunión" de Pachico con la Eternidad, "el alma de las cosas", lo más positivo de la realidad) y, por si acaso, añade que la realidad descubierta en estos primeros años desaparece después de 1900. Que los silencios negativos están ahí en toda la obra de Unamuno es indiscutible y a Sánchez Barbudo le debemos el descubrimiento; que eran silencios terribles en los que Unamuno dudaba de toda su agonía y se llamaba a sí mismo hipócrita, no habrá quien pretenda discutirlo. Pero que también había silencios (positivos o negativos, es decir, llenos de Dios o de Nada) a los que Unamuno se entrega sin referirse a su agonía, es decir sin la lucha que implica el llamarse a sí mismo *hipócrita,* amplia oportunidad tendremos de verlo en este estudio. Adelantemos sólo esto: tan puros pueden llegar a ser estos silencios, tan alejados de su preocupación por la agonía, que no pocos de ellos se llenan del nombre de Dios con una fe desconocida en el Unamuno agonista. Y esto lo mismo antes de 1920 que después de 1920. O Sánchez Barbudo no ha visto estos silencios,

templativo según su propia indicación) es el que va a ocuparnos en las páginas que siguen.[7]

2. La voluntad de paz nacida del cansancio de la agonía

Antes de pasar adelante hay que advertir que en su aspecto más superficial, más obvio, este Unamuno "contemplativo" puede aparecer primero, sencillamente, como el hombre cansado de su propia guerra. En este sentido, directamente relacionado con la agonía, se nos presenta a primera vista como el contrario del Unamuno que cierra *Del sentimiento trágico* exclamando "¡Y Dios no te dé paz y sí gloria!". Es un hombre que, desde el fondo de su agonía misma, agotado por ella, pide, como todas las "almas del mundo trémulas", "por el amor de Dios descanso en paz" (*CV.*, 158); un Unamuno que en 1928, casi al final de su agitada vida, exclamaba:

> ¡Lo que pesan mis pesares!
> ¡Lo que me pesa mi grito!
> ¡Lo que me peso, Señor! (*C.*, 158);

o no ha querido verlos. (Tanto pesa sobre la crítica de Unamuno la leyenda del agonista energuménico que, en el polo ideológicamente contrario al de Sánchez Barbudo, también González Caminero habla de "fraude"; cf. *op. cit.*, p. 25. Cf. también Enrique Anderson Imbert, "Unamuno y su moral de orgía", *Ensayos*, Tucumán, 1946).

[7] Mientras pasamos adelante, es importante notar, aunque sea al pie de página por ahora, que entre estas dos maneras extremas de la alternancia del ser de Unamuno se dan a veces extraños contactos que pueden hundirnos en confusiones. Le suele ocurrir, por ejemplo, que, después de haberse abandonado plenamente a sus tendencias contemplativas que le llevan a la inconsciencia o a la idea del deleite que sería vivir en la inconsciencia, vuelve tarde o temprano a sí mismo en cuanto hombre que necesita el dolor de la conciencia para sentirse vivo y, al reflexionar entonces sobre su enajenamiento o la manera de ser que le empuja a él, surgen toda clase de dudas (por ejemplo: lo intuido en el abandono, ¿era realidad plena o sólo engaño y consuelo para mi dolor?), una profunda angustia y una gran tristeza de verse así —como desde una tercera persona— dividido en dos. Pero, lo notable de esta angustia —por oposición a la de las luchas agónicas— es que se le da sin violencias, sin gritos, sin el energumenismo a que nos tiene acostumbrados el autor de la *Vida de don Quijote y Sancho* y *Del sentimiento trágico*. Esta última conciencia de ser dos la encontramos aquí y allá en algunos ejemplos de las páginas que siguen. Hablaremos más de ello en nuestro Epílogo. Mientras tanto, bástenos decir que, por ser esta tristeza tan distinta de su agonía legendaria y, en sí misma, prueba de la existencia de una manera de ser suya muy distinta de la del agonista, nos ha parecido natural ofrecer ejemplos de ella en algunos momentos de este libro.

un hombre, pues, cargado de sí mismo,[8] del peso que sobre su ser más íntimo ejercía la lucha entre la cabeza negadora y aquella otra parte de su ser que anhelaba la increíble inmortalidad de carne y hueso. "¡Ay, pobre de mi alma –se quejaba ya antes de 1928, en la plenitud de su vida de agonista interior y público–, pobre de mi alma desfondándote así en este trasiego de apariencias, visiones y escenarios, sin dar ancla en sosiego, juguete de contrarios vientos. . . , soñando siempre en el descanso eterno!" *(OC.,* I, 750). Un Unamuno, pues, que en algunos momentos confiesa no buscar siempre el vibrar incesante de la conciencia en agonía, sino, por rechazo, deseoso de *dar ancla* en el sosiego; un cansado soñador, no de la inmortalidad de carne y hueso, sino del descanso eterno; un hombre, como veremos una y otra vez, que pide, por cansancio, la gloria de la paz, no la gloria de la guerra.

Ya en 1900 (mucho antes de sus mayores agonías públicas, antes de que se fijara su leyenda) expresaba este Unamuno su voluntad de paz, su tendencia más interior a huir del tiempo, padre de todas las guerras:

> Quiero dormir del tiempo,
> quiero por fin rendido
> derretirme en lo eterno
> donde son el ayer, hoy y mañana
> un solo modo
> desligado del tiempo que pasa;
> donde el recuerdo dulce
> se junta a la esperanza
> y con ella se funde;
> donde en el lago sereno se eternizan
> de los ríos que pasan
> las nunca quietas linfas:
> donde el alma descansa
> sumida al fin en baños de consuelo,
> donde Saturno muere:
> donde es vencido el Tiempo *(P.,* 197).[9]

[8] Cf., por ejemplo, los cuatro sonetos de 1911 ("En horas de insomnio") que publica ahora García Blanco, *op. cit.,* pp. 398-400, en particular el que empieza: "Me voy de aquí, no quiero más oírme. . .". También en *RSL.,* 182-183, el soneto "Noches de insomnio", terrible poema de un no creyente que, al cansarse de la lucha ("farsa" *en este momento para él*) encuentra sólo el vacío.

[9] Aunque publicado en 1907 en el tomo de *Poesías,* el poema es de 1900: cf. García Blanco, *op. cit.,* p. 34.

Rechaza aquí Unamuno la razón misma de ser de su agonía que es, como hemos visto, la conciencia y la voluntad del tiempo y sus limitaciones. El Unamuno que quiere *dormir* del tiempo, *desligarse* de él y *derretirse* en lo eterno, el que sueña con *sumirse* en el lago donde Saturno muere,[10] rechaza la agonía, la voluntad de imperfección, de cuerpo y de conciencia, de oposición radical entre lo uno y lo otro. Más que hermano del agonista, parece este hombre alma gemela de aquel San Pablo —a quien tanto citaba— que, cansado también de guerrear en el tiempo, y ansioso de una eternidad en Dios que le había sido revelada, clamó alguna vez: "miserable hombre de mí, ¿quién me librará de este cuerpo de muerte?" (Rom., VII, 19/24).

El mismo deseo, la misma voluntad surge de vez en cuando clarísima a lo largo de toda su obra, por ejemplo, en forma de plegaria, en este otro poema suyo bien conocido ("Libértate, Señor", 1907; *P.*, 121-122):

> Déjame descansar en tu reposo,
> en el reposo vivo,
> y en su dulce regazo,
> en tu seno dormido,
> ¡guarda-me, Señor!
> Guárdame tranquilo,
> guárdame en tu mar,
> mar del olvido...
> mar de lo eterno...
> ¡guarda-me, Señor!

He aquí, vuelta ahora a lo divino,[11] la voluntad de descanso

[10] Aunque sólo en forma de deseo, aparecen ya en este poema varios de los tópicos y símbolos en que se expresa insistentemente el Unamuno contemplativo: téngase en cuenta, por ejemplo, a lo largo de este estudio, la idea de *dormir* (cf. Cap. V), la de *derretirse* (que encontraremos asociada a diversos temas y símbolos) y la del *lago* (cf. nuestro Cap. VII).

[11] Nótese que, contra la opinión de los que buscan demostrar la no fe de Unamuno, es ésta una expresión positiva de la fe en Dios. ¿Tenemos derecho a pasar por alto un momento como éste o, peor aún, a ponerlo en duda, sobre todo si no solemos dudar de la honradez expresiva de Unamuno cuando dice haber tropezado con la Nada en algún momento de revelación negativa? Si tal hiciéramos —si tal fuese Unamuno— no valdría la pena, desde luego, molestarse en leerle, como no podríamos tomar en serio, digamos, a Fray Luis de León, sólo porque algunos de nosotros no queramos creer en el contenido de una palabra ("Dios") que, en sí, no significa o aprehende la realidad verdadera del Ser de que hablamos. Sólo la fe o la tradición llenan de contenido las revelaciones de lo "inefable" (Dios o

y de sueño de dormir,[12] el anhelo de desaparecer en el "mar del olvido" tan contrario a la voluntad del agonista que tanto insistió en decir, y tan violentamente, que Dios sólo sirve si puede salvarnos la personalidad cuya base es la memoria, la conciencia despierta.

Más de veinte años después de estos versos, en su exilio de Francia, agotado ya en verdad de sus múltiples guerras, insistía Unamuno:

> Libértame de mí, Palabra Santa,
> y arranca mi alma de tu acento en pos;
> que cuando el canto de tu esencia canta
> el hombre acaba y el que canta es Dios (*C.*, 300).

Muy otro del Dios de bulto, de ese Dios temporal a la medida del hombre, la busca del cual, en choque violento con la razón provoca la agonía, es esta esencia de *acento* y *canto,*[13] esta Palabra Santa; y muy otro del agonista que aunque se permitiera querer ser todo quería serlo siendo siempre él mismo, parece ser este Unamuno que anhela salirse de sí, enajenarse, libertarse de sus limitaciones y rendirse, sin congojas, y más bien con un arranque de entusiasmo, a la idea de un reino todo esencia en que "el hombre acaba y el que canta es Dios".

En otro poema este "libertarse" se convierte en "limpiarse" de sí:

> Limpio has de ir a Dios, hoy pobre esclavo
> de la lucha, y pues ésta es la que mancha,
> límpiate de la paz en el profundo
> recogimiento; gozarás al cabo
> el increado aire que te ensancha
> hasta fundirte al corazón del Mundo *(RSL.,* 179).

Nada), como bien decía William James, tan leído por Unamuno, y no es quién el lector para dudar que el "Dios" del poeta, nombrado en un momento de intimidad, no sea verdaderamente Dios, sino sólo un nombre cualquiera que se incrusta ahí para engañarnos, y, en el caso de Unamuno, para engañar sus "silencios de muerte".

[12] Sobre la importancia y significado del "sueño de dormir" (así lo llama Unamuno para diferenciarlo de otros sueños que veremos) cf. nuestro Cap. V.

[13] Como siempre en Unamuno, esta *Palabra santa* equivale a *espíritu sin letra,* cuya importancia veremos en el Cap. V; por eso subraya su *esencia de acento y canto* y no el contenido racional de ese canto. La música sin letra es una de las vías de entrada a este mundo sin agonía que es, como veremos, inconsciente. Por oposición a *la letra,* que mata el espíritu (cf. nuestro *Unamuno, teórico del lenguaje,* México, 1954, pp. 115 y sigs.), al encerrarlo en la realidad de significados concretos y contrarios, es decir, en el tiempo más real, en la guerra.

Pero no olvidemos: se trata en estos poemas de un *querer* indudablemente nacido de la agonía misma, del cansancio que Unamuno siente en ella; un querer, pues, no satisfecho y, por lo tanto, agónico. El cansancio de la guerra, la voluntad de huir de ella, indican ante todo la existencia innegable de esa guerra y no de ninguna manera que la paz anhelada y esa "fusión" se hayan jamás logrado; y aunque sólo este deseo de enajenarse en Dios o en el "corazón del Mundo" supone ya la existencia de querencias extrañas a la voluntad del Unamuno más conocido, la verdad es que frente al vigoroso agonista que a golpes de pluma y voz convirtió la realidad de su guerra en leyenda, todo ello parece apenas tímida intención existente nada más que en función de la agonía misma; no realidad alcanzada y vivida a plenitud, sino vago anhelo al que, tal vez, Unamuno no pudo nunca entregarse libremente.

Menos logrado parecerá aún si recordamos la primera estrofa del soneto "La unión con Dios", que arranca con la traducción de un verso de Miguel Ángel: "Vorrei voler, Signor, quel ch'io non voglio":

> *Querría, Dios, querer lo que no quiero;*
> fundirme en ti, perdiendo mi persona,
> este terrible yo por el que muero
> y que mi mundo en derredor encona (*RSL.*, 256).

Ya aquí no se trata siquiera de querer paz, olvido, o la aniquilación de la personalidad en una eternidad sin conciencia —llámese Dios, o "corazón del Mundo", o "lago donde Saturno muere"—, sino, apenas, de querer quererlo. Escritos también desde el centro mismo de la agonía, estos versos parecen reducir el Unamuno "contemplativo" a un puro accidente, a unos anhelos meramente circunstanciales, productos del cansancio; ciertos anhelos que, aquí y allá, brotaron de vez en cuando en su vida como posibilidades apenas presentidas de una posibilidad.

No, no es éste todavía el Unamuno que va a ocuparnos. Aun aquí, sin embargo, debemos percibir el eco de una tendencia no agónica de su personalidad que, veremos, le llevará innumerables veces no sólo a querer de verdad esa realidad tan ajena a la agonía, sino a entregarse plenamente a ella. ¿Cómo explicarse, si no, dentro de la imagen inflexible de un Unamuno con la conciencia puesta siempre voluntariamente al potro, esta tan contraria voluntad de "limpieza", esta inclinación al recogimiento y, ya en la cima de la realidad imaginada por el deseo, el anticipado deleite que experimenta en la idea de un *ensancharse* hasta romper todos los límites de su persona para poder *fundirse* en el "corazón del Mundo" o en Dios? ¿No nos ha dicho el agonista, una y otra vez, que el ser consciente del hombre tiende a ensancharse, sí, pero sin desear jamás destruir sus propios límites, *fundirse*? ¿No nos ha dicho, también numerosas veces, que le aterra a la conciencia toda realidad trascendente que no sea como el Dios católico, es decir, "de bulto", así se llame esa realidad "Yo" espiritual, "materia" o "sustancia" eterna, o "Palabra Santa"? Esta voluntad de abandonar la conciencia de la agonía[14] es, desde luego, sólo un eco de más profundas tendencias y realidades interiores que van a ocuparnos en las páginas que siguen; pero ya en ese eco es evidente que Unamuno no se engañaba –ni pretende equivocarnos– al decir: "llevo dentro de mí dos hombres, uno activo y otro contemplativo".

En las páginas siguientes trataremos de llegar al fondo de donde nacen estos rechazos de la agonía, trataremos de penetrar en una manera de ser de Unamuno que la agonía nos ha escondido y que recorre toda su vida y su obra. Paralelo a su ser agónico, alternando con él año tras año, día tras día, en lo más hondo de la paz y del silencio, vamos a encontrar el yo

[14] De entre los muchos ejemplos posibles de esta voluntad, añadamos sólo estos más; de *Poesías* (p. 241):

> "Mi paz os dejo" y es la paz de dentro,
> bajo la tempestad calma en el fondo;
> y esa paz, buen Jesús, ¿dónde la encuentro?
> ¿dónde el tesoro de mi amor escondo?...;

de *Teresa* (p. 181):

> ¿Cuándo va a empezar al cabo, Señor, mi reposo?
> ¿Cuándo en mi pecho, al fin, va a sosegarse este poso
> de vida tormentosa, de encendido huracán?;

del *Cancionero* (p. 40):

> Tómala, mi Señor, es tuya mi alma,
> arrópala en la luz de tu verdad;
> dame el sueño de amor que nunca acaba,
> puebla mi soledad.;

y en el mismo libro (p. 195):

> Múlleme verdura, Padre,
> tengo ganas de soñar
> cara al cielo de la tarde
> que se recuesta en la mar.

Ya cerca del final del *Cancionero* (p. 410) pide Unamuno a Dios "la hora del reposo/ de antes de tu hágase la luz".

"contemplativo" de Unamuno, desde *Paz en la guerra* y *En torno al casticismo,* sus primeras obras mayores, hasta el *Cancionero,* su diario de los últimos años.

3. La primera época

La obra de Unamuno, por la manera desconcertante como sus grandes temas se convierten de repente en subtemas o simples alusiones cuando y donde menos lo esperamos, por la forma en que, a la inversa, una idea, o un símbolo, o una metáfora que en su primera aparición pueden parecer circunstanciales resultan ser en otro momento –cinco, o diez, o veinte años después– la idea, o el símbolo, o la metáfora centrales de un ensayo o un poema de radical importancia; por ser una obra "orgánica" –según Unamuno gustaba imaginarla–, asistemática, por la "consecuencia" interna, no lógica o preconcebida, que en ella domina, la obra de Unamuno es como un tejido siempre incompleto en cada una de sus partes, pero plenamente significativo en su conjunto, en la relación de cada una de las partes al todo; un tejido en el que cualquiera de los hilos, si bien entendido por el análisis en su relación con los demás, puede llevar infaliblemente al centro único de su origen. Como tal organismo vivo, lógicamente incompleto en cada una de sus partes –idea, o libro, o poema, o símbolo–, pero total en la trabazón de todas ellas, vamos a estudiar uno de sus temas centrales en los capítulos siguientes en los cuales la cronología, tan útil siempre, sólo nos servirá, de vez en cuando, para aclarar nuestras referencias. Sin embargo, como nuestro método, a pesar de seguir un cierto orden que en Unamuno no existe, puede resultar confuso por las constantes asociaciones y referencias que, siguiéndolo, nos vemos obligados a hacer atravesando las barreras cronológicas, y como todos los hilos cuya trayectoria y cruces insistentes con otros del tejido vamos a estudiar tienen su origen en dos o tres ideas centrales que Unamuno expresa con bastante coherencia –y hasta sistema–[15] en su primera época, útil será en esta introducción empezar cronológicamente, fijar de una vez los motivos principales que nos van a servir de constantes

[15] Recuérdese que, por oposición a su obra posterior a, digamos, 1900, a la que él llamó "vivípara", estos primeros trabajos suyos son "ovíparos": sólo los daba a la luz tras largo período de gestación, y suponemos, de organización más o menos sistemática. Éste es, desde luego, el caso de *Paz en la guerra* y de ciertos artículos "didácticos" como "La enseñanza del latín en España" (1894).

puntos de referencia a lo largo del resto del libro. Después de 1900, por razones que tendremos oportunidad de comentar en detalle, no sentirá siempre Unamuno la necesidad de expresar con toda amplitud las más hondas tendencias de su ser contemplativo; le bastarán muchas veces —que no siempre— simples alusiones a lo que él pensaba haber dicho claramente en sus primeras obras. Detengámonos, pues, por un momento, en estos primeros libros tan importantes; tratemos de fijar, en las obras anteriores a 1900, los límites del tema que nos ocupa, nuestro punto de partida. Ya tendremos suficiente oportunidad de ver más adelante su desarrollo *orgánico,* sus derivaciones y sus consecuencias. Y empecemos, según la fecha de publicación, por *En torno al casticismo* (1895).

"En torno al casticismo". Sus dos facetas. La voluntad de paz y de inconsciencia implícitas en el concepto de intrahistoria

La complejidad de *En torno al casticismo* radica, en parte, en sus imprecisiones; éstas, a su vez, dependen en gran parte de que en las páginas de *En torno al casticismo* se encuentran expresadas ya las dos facetas principales de una personalidad y un pensamiento que, en sus alternancias, marcan las dos vías por cuyos vericuetos y altibajos se desarrolla todo el resto de la obra de Unamuno. No sólo están ya aquí implícitos —y explícitos más de una vez— los problemas fundamentales que la interpretación de la Historia, de la persona y de la realidad toda va a plantear a Unamuno a lo largo de su vida,[16] sino que en estos cinco ensayos se oponen ya y alternan, claramente delineados, el yo "activo" y el yo "contemplativo" de Unamuno.

Por lo pronto, es necesario recordar que, en su primera apariencia, lo mismo si lo leemos hoy con conocimiento de la Historia de España que si imaginamos su lectura en el año que sale al público, *En torno al casticismo* significa, para Unamuno y para España, una toma polémica de conciencia histórica. Estos dos términos, *polémica* y *conciencia,* de cuya conjunción resulta en 1895 un acto histórico, nos indican ya que, en su circunstancia del fin de siglo español, *En torno al casticismo* es obra del Unamuno "activo" y corresponde, en el nivel de los pro-

[16] Cf. el art. de Sánchez Barbudo ya citado y nuestro "Interioridad y exterioridad en la obra de Unamuno", ya citado, en los que, desde distintos puntos de vista, se estudia la continuidad del problema en sus dos facetas principales, la referente a la persona privada y a la Historia.

blemas de España —o, en general, de los problemas hasta cierto punto extra-personales o públicos— a su toma de conciencia privada a raíz de las crisis que siguen a su abandono de la fe católica de su niñez y a la guerra que, según hemos visto, de esta toma de conciencia resulta. Para aclarar este aspecto fundamental de *En torno al casticismo* intentemos reconstruir algunas de las circunstancias de que se origina.

Por los mismos años en que Unamuno llega a Madrid, estudia en la Universidad, frecuenta el Ateneo y sufre su primera crisis religiosa, se viene discutiendo todavía —y otra vez— sobre los orígenes y fundamentos de la cultura española, sobre el significado de la Historia de España (muy especialmente en su relación con la Historia de Europa) y, en términos generales, sobre la "decadencia" y regeneración de España. Al igual que, por lo menos, desde el siglo XVIII, y por obra esta vez de la polémica que, hasta cierto punto contra su voluntad, habían planteado de nuevo los krausistas, encuentra Unamuno en Madrid —en la cátedra y en el café, en la obra rigurosa y en el periódico— una España obsesionada por entenderse a sí misma y dividida en dos bandos absolutamente antagónicos. Así, a la vez que Unamuno va descubriendo a los filósofos racionalistas que tanto influirán en su imposibilidad de creer ciegamente en los dogmas que llenaron su niñez y primera adolescencia, se abre su espíritu a la radical escisión nacional de la que ya había tenido pruebas primeras en Bilbao durante la segunda guerra carlista y que, cercándole y asediándole toda su vida —conciencia viva él de España—, sentiría por última vez, y más trágicamente que nunca, en los últimos días de su tránsito hacia la muerte.

Luego, en los años que siguen inmediatamente a su estancia madrileña —meditaciones sobre España a la vez que sobre su personal problema religioso, contacto directo, o por carta, o a través de la obra impresa, con Azcárate y Menéndez Pelayo, con Ganivet y Donoso Cortés, con Clarín, con Galdós, con Costa—, lo observado y pensado en Madrid adquiere caracteres de revelación personal y "el problema de España" llega a ser, como para tantos otros, "dolor de España". (Es entonces —entre 1883 y 1890— cuando el bombardeo de Bilbao de que fue testigo durante la segunda guerra carlista llega a adquirir el valor de símbolo histórico que tendrá en el resto de su vida y su obra). Si su crisis religiosa de estos años le lleva, pues, a su dolorosa toma de conciencia en cuanto individuo que se enfrenta a los problemas privados de siempre, estos años son también los de su toma de conciencia en cuanto persona histórica; concretamente, en cuanto español de fines del XIX sobre el que pesa no sólo la realidad evidente de una crisis social, cultural y política, sino, además, una violenta polémica sobre esa crisis a la vez que *la historia* de esa crisis y de las interminables polémicas que desde hacía un par de siglos venía suscitando. Se encuentra, pues, Unamuno en estos años cargado ya de Historia, presente y pretérita; o mejor, asediado por una Historia presente que, a su vez, parece ser el efecto inevitable de una desgraciada Historia pretérita.

Así, preso en las necesidades y agonía de la Historia, y despierta ya para siempre su conciencia a su propia historicidad, Unamuno, naturalmente, busca encontrar su razón de ser en la Historia misma de que se siente y se sabe parte; concretamente, por lo pronto, en el análisis de esa Historia, en su estudio. Leemos en *En torno al casticismo* que todo estudio histórico debe ser un doloroso examen de conciencia (*OC.*, III, 23): expresada esta idea como base teórica del libro, viene a significar, en el proceso de la acción histórica, el paso anterior a la publicación de *En torno al casticismo,* y nace evidentemente de la siguiente premisa, ya claramente sentida por Unamuno: que toda dolorosa (o sea auténtica) toma de conciencia de la persona histórica —o de un pueblo— requiere un estudio de su Historia (*ibid.*, 21-26). Una vez llegada a este punto en la comprensión de su propia historicidad, a la persona consciente sólo le queda por dar el paso que, según hemos visto en nuestro primer capítulo, parece serle siempre necesario a la conciencia: despertar *al prójimo* a su propia conciencia. La reflexión sobre este proceso es seguramente la que lleva a Unamuno a decir también en *En torno al casticismo* que el estudio de la Historia, necesario para que los hombres y los pueblos tomen conciencia de sí, debe llevar a los hombres y a los pueblos a la *confesión* de su previo y doloroso examen de conciencia (*ibid.*, 23-24). He aquí, pues, como en el caso de la agonía religiosa que ya hemos discutido, el proceso que lleva de la conciencia al acto para más conciencia y mayor acción; he aquí, en el plano de lo histórico, la justificación *a posteriori* de una acción inevitable: en este caso, de la publicación de *En torno al casticismo,* libro con el cual, al confesarse, se lanza Unamuno de golpe a la Historia de la que ya se siente parte inseparable. Una vez más, hace Unamuno de su pasión razón, y al hacerlo, subraya de manera primaria y puramente subjetiva la más radical característica "activa", o dinámica, o agónica de *En torno al casticismo.*

La segunda característica agónica de este primer libro de

Unamuno resulta directamente de la primera y, debido a las circunstancias extremas y de bandería en que se desenvuelve la polémica sobre España en el siglo XIX, es tan inevitable como ella: una vez dado el paso que convierte la toma de conciencia en acto histórico, éste tiene que ser, irremediablemente, polémico, vale decir, *agónico*. Bien trata Unamuno de no acogerse a la bandera de ninguno de los dos grupos principales que batallan sobre España y a cuya guerra, precisamente, debe él su toma de conciencia y su dolor, pero, en primer lugar, ello le lleva a ir *contra* los dos bandos ya que, a su parecer, la guerra entre ellos nace de que ninguno de los dos ha entendido el verdadero sentido de la Historia de España, y, en segundo lugar, no tarda Unamuno, según progresa su pensamiento, en acercarse a la tesis de la facción europeizante contra los tradicionalistas porque, según trata de demostrar, son éstos, precisamente, la cuña que más aprieta, los que más graves pecados parecen cometer en su interpretación estática –Unamuno dirá *muerta*– de la Historia de España. De ahí que *En torno al casticismo* sea un libro de ataque y, especialmente, de ataque al "casticismo"; y de ahí que sea, con indudable intención, un instrumento para la acción en la Historia porque, así como él ha pasado de la toma de conciencia histórica al libro, espera Unamuno que el libro, al despertar a sus lectores, les conduzca también a alguna forma de acción en cuanto personas de su nación y su tiempo. *Conciencia* y *polémica* son pues, una vez más, dos facetas de esa personalidad activa de Unamuno que pretende llevar a los demás a la conciencia, a la acción y a la guerra.

Hay todavía una tercera forma en que *En torno al casticismo* se nos presenta como obra de un pensamiento activo o dinámico. Se trata esta vez de la teoría de la Historia en que se basa el libro y del método que Unamuno sigue en su desarrollo. En pocas palabras: los pueblos, como los hombres, son hijos de sus obras, afirma Unamuno (*OC.*, III, 25) (anticipando su idea, más cuidadosamente expresada a los pocos años, de que el hombre es indisolublemente uno con su circunstancia);[17] *en* esas obras, y no en abstracción teórica ninguna, tenemos que buscar la expresión del espíritu nacional, lo único que nos es accesible. La conciencia histórica a que Unamuno pretende llevar a sus lectores no se alcanza, pues, por vía intuitiva o "contemplativa", sino, precisamente, por el estudio de la Historia concreta de que

[17] Cf. los primeros párrafos de "Civilización y cultura", *OC.*, III.

uno es parte: entenderse y sentirse uno a sí mismo a plena conciencia como histórico —para poder actuar en la Historia— significa entender el espíritu de la tradición en cuya Historia uno habita, en un tiempo concreto derivado de manera determinada de otros tiempos en los que otros hombres concretos pensaron y se expresaron —actuaron— en la Historia haciéndola como la vivimos. Varias veces expresa Unamuno esta idea en su libro; no puede haber lugar a dudas:

> Para llegar, lo mismo un pueblo que un hombre a conocerse, tiene que estudiar de un modo o de otro su historia. No hay intuición directa de sí mismo que valga... ; del conocimiento de nuestras obras entramos al de nosotros mismos *(OC.,* III, 25).

"Todo esto —añade— es hoy del dominio general", pero, desgraciadamente, es "letra muerta". De esta teoría, a la cual parecen supeditarse fielmente sus páginas, resulta que *En torno al casticismo* sea (como no lo es, por ejemplo, el *Idearium* de Ganivet, libro en el que se pretende entender a España por lo que *no* ha sido), a la vez que una teoría de la Historia, una Historia de España en la que se presta especial atención a la realidad histórica de ciertas "obras" castizas que, según Unamuno y otros europeizantes, eran las causas de los efectos que ellos sufrían. Lo que le importa, pues, a Unamuno es estudiar "cómo se ha formado y revelado en la Historia nuestra casta histórica" *(ibid.,* 26). También metodológicamente, pues, parece ser *En torno al casticismo* una entrega al hecho histórico, al tiempo y su agonía: en este último sentido —fundamental, se reconocerá algún día, para el futuro desarrollo de la historiografía española— es una obra dinámica, "activa".

Ahora bien, la verdadera complejidad de *En torno al casticismo,* su ambigüedad, resulta de que, a pesar de ser un libro polémico, a pesar de la filosofía aparentemente dinámica de la Historia que en él se esboza, a pesar de que su publicación significa para Unamuno el gesto temporal que le lanza para siempre a la Historia de España en la cual va a crecer su leyenda de agonista, de hombre polémico y "activo", en sus páginas se expresa al mismo tiempo, y por primera vez en su obra, la voluntad de paz, de esencia, de eternidad y de inconsciencia que, como veremos ampliamente, caracteriza su espíritu contemplativo; voluntad que, a su vez, cobija una tendencia que Unamuno llevó siempre en lo más hondo de sí a entregarse a todo lo que *no* es Historia. En este sentido, hemos de recordar que la crítica ha pasado siempre por alto al aspecto "agónico" y temporal de *En torno al casticismo* que acabamos de describir tan brevemente. Ello se debe, imaginamos, a que, con toda razón, los lectores de Unamuno han ido, desde el principio, a lo más esencial y llamativo de estos cinco ensayos (expresado, además, en el primero de ellos), a lo que más vivamente perdura en nuestra memoria tras la lectura porque viene a ser, bajo el aparato de la polémica histórica, la intuición más original y honda de Unamuno: nada menos que el tan traído y llevado concepto de "intrahistoria", concepto que implica, como veremos, que bajo la "obra" histórica se esconde una realidad estática y más real que la Historia misma; intuición esencialista ésta de la cual veremos originarse todos los temas y subtemas, símbolos y metáforas peculiares al Unamuno contemplativo. No vamos aquí a detenernos a explicar y precisar este difuso concepto en todas sus implicaciones;[18] bastará para nuestro propósito con citar los párrafos en que Unamuno se explica más ampliamente sobre él y sacar de ellos las conclusiones necesarias para nuestro estudio. Leamos el primero de los ensayos, "La tradición eterna":

> *Tradición,* de *tradere,* equivale a "entrega", es lo que pasa de uno a otro, *trans,* un concepto hermano de los de *transmisión, traslado, traspaso.* Pero lo que pasa queda, porque hay algo que sirve de sustento al perpetuo flujo de las cosas...
>
> Es fácil que el lector tenga olvidado de puro sabido que mientras pasan sistemas, escuelas y teorías, va formándose el sedimento de las verdades eternas de la eterna esencia; que los ríos que van a perderse en el mar arrastran detritus de las montañas y forman con él terrenos de aluvión . . .
>
> Hay una tradición eterna, legado de los siglos, la de la ciencia y el arte universales y eternos; he aquí una verdad que hemos dejado morir en nosotros repitiéndola como el padrenuestro.
>
> Hay una tradición eterna, como hay una tradición del pasado y del presente. Y aquí nos sale al paso otra frase del lugar común, que siendo viva se repite también como cosa muerta, y es la frase de "el presente momento histórico". ¿Ha pensado en ello el lector? Porque al hablar de un momento presente *histórico* se dice que hay otro que no lo es, y así es en verdad. Pero si hay un presente histórico, es por haber una tradición

[18] Los libros citados de Marías y de Ferrater Mora tratan de la "intrahistoria" con suficiente precisión para que haga falta aquí una presentación general. Cf. asimismo *La generación del 98* de Laín Entralgo.

> del presente, porque la tradición es la sustancia de la Historia. Ésta es la manera de concebirla en vivo, como la sustancia de la Historia, como su sedimento, como la revelación de lo intrahistórico, de lo inconsciente en la Historia. Merece esto que nos detengamos en ello.
>
> Las olas de la Historia, con su rumor y su espuma que reverbera al sol, ruedan sobre un mar continuo, hondo, inmensamente más hondo que la capa que ondula sobre un mar silencioso y a cuyo último fondo nunca llega el sol. Todo lo que cuentan a diario los periódicos, la historia del "presente momento histórico", no es sino la superficie del mar, una superficie que se hiela y cristaliza en los libros y registros, y una vez cristalizada así, una capa dura, no mayor con respecto a la vida intrahistórica que esta pobre corteza con relación al inmenso foco ardiente que lleva dentro. Los periódicos nada dicen de la vida silenciosa de los millones de hombres sin historia que a todas horas del día y en todos los países del globo se levantan a una orden del sol y van a sus campos a proseguir la oscura y silenciosa labor cotidiana y eterna, esa labor que como la de las madréporas suboceánicas echa las bases sobre que se alzan los islotes de la Historia. Sobre el silencio augusto, decía, se apoya y vive el sonido; sobre la inmensa Humanidad silenciosa se levantan los que meten bulla en la Historia. Esa vida intrahistórica, silenciosa y continua como el fondo mismo del mar, es la sustancia del progreso, la verdadera tradición, la tradición eterna, no la tradición mentira que se suele ir a buscar al pasado enterrado en libros y papeles y monumentos y piedras *(ibid.,* 15-16).

No pueden menos de sorprender estos párrafos a quien vuelva a ellos con la idea fija de un Unamuno agonista, o a quien haya creído ver en *En torno al casticismo* su sentido agónico y polémico, dinámico: he aquí que la conciencia de lo histórico y el estudio de la Historia, al llevar al verdadero sentido de lo que es la tradición ("lo inconsciente de la Historia", lo que, aunque pasa, *queda),* conducen al descubrimiento de lo que *no* es Historia, al silencio, quietud, paz y eternidad inconsciente de lo cotidiano más oscuro en que se sustenta la Historia, la cual, a su vez, resulta no ser más que ruido de circunstancias, olas y espuma. Frente a la realidad de esta eterna y real vida de la intrahistoria, la Historia sólo es para Unamuno, en frase de Prim, un "destruir en medio del estruendo" *(ibid.,* 17). La definición de *tradición,* en su primera parte, no podía ser más dinámica: es lo que está siempre en proceso de hacerse; en su segunda parte, sin embargo, cuando Unamuno indica que bajo lo que pasa hay algo que *siempre* queda, es ya un concepto estático, esencialista. Debíamos ya haberlo sospechado al leer, unas páginas arriba, que por el estudio de la Historia el hombre *entra* en el conocimiento de *sí mismo:* existe, pues, un *yo* —personal o nacional— interior, y anterior, veremos, a su expresión *en* la Historia. Este esencialismo, este quietismo, se hace evidente en los párrafos recién citados y resulta ya clarísimo si entendemos que Unamuno estudia la casta castiza, y la llama *histórica* con toda mala intención, para llevarnos a la idea de que hay un espíritu español *ajeno* a esta casta y a su historia, interior y anterior a toda Historia; esencial y quieto, siempre igual a sí mismo. Así, todo el "historicismo" de Unamuno, todo su ocuparse de la "existencia" histórica resulta ser apenas el estudio de la *bulla* que debe enseñarnos la verdad del *silencio augusto* y eterno.

Se ha dicho justamente[19] que Unamuno, como toda la generación del 98, rechaza en este libro —y en otros— la Historia: lo notable, si queremos entender el dilema principal de su vida, es que lo haga precisamente a través de un estudio histórico y en un libro en que predica la importancia del estudio de la Historia. Podemos, pues, decir que la paradoja de esta lección española que es *En torno al casticismo* radica en el hecho de que, según Unamuno, la toma de conciencia histórica debe llevar al individuo a rechazar la Historia de España tal y como, hasta sus días, se venía expresando. Los "polvos" de aquel fin de siglo español venían, sí, como diría después Juan de Mairena, "de aquellos lodos", y era necesario reconocer este hecho histórico, pero ello no implicaba de ninguna manera la necesidad de aceptar la Historia recibida, sino lo contrario. Así ha sido la Historia de España, porque la casta castiza, su hacedora, por su dogmatismo y su incapacidad para el matiz *(ibid.,* Ensayo II) no comprendió —y no comprendía aún— el verdadero sentido de la tradición; pero no tenía por qué seguir siendo así la Historia de España: la acción histórica originada de la toma de conciencia consistiría, precisamente, en cambiar esa Historia para que correspondiese al verdadero espíritu intrahistórico que sigue siendo el mismo y, hasta cierto punto, ahora sí como en Ganivet, virgen bajo la Historia. La verdadera España, silenciosa y eterna, la que hay que descubrir, no cambia. Aquí ya, al ser *En torno al casticismo,* como el *Idearium,* un libro sobre la no historia española, desaparece la modernidad del concepto dinámico de la Historia que hemos visto, puesto que resulta, después de todo, que hay un espíritu español auténtico que no

[19] Laín Entralgo, *op. cit.*

se ha expresado en la Historia, que no es Historia, y que, en verdad, no necesita expresarse en la Historia para seguir su vida eterna y silenciosa. Nos acercamos al centro vivo del Unamuno contemplativo:[20] sabe Unamuno de la realidad e importancia externa de la Historia, se siente a conciencia en ella, pero una parte de su ser sabe de una realidad de paz y silencio que le atrae y que, veremos en detalle, ha vivido y vive tan a fondo como vivía su agonía el Unamuno activo.

Esta vertiente de la personalidad de Unamuno y del significado en *En torno al casticismo* se hace también evidente en el método alternativo que para el conocimiento de la verdadera tradición propone y sigue en sus páginas. El mismo autor que nos ha dicho que "no hay intuición directa" de la realidad "que valga" es el que hemos visto rechazar, como quien rechaza el hecho muerto, los "libros" y "documentos" en que, para bien o para mal, ha quedado el rastro de la Historia. Debemos ver en este rechazo más que la manía que contra lo libresco tuvo siempre Unamuno, puesto que al mismo tiempo que rechaza el documento "histórico" propone que para entender el espíritu español es necesario "chapuzarse en pueblo" *(ibid.,* 113), vale decir, entrar en contacto directo (o sea intuición inmediata) con la vida silenciosa esencial y no histórica de España. Cierto que este método de conocimiento lo propone Unamuno *además* del método consciente y activo que significa el estudio de lo histórico, pero no deja de ser curioso que al seguirlo él mismo, antes de entrar en su libro al análisis de la Historia de la casta castiza, interprete el espíritu castellano según la relación que entre él y el *paisaje* de Castilla encuentra *(ibid.,* pp. 36-39): la inmersión en el pueblo viene así a ser comunión con el paisaje y, a la larga, según veremos, esta atención al paisaje se convertirá en obsesión (y no sólo en Unamuno, sino en todos los del 98)[21] hasta que llegue a ser el paisaje, olvidada ya toda Historia, la única vía de comunión con la intrahistoria española.[22] Así, pues, aunque este "chapuzarse en pueblo" parece ser solamente parte complementaria del método de conocimiento activo, en vista del desarrollo que la idea tiene en años subsecuentes, resulta ser ya un rasgo fundamental del ser contem-

[20] Y, de paso, al fondo del dilema sin solución que significó su dualismo aplicado a la Historia. Sobre la manera como pretendió salir de este callejón sin salida, cf. nuestro Cap. VI, sección 2. El problema aparece presentado angustiosamente en *Cómo se hace una novela.*

[21] Cf. Laín Entralgo, *op. cit.*

[22] Cf. nuestro Cap. VI.

plativo de Unamuno; más aún: a la larga, veremos, es éste el rasgo central de un temperamento que para expresarse a sus anchas necesita del paisaje porque quiere entregarse a la contemplación de la quietud eterna y rechazar la Historia. En toda la obra de Unamuno, veremos, los dos contrarios radicales que simbolizan sus dos maneras de ser serán, como aquí, la Historia y la Naturaleza.

Tan afanoso de liberarse de la Historia se encuentra este Unamuno, que en su rechazo no sólo ataca el concepto superficial que de ella puedan tener los casticistas y progresistas, sino que, a las claras, se opone a que los españoles todos se sigan obsesionando con España como realidad única de sus existencias. Es bien sabido que en las páginas de *En torno al casticismo* predica Unamuno el abrirse a las corrientes culturales europeas como parte de su solución al "marasmo actual de España". Ello, claro, para que, al hacerlo, los españoles puedan romper las fronteras de un errado concepto de la Historia y la tradición que les ahoga: "España está por descubrir, y sólo la descubrirán españoles europeizados", dice en un momento clave *(ibid.,* 109). Pero, aparte de que esta idea vuelve a apuntar hacia una intuición esencialista y estática de la Historia muy contraria al dinamismo externo que hemos discutido, hay más para Unamuno en el europeizarse que *descubrir* España: lo que espera el joven autor que ya en 1895 se encuentra adolorido de Historia y españolidad es que los españoles juiciosos de su tiempo, al rechazar las erradas ideas históricas de progresistas y casticistas, rechacen también su limitación nacionalista obsesiva que sólo es una forma de egoísmo, conducente, como todo egoísmo, a la agonía. No sólo es la intrahistoria eterna de España lo que debe descubrir quien estudie la Historia y se hunda en pueblo y paisaje, sino también, y en el interior de todo, de sí mismo especialmente, la presencia de "la humanidad en nosotros" *(ibid.,* 16-18 y 22-23): lo que en su nivel "contemplativo" confiesa y predica Unamuno en *En torno al casticismo* es, pues, no sólo su convicción personal de que lo que bajo la Historia palpita e importa es la intrahistoria *nacional* eterna y silenciosa, sino que esta eternidad misma, si de verdad penetramos en ella, nos pondrá en contacto no ya con el espíritu de España, sino con lo esencial inmutable de "la Humanidad". Lo que predica, pues, Unamuno en el fondo más recóndito de su primer libro –y ésta es la gran "alternativa" paradójica que no esperaríamos en el hombre a quien tanto obsesionó España– es *anegarse* en la inconsciencia total que es "la Humanidad" *(ibid.,* 22) –a la que, además, llama Dios *(loc. cit.)*–, "hallar lo humano eterno" para lo cual, lo dice sin rodeos, "hay que romper lo castizo temporal" *(ibid.,* 23): se trata, pues, de liberar a los españoles de ese *yo* concreto y falso (por histórico), externo, que les ata a sí mismos y a los límites de su Historia nacional. Y se trata, en última instancia, de "destruir el yo egoísta" *(loc. cit.)*. Con esta idea –que recorre además insistentemente su correspondencia de estos años[23] y, veremos, otros ensayos– llegamos ya al mayor extremo del Unamuno contemplativo: tendremos amplia oportunidad de ver que, así como la agonía se caracteriza por un egoísta aferrarse a las limitaciones de la conciencia temporal –personal o histórica–, la peculiaridad del ser contemplativo de Unamuno radica en su entrega a lo ilimitado, a la realidad en que desaparecen todas las huellas del Tiempo que encierra al hombre en el dolor de su conciencia. A este extremo de su personalidad no agónica corresponden el "libértame a mí", el "limpiarse", el buscar desembarazarse del "terrible yo", que hemos visto expresados con cierta timidez e inseguridad en los poemas comentados arriba: aquí, en esta su primera obra, la voluntad de *libertad,* aunque no salte a la vista enseguida, es indudablemente vigorosa y clara. Más aún: veremos que responde a una experiencia personal anterior al deseo expresado en este libro.

Interesa por lo tanto insistir en que todo lo expresado en las páginas de *En torno al casticismo* es mucho más, y algo menos, que teoría o pensamiento abstracto sobre la Historia en general y sobre la Historia de España en particular. Profundos y hoy ya evidentes son los motivos personales que llevaron a Unamuno a predicar el anegarse en esa realidad pacífica y eterna que viene a ser lo contrario de la Historia en la que con sólo escribir su libro, y paradójicamente, participaba él activamente. Volviendo a nuestro punto de partida: la toma de conciencia de Unamuno y su consiguiente dolor fueron, precisamente, producto de las luchas de las dos facciones españolas que al entender por tradición y progreso la Historia más superficial crearon la polémica trágica; de ahí que sea *En torno al casticismo,* a la vez que documento de toma de conciencia, rechazo

[23] Léanse, por ejemplo, estas palabras de 1898 escritas a Jiménez Ilundain: "Recójase usted en sí mismo, cultive el grano de íntima bondad que llevamos todos, si le es posible métase, en la medida de sus fuerzas, a cualquier empresa o instituto benéfico. Procure aliviar dolores ajenos, ...etc..." (en Benítez, *op. cit.,* p. 262). Este altruísmo, tan poco "unamunesco" a primera vista, es clarísimo en sus "sermones" a aquel buen corresponsal que fue Ilundain.

necesario de las limitaciones nacionales y antagónicas creadoras del dolor. De ahí que, frente a guerra y cerrazón, proponga Unamuno paz y abertura, frente al estruendo de la superficie, el silencio del quieto fondo.[24]

Siendo, pues, al parecer, un libro que viene en su año a traer la guerra, es *En torno al casticismo,* en verdad, una confesión que pretende originar la paz. Al parecer ir contra unos y contra otros, lo que en verdad hace Unamuno en las páginas de *En torno al casticismo* es no ir ni con unos ni con otros, sino más allá de ellos, debajo de toda guerra, para comprender la guerra en su origen histórico y superarla por un ahondamiento que le lleva a la realidad última de unidad y paz y eternidad que bajo la temporalidad de la guerra late. Al predicar la inconsciencia y la no historia en este libro histórico y polémico predica, pues, Unamuno, la paz.

Por ello el pensador y poeta que Unamuno propone como modelo en el cuarto de los cinco ensayos, no es ninguno de los que acostumbramos asociar a su leyenda de agonista, no es un Pascal, o un atormentado Antero de Quental, o el desesperado Kierkegaard que descubriría más tarde, sino Fray Luis, el Fray Luis de León contemplativo que cuando habla, por ejemplo, del rey ideal lo describe "manso y no belicoso; llano, hecho a padecer, prudente y no absoluto. Sobre todo ni guerrero ni absoluto" *(OC.,* III, 88);[25] el Fray Luis en quien Unamuno encuentra el concepto de la *armonía,* así como la gran sensibilidad para el matiz y el nimbo que, desgraciadamente para España, no tiene la casta castiza que ha hecho la Historia que padecemos *(OC.,* III, 36-46); Fray Luis: un poeta *—humanista—* que supo entender, por debajo de toda guerra de contrarios, la suave musicalidad de las síntesis. Apoyándose en la palabra de Fray Luis aconseja Unamuno la inmersión en el fondo eterno de lo humano "donde se confunden los dos mundos" *(ibid.,* 51), el de

[24] Siempre el mismo dualismo y, siempre, este Unamuno *escoge* alternativamente: unas veces lo que en estas parejas de contrarios significa guerra, otras lo que significa paz. Cf. nuestro ya citado artículo, "Interioridad y exterioridad...", para más detalles sobre las parejas de contrarios que manejó Unamuno toda su vida.

[25] Tanto nos ha obsesionado el Unamuno de la guerra que nos ha impedido notar, por ejemplo, la importancia fundamental que para la total comprensión de *En torno al casticismo* tienen sus teorías sobre la mansedumbre y la armonía. En ellas se basa nada menos que todo el cuarto de los ensayos ("De mística y humanismo") (así como los excelentes artículos posteriores "Nicodemo el fariseo" y "El perfecto pescador de caña", que comentamos más adelante).

la esencia y la existencia, y se encuentra la paz más allá de las limitaciones egoístas de las naciones, bandos o personas que, como Michelet, gritan aferrándose a la conciencia de que nace la guerra: "¡Mi yo, que me arrancan mi yo!" *(ibid.,* 6); frase que Unamuno rechaza en este libro y que, como es bien sabido, hará después suya el agonista, es decir, el hombre contrario del que aquí nos ocupa.

"Paz en la guerra": el conocimiento directo de la eterna realidad sin guerra. Enajenamiento, armonía y fusión de los contrarios

Esta misma paradoja aparente, este encontrar y predicar la verdad última en la paz y en medio del estruendo de la guerra, la encontramos también en *Paz en la guerra* (1897), tanto en el tema y estructura general de la novela como en la biografía y meditaciones finales de Pachico Zabalbide, el único de los personajes que no es solamente histórico e intrahistórico, sino espectador alerta de sí mismo y de la Historia que, por el análisis y la sensibilidad, llega al pleno conocimiento de la circunstancialidad de la guerra y de la profunda y auténtica paz que bajo toda guerra palpita. Si, tal como lo hemos explicado, *En torno al casticismo* puede a veces parecer (al igual que los poemas citados en la sección anterior) más la presentación de una voluntad y deseo de paz por rechazo puramente negativo de la guerra en que, según nos dice la leyenda, de verdad vivió Unamuno, más una pura huida del dolor histórico hacia lo desconocido y nunca alcanzado que el producto de una experiencia lograda, *Paz en la guerra,* según iremos viendo, es la prueba viva de que bajo las teorías y consejos de Unamuno se esconde un conocimiento directo de la realidad armónica e inconsciente que propone a sus lectores como alternativa de la guerra: veremos que las ideas que Unamuno expresa en las páginas de *En torno al casticismo* responden no sólo a su necesidad de rechazar la agonía histórica, no sólo a su familiaridad con ciertos pensadores y poetas idealistas que le ayudaron, sin duda, a formular su tesis,[26] sino que lo que da sentido positivo a este rechazo, lo

[26] Las influencias que pesan en esta época sobre Unamuno (y que persistirán toda su vida) no se reducen, como parece haberse pensado, a Carlyle (cf. Carlos Clavería, *Temas de Unamuno,* Madrid, 1953, y Sánchez Barbudo, art. cit.). Para entender bien todo este "espiritualismo" de Unamuno, habrá que buscar antecedentes, en España en los místicos y Fray

que en él se *afirma* y vibra bajo las ideas, es una manera de ser de Unamuno que, dadas ciertas circunstancias, le llevó más de una vez a momentos de enajenación en que vivió, o creyó vivir, de una manera positiva y libre, trascendiendo toda referencia al Tiempo y a la Historia, la idea de la armonía eterna. Hartas pruebas de ello tendremos a lo largo de este libro; por ahora, vamos a encontrar uno de estos momentos en las páginas finales de *Paz en la guerra,* en las que Unamuno nos describe la revelación de lo eterno que se le da a Pachico Zabalbide en un atardecer frente al mar.

Pero antes de comentar esta visión de Pachico debemos recordar que no se da al final de *Paz en la guerra* porque sí, sino que responde a todo lo que la precede; que es la cima ideológica, sentimental y artística de una importante serie de acontecimientos, temas y maneras de vivir y sentir la realidad otros personajes, cada uno de los cuales participa en algo de la manera de ser y entender el mundo Pachico. Así, pues, si el significado más personal de *En torno al casticismo* debemos entenderlo en términos de la "visión" de Pachico, ésta, a su vez, por ser el resumen de todo *Paz en la guerra* (y en rigor, veremos, su germen), requiere que lleguemos a ella desde todo lo que le antecede en la vida que rodea a Pachico, espectador de la segunda guerra carlista. Empecemos, pues, por recordar algunos aspectos esenciales de la novela, muy especialmente la relación entre su argumento y su "tesis".

Empieza *Paz en la guerra* con la descripción de la vida rutinaria de algunos habitantes de Bilbao (concretamente, Pedro Antonio Iturriondo y Josefa Ignacia, su mujer) en los años que siguen a la primera guerra carlista, la de los siete años. Vida de trabajo, callada, dentro de la cual la guerra pasada (en la que luchó Pedro Antonio) es ya sólo pretexto para anécdotas y leyendas que se tejen y vuelven a tejer alrededor de la estufa en las noches de invierno. Lejos ya de la accidentada Historia de aquellos siete años, es ésta una rutina de paz y costumbre. En gradual asentamiento de la vida familiar y comercial de Pedro

Luis de León, y, fuera de España, además de Carlyle, fuentes directas en el idealismo alemán: Hegel, por lo pronto (en cuya Introducción a la *Filosofía de la Historia* ya está claro el concepto de la que Unamuno llamaría la "intrahistoria": historia *natural* hegeliana, es decir, *no* historia, frente a la Historia) y también, desde luego, Herder. Esperamos, en un futuro no muy lejano, presentar un trabajo sobre estos autores en un tiempo predilectos de Unamuno.

Antonio vemos pasar varios años, en pocas páginas, pero con lentitud descriptiva que subraya lo cotidiano y monótono de su existencia: tiene su mujer un hijo, llega éste a la adolescencia sin contratiempos, mejora el negocio de la chocolatería (pero sin dejar de ser lo que es, sin crecer desorbitadamente, sin llegar a ser un gran negocio), y así, en pleno avance reposado e inconsciente —un progreso que por su lentitud y naturalidad no parece tal progreso—, nos encontramos con Pedro Antonio y su familia cerca del año de 1870 en que comienza, en rigor, la *historia* que Unamuno va a contarnos y que va a ser la de la segunda guerra carlista que entonces estalla ocupando el centro de todos los acontecimientos de los varios años que siguen. Hasta aquí,

> En la monotonía de su vida gozaba Pedro Antonio de la novedad de cada minuto, del deleite de hacer todos los días las mismas cosas, y de la plenitud de su limitación. Perdíase en la sombra, pasaba inadvertido, disfrutando, dentro de su pellejo como el pez en el agua, la íntima intensidad de una vida de trabajo, oscura y silenciosa, en la realidad de sí mismo, con rumor no oído y de que no se daría cuenta hasta que se interrumpiese...

Según se asienta así la vida de Pedro Antonio en el seno de su familia y de su trabajo, se asienta también el progreso de Bilbao, firme pero casi inconscientemente.

Claro que no todo Bilbao es como Pedro Antonio. El progreso comercial de la ciudad moderna —progreso histórico— se debe a hombres, al parecer, muy distintos de este campesino convertido en manso chocolatero; hombres, por ejemplo, como don Juan Arana, comerciante de ciertos vuelos, abierto al mar y sus transacciones internacionales. Don Juan Arana es, desde luego, liberal y progresista, contrario político y activo del tradicionalista, a-histórico, pasivo y *natural* Pedro Antonio.

Y, sin embargo, como para advertirnos de la igualdad sustancial de todos los hombres cotidianos que vamos a ir descubriendo a lo largo de la novela, ya lo peculiar de este principio es el ir haciéndose y pasando la vida de una familia y de una ciudad sin que lo sientan ni la una ni la otra. Toda la ciudad (todo el País Vasco) parece, en el fondo, ir viviendo la rutina laboriosa y sosegada de Pedro Antonio, hasta el grado de que, pese a las aparentes diferencias de personalidad, todos los hombres parecen vivir como él, hundidos en la inconsciencia del oscuro ir pasando los años en el quehacer cotidiano que es para Unamuno, según veremos en detalle, el quehacer eterno. "Los silenciosos dolores y las oscuras alegrías" de estas "vidas ignoradas" *(OC.,* II, 94) unen a todos en igualdad bajo el acontecer de la Historia que, paradójicamente,[27] y casi sin darse cuenta, ellos mismos van contribuyendo a hacer. La vida toda de la población se presenta en estas páginas como un transcurrir siempre igual a sí mismo, sin disonancias. Y los hombres parecen ser todos iguales en el fondo de su humanidad común mientras la rutina sigue su armónico y monótono curso.

Pero pronto se hace evidente que por encima de la armonía sustancial y de la paz de estas vidas *pasan* cosas que, a la larga, sacarán por unos años de quicio toda la ordenada estructura inconsciente de su rutina sosegada; acontecimientos que marcarán con excesiva y dolorosa claridad las diferencias aparentes entre todos estos hombres y mujeres bilbaínos. En estas mismas páginas escuchamos primero ecos de la "tormenta revolucionaria del 48", un poco lejana en su acontecer europeo, aunque, como en toda Europa, empiece a resultas de ella a "alzar cabeza" el socialismo en España y en Bilbao. Luego nos trae Unamuno a la memoria el desbarajuste económico anterior a la septembrina; más adelante los pronunciamientos y fusilamientos del 66; después el aumento de las intrigas carlistas; más adelante aún las proclamas de Prim, Baldrich y Topete en el 67 y la sublevación de Andalucía; luego nos recuerda el crecimiento del lema "¡Dios, Patria y Rey!" hasta la altura del símbolo; más adelante, "la carta del joven don Carlos a su hermano Alfonso, y con él a los españoles todos", carta en la que se proclama ya la rebelión... Así, en forma esquemática pero precisa, vemos en estas páginas, por sobre la vida intrahistórica, la agitación de la Historia, y vemos cómo, además de las marcadas diferencias que pueda haber entre individuos, el País Vasco y España toda se van dividiendo por causa de la Historia en dos bandos claramente antagónicos: el campo y la ciudad, los carlistas y los liberales, Pedro Antonio Iturriondo y don Juan Arana.

Por fin, tras tanto acontecimiento preliminar, "en el año 70, preñado de historia" *(OC.,* II, 80), se precipitan violentamente los hechos y estalla la guerra civil: más no puede ocurrir en el seno de un pueblo. Se rompe brutalmente el equilibrio armónico interior de estas vidas tranquilas y, como de sorpresa, la rutina cotidiana parece ceder ante la novedad histórica. Empiezan a amontonarse los sucesos: sitio de Bilbao, ataques, contraataques, bombardeos, rumores, triunfos, derrotas. Y muertes...

[27] Ésta es otra forma de la concentración implícita en el dualismo de Unamuno.

Ahora sí que *pasan* cosas en la Historia de estos bilbaínos cuyas vidas parecían no pasar sino quedar en el fondo de acontecimientos que les llegaban como ecos.

Pero, curiosamente, cuanto más sucede en la Historia —y en esta particular historia—, con mayor firmeza va adentrándose la novela en el narrar monótono y ritmoide de acontecimientos rutinarios, todos iguales entre sí. A la vez que, con mayor exactitud que antes, se divide la novela en dos partes que, correspondientes a los dos bandos en lucha, se van alternando como aparentes contrarios, más claro resulta que bajo estas dos formas externas de la realidad fluye una realidad única de situaciones análogas y actitudes iguales en la cual todos los contrarios se funden: de un lado, describe Unamuno la acción en el bando carlista, en el campo y los montes; de otro, la vida en Bilbao, la ciudad liberal sitiada. Nada en apariencia más antagónico que estas dos facciones españolas y las actividades que en el seno de cada una de ellas se llevan a cabo. Y, sin embargo, como veremos, nada menos antagónico en el fondo humano común de los participantes en esta guerra histórica bajo cuyo ruido subsiste la paz intrahistórica eterna.

Por lo que toca al bando carlista, Unamuno nos describe, durante unas 50 cerradas páginas, las marchas y contramarchas continuas del cuerpo del ejército en que milita Ignacio, el hijo de Pedro Antonio y Josefa Ignacia. Son páginas de un suceder variado y sin descanso; de un *pasar* sin fin de tropas por valles y cimas, caseríos y ciudades. Marchas y contramarchas; y, de vez en cuando, una pequeña acción de guerra o una batalla importante. Ahora bien, tanto *pasa* en estas páginas que, poco a poco, y paradójicamente, va creándose en el ánimo del lector —como en el de Ignacio, por otra parte— la impresión de que *no pasa nada*. Primero, porque el rápido y variado suceder acaba por convertirse en una monótona repetición de lo mismo: "la monotonía de la vida nómada" *(OC.,* II, 129) se adueña imperceptiblemente del ánimo de los personajes, del narrador y del lector. Segundo, porque tantos acontecimientos militares, según se acumulan entre largas pausas de espera, van apelmazando las reacciones hasta que sólo queda la sensación borrosa y uniforme de su completa inutilidad; todo este andar y guerrear acaba por reducirse lentamente y sordamente a nada en su propio absurdo.

Un poco lo mismo sucede en el bando contrario, pero en mayor grado quizá: Bilbao está sitiada por los carlistas y, por lo tanto, inmóvil. Lo que para Bilbao *pasa,* pasa todo a su alrededor o se refiere a lo que a su alrededor acontece, produciendo en el ánimo de los ciudadanos la sensación de una extraña lejanía de todos los acontecimientos. Se *sabe* que los carlistas están a las puertas de la Villa, pero no atacan, aunque de vez en cuando caigan bombas; y *se rumora* que vienen las tropas liberadoras; se rumora que los carlistas han ganado o perdido alguna batalla; se rumora que el gobierno...; se rumora que la flota... Y entre tanto rumor, la realidad de la guerra, encarnada en las tropas carlistas que los bilbaínos tienen a la vista, encarnada en las muertes y el hambre cotidianas, adquiere perfiles fantasmagóricos y monótonos. Tantas cosas están pasando en uno y otro bando, que por su mismo amontonamiento se ha llegado a la inconsciencia.

En la descripción de la vida de la ciudad sitiada, como en la narración de las marchas y contramarchas de las tropas carlistas, el estilo de Unamuno se adensa, se hace monótono y lento, se apelmaza en ritmos y palabras que se repiten en su sucederse siempre iguales a sí mismos; prosa narrativa de sucesos pasajeros que, en verdad, no importan en el fondo uniforme de la intra-historia.

Así, la guerra llega a ser algo que va por encima de las vidas ordinarias de los personajes, un acontecer lejano y como ajeno al fondo más íntimo y eterno de los unos y los otros. Poco a poco se va haciendo patente que bajo el terrible y abigarrado acontecer histórico, en el fondo de lo que pasa, las situaciones vitales que se presentan para uno y otro bando, para unos y otros hombres, son análogas, como análogas son las reacciones ante las situaciones: el mismo heroísmo oscuro y comunal, el mismo aburrimiento, la misma pesadumbre, igual vuelta a las necesidades básicas. Todos los personajes, en esta guerra como antes en la paz, responden a los mismos estímulos, buscan lo mismo, se conforman con lo mismo; todos se tocan en la igualdad del destino de siempre. Bajo tanto pasar, ésta es la realidad que queda como verdad eterna. Y así, mientras las vidas de todos siguen sus cursos, la guerra va lentamente terminando ("la guerra se acaba por consunción", *OC.*, II, 301) hasta que, de repente y sin que nadie sepa ni cómo ni cuándo, ha pasado ya. Y queda la vida de siempre: "seguía entretanto la vida ordinaria", dice en un momento clave el narrador *(OC.*, II, 177). Vida ordinaria que por ser reflejo de lo eterno en lo cotidiano es monotonía de hacer siempre lo mismo.[28] Vida lisa bajo la historia del pasar en el estruendo; vida sin relieves en su quedar

[28] Cf. Marías, *op. cit.*, sobre este aspecto cardinal de lo "intrahistórico".

intrahistórico; vida de ritmo lento y de repetición. Vida sin disonancias.

Cierto, sí, que algunas cosas de importancia al parecer radical han ocurrido durante la guerra. Ha muerto, por ejemplo, junto con muchos iguales a él, Ignacio, el hijo único de Pedro Antonio y Josefa Ignacia, lo cual hunde en el dolor la existencia y los sueños del tranquilo matrimonio. Ha muerto también, por ejemplo, la mujer de don Juan Arana. Y aún después muere Josefa Ignacia, con lo que Pedro Antonio, nuestro "héroe" sin relieve histórico, se queda "solo en el mundo". Éstos son los dolorosos hechos sucedidos en el tiempo concreto de la vida de cada uno de los personajes en la circunstancia específica de la segunda guerra carlista; en cuanto tales —historia personal directamente dependiente de la Historia— son, sin duda, ineludibles en su dolor para la conciencia y deben significar para Pedro Antonio (y para el lector) la revelación definitiva de su temporalidad, de la existencia real e indiscutible de la Historia. Ahora bien, contra lo que podríamos esperar, lo notable es que Pedro Antonio deja en seguida de entender estas muertes como dolores de su propia existencia para pasar a entenderlas como ley inexorable de todo lo temporal. Y ya entendidas así las muertes de Ignacio, de su madre, la de doña Micaela, las muertes de todos los que han sucumbido ante la Historia, vienen a ser parte del proceso interminable del nacer y morir que, con resignación y una humildad que acaba por llevar al optimismo de la fe, acatan los hombres y mujeres "silenciosos" *(la sal de la tierra)* que, viviendo en lo cotidiano, viven en el seno de lo eterno. La circunstancia existe, sí, con sus dolores, pero *si la contemplamos desde fuera de nosotros mismos,* o desde *dentro* de nuestra Humanidad eterna, resulta ser sólo parte accidental de un todo siempre igual a sí mismo. Por esta doble operación de abstracción y distanciamiento de su propio *yo* (operación en este caso inconsciente, desde luego), con este enajenarse de su egoísmo (vale decir fuente de la *agonía),* supera Pedro Antonio el dolor y llega a comprender la plenitud de lo eterno en lo cotidiano que es la paz.

> Desde que enviudó Pedro Antonio, solo en el mundo, vive tranquilo y sin contar sus días, gozándose en despertar cada mañana a la vida sin sobresaltos ni congojas. Su pasado le derrama en el alma una luz tierna y difusa; siente una paz honda, que hace brote de sus recuerdos esperanza de vida eterna. Como ha preservado limpia la temporal, es su vejez un atardecer como una aurora.

Ya desde este principio del final de la novela *(OC.,* II, 319),[29] por contraste con el caótico y monótono acontecer externo anterior, es notable un asentamiento que brota de la nostalgia ennoblecida por el equilibrio espiritual y que anuncia, para Pedro Antonio y para la novela, un final limpio, seguro, alto de miras y de experiencia, rico de sabiduría y de fe. Son estas palabras el anuncio de una melodía serena y sostenida, de un ritmo fácil y seguro, en los que se va a dejar mecer el lector hasta el final de la novela. La novela se cierra con la revelación de Pachico en que se afirma la verdad objetiva de la realidad a que se entrega Pedro Antonio, superados ya los *cotidianos* cuidados de la Historia.

Y este primer anuncio del tono espiritual en que va a culminar *Paz en la guerra,* como la enunciación de un tema musical, llega a su fin y, a la vez, queda abierto en suspenso, con esa última oración ("Como ha preservado limpia *la temporal,* es su vejez un atardecer como una aurora") en la que Unamuno, bien poco afecto en esta novela a los juegos retóricos, recurre a un curioso zeugma para evitar una repetición pobre de la palabra *vida;* zeugma con el cual, al mismo tiempo que logra un sonoro efecto melódico y rítmico, levanta la idea hacia la contemplación en que va a culminar el reposo tranquilo de esa vejez que, por ser como un *atardecer,*[30] cierra una vida y un libro, pero que, por ser un atardecer como una *aurora,* abre, como ante un mundo sin límites, la esperanza y el espíritu del lector hacia las tranquilas páginas que siguen.[31] *Atardecer* y *aurora, pasado* y *futuro* se juntan así, se armonizan, dorando

[29] *Paz en la guerra* tiene, al parecer, dos finales. En el primero, el que aquí nos ocupa, se despide el autor de Pedro Antonio; vemos por última vez, directamente, la vida intrahistórica vivida por el personaje central de la novela. Es, pues, la cima de un modo de vida. El segundo nos va a ocupar en seguida: en él veremos a Pachico Zabalbide, *observador* de la vida intrahistórica más que actor, en el momento en que se le revela el sentido verdadero de la Historia observada. Son dos momentos, el de Pedro Antonio y el de Pachico, estrictamente coetáneos y se complementan el uno al otro. Por ser *Paz en la guerra* una novela, parecen ser, pues, dos finales (uno de los cuales bien podría ser superfluo), ya que la simultaneidad no es posible en la obra escrita, a pesar de tanto esfuerzo de tanto novelista moderno; pero, en rigor, son dos vertientes de una sola cima de la verdad. Tal vez sea provechoso pensar aquí en un posible final musical en que dos melodías distintas se funden, sin perder cada una de ellas su peculiaridad, dando un solo tono último a la obra.

[30] Cf. nuestro Cap. VIII para la importancia especial del *atardecer* en la obra del Unamuno contemplativo.

[31] *Ibid.* para el *amanecer.*

en paz de difusa luz el presente de su ciclo eterno: la realidad que vimos deseada en el poema citado en nuestra página 38 se da, pues, plenamente lograda en la vida de Pedro Antonio.

En las páginas que siguen a esta "introducción" domina la calma de los atardeceres limpios y serenos (traspasados alguna vez, en la distancia, por el humo de las chimeneas de las fábricas que añade imprecisión temporal al paisaje) y la apertura de las mañanas desde cuyo centro todo se acepta y se justifica porque en su contemplación el alma participa ya de lo eterno. De esta manera, hasta el recuerdo le viene lejano a Pedro Antonio, superado ya su dolor por esa peculiar resignación optimista de un presente pleno que mira hacia un futuro de fe, en rigor ya también presente:

> Entra [en sus paseos Pedro Antonio] en la iglesia de Begoña, a rezar a la Virgen; al salir, contempla el lugar donde estuvo la casa en que fue herido de muerte don Tomás Zumalacárregui, y se sienta un rato a la fresca delante del templo, bajo el toldo de los plátanos, viendo los altos desde que bombardearon a la villa y, en el fondo, aquel Banderas, a cuyo pie luchó entre la nevasca y las balas, en la noche triste de Luchana. Al bajar las calzadas, reza un padrenuestro delante del camposanto en que descansa su Pepiñasi, y entra en la villa, sereno, por donde entró la vez primera *(OC.,* II, 320).

En esta prosa tan sencilla, tan puramente narrativa, encuentra su pulso exacto la experiencia de una vida; su centro de equilibrio es ya el presente eterno desde el cual todo recuerdo —Zumalacárregui, Banderas, Pepiñasi, Ignacio—, por doloroso que haya podido ser cuando su pasado era presente, queda superado en una nueva y serena realidad cuya *dulce calma* radica en el rutinario repetirse de lo mismo como si siempre fuese ahora.

No es casualidad que después de haber empleado el imperfecto y el pretérito durante toda la narración pase Unamuno al presente en este final de la novela. El sentido y el tono de estas páginas dependen directamente de ello. Hasta aquí, la historia narrada ha sido presentada como acontecer pasado y, de repente, al comenzar este final, en la primera oración de este último momento, un pretérito absoluto ("Desde que enviudó Pedro Antonio") a la vez que parece cerrar para siempre ese pasado, trae consigo, en seguida, el primer verbo en presente de toda la novela, el cual, además, viene seguido del adjetivo *tranquilo* que califica, para todas las páginas que siguen, el vivir de Pedro Antonio en sus últimos años ("solo en el mundo vive tranquilo sin contar sus días"). Contra lo que podría quizá sospecharse a primera vista, no se debe esto únicamente a que la historia haya llegado al tiempo actual desde el que ha sido narrada. Aunque este factor puede muy bien haber contribuido a determinar el cambio de tiempo, puesto que, desde luego, contribuía a dar mayor realidad extra-literaria a la vida de Pedro Antonio en la mente de Unamuno y en la de sus lectores de aquel ahora de 1897, los motivos internos que ideológica y estilísticamente exigen su aparición van mucho más allá del realismo accidental de unas fechas: el presente surge justo aquí y dura hasta el final de la novela (8 páginas) porque hemos llegado a la cima de una vida intrahistórica que, por definición de Unamuno, es toda ella *presente eterno;* una cima desde la cual todo lo exterior aparece interior, todo lo que fluye, quieto; cima que es ya un puro vivir inconscientemente lo que pasa como parte del fondo inmutable de lo inmutable eterno, *sin contar sus días*. Es este presente de Pedro Antonio un tiempo total dentro del cual vive, en paz, todo el pasado y el futuro.[32]

Bien claro nos lo dice Unamuno en el primer párrafo de su despedida de Pedro Antonio. Lo primero que nos anuncia es la fusión de los tres tiempos del hombre en uno: "Su pasado le derrama en el alma una luz tierna y difusa; siente una paz honda, que hace brote de sus recuerdos esperanza de vida eterna". Están aquí separados los tres tiempos porque el hombre no puede discursivamente fundirlos, pero nótese cómo fluyen el uno en el otro por gracia de la oración continua que tiene como centro esa *paz honda* del presente en que todo se armoniza. El pasado está vivido ahora en la nostalgia quieta y tranquila; ahora también está vivido el futuro en la tranquila y quieta esperanza. La "luz tierna y difusa" envuelve en continuidad a los tres tiempos, difuminando con su magia los escollos de la secuencia.[33] No es extraño, pues, que la oración siguiente y final del párrafo empiece con ese zeugma que une bajo la palabra *vida* —eco ya en la memoria del lector— la temporal y la eterna; y no es extraño que la oración termine con esa casi paradoja en que se funden los contrarios: "es su vejez un atardecer como una aurora". Desde este presente difuso nacen los recuerdos de Pedro Antonio y, en ellos, se confunde lo inmediato y lo más lejano. Ninguno de estos recuerdos (presen-

[32] Y esto es, precisamente, la intrahistoria, la "tradición eterna" que vive siempre, aunque *pasado,* en el *presente.*

[33] Cf. Cap. VIII para importancia de la "luz difusa", en general, en la obra de Unamuno.

tes sin orden en el fluir subconsciente de la memoria) aparece como realidad provocadora de la agonía; todos ellos están contemplados desde esa cima serena del presente eterno que es serena, precisamente, porque no tiene ya tiempo.

> Van fundiéndose en su alma los recuerdos de la guerra reciente con los de su guerra, la de los siete años; confúndensele los tiempos en la perspectiva mental;[34] se le aglomeran los años, borrándosele poco a poco los últimos y amargos; y, como de un paisaje anegado en niebla las lejanas montañas limpias y serenas, sobrenadan en su memoria los antiguos sueños de gloria. Mas también éstos acaban por convertírsele en nube incorpórea de un mundo ideal y perdido, del cual brota como un canto épico, íntimo, recogido y silencioso *(ibid.,* 320).

Todo acaba por convertirse en su contrario en este presente unitario y salvador de la esperanza más honda: el pasado que pudiera doler, se transforma en nube de la cual nace, cantando en silencio, la quieta y tranquila esperanza inconsciente. Ese mismo "canto épico" de que habla Unamuno es una paradoja en que se funden los contrarios ya que, por definición, lo épico no es lo "íntimo, recogido y silencioso", sino lo cantado a viva voz, hacia fuera, *historia* recreada, no *intrahistoria* siempre igual a sí misma bajo el ruido de los acontecimientos accidentales.

En el párrafo siguiente nos dice Unamuno cómo Pedro Antonio funde fácilmente el mundo de fuera y el de dentro hasta que su vivir llega a ser, ya definitivamente ajeno a toda Historia, un puro "reflejo de reflejo":

> Refleja en el mundo de fuera, el de las líneas, los colores y los sonidos, su íntima paz; y de este reflejo, acrecentado, al llegar a ella, en la resignación de la naturaleza inocente y desinteresada, refluyen a él, como de fuente viva, en reflejo de reflejo, nuevas corrientes de dulce calma, estableciéndose así mutua vivificación. Vive en lo profundo de la verdadera realidad de la vida, puro de toda intencionalidad trascendente, sobre el tiempo, sintiendo en su conciencia, serena como el cielo desnudo, la invasión lenta del sueño dulce del supremo descanso, la gran calma de las cosas eternas y lo infinito que duerme en la estrechez de ellas. Vive en la verdadera paz de la vida, dejándose mecer indiferente en los cotidianos cuidados: al día, mas reposando a la vez en la calma del desprendido de todo lo pasajero; en la eternidad; vive al día en la eternidad.

[34] Téngase en cuenta esta "confusión de los tiempos" en las páginas que siguen sobre Pachico.

Ésta es la cima a la que, habiendo sufrido sumergido en la intrahistoria las repercusiones de la Historia, llega Pedro Antonio de manera inconsciente, subrayando con su vivir el significado indudable de la novela. Éste es el claro eco de Fray Luis de León, y hasta de Guevara, que nos explican la razón íntima de ser del cuarto de los ensayos de *En torno al casticismo.*

Ahora bien, las páginas dedicadas a Pedro Antonio son sólo el primero de los dos finales de *Paz en la guerra* y no adquieren su pleno sentido sin su correspondiente paralelo: las páginas finales dedicadas a Pachico Zabalbide, el peculiar personaje que sin estar en el centro de la novela presenta su tesis de manera discursiva porque es, al mismo tiempo, parte actor y parte espectador de nuestra historia. En cuanto actor, Pachico, al igual que otros personajes, ha sufrido los efectos de la Historia; las cosas que han pasado durante la guerra carlista le han pasado también a él. En cuanto espectador, ha tomado conciencia de sí mismo y de su tiempo, ha reflexionado sobre la guerra y se la ha explicado a sí mismo. Así, lo primero que leemos al verle aparecer en sus últimas escenas es que "Pachico ha sacado provecho de la guerra" *(ibid.,* 321). Este *provecho,* como el que el autor de *En torno al casticismo* sacó de sus experiencias, es resultado de haber sufrido y analizado la Historia; y es también resultado directo de una manera de ser suya que le permite tener en estas páginas finales una revelación por medio de la cual todo le quedará explicado para siempre; una revelación gracias a la cual, como acontece con Pedro Antonio, se salva de hundirse para siempre en el caos de lo temporal y vive y entiende la paz eterna en cuyo fondo se sustenta la guerra. Así, pues, aunque, como todos los demás personajes de la novela, Pachico ha sufrido cambios, algo en él, como en Pedro Antonio, sigue idéntico a sí mismo; este algo, gracias al cual va a llegar a su verdad y a la de la novela, es su amor a la naturaleza, el deleite que ahora, después de esta guerra, como antes de ella, siente en pasear por el campo y comulgar con su íntimo sentido. "Pachico sigue con su afición a las excursiones montescas", se nos dice en seguida *(ibid.,* 322); y en el monte, como antes, siente la plenitud de su ser eterno. Sólo que ahora, tras la experiencia de la guerra y la paz, de la muerte y la vida, tras haber meditado mucho, intuirá como nunca antes ante el espectáculo de la naturaleza, la revelación de la armonía eterna en lo hondo de la realidad, la posibilidad de fusión de los contrarios que Unamuno predicaba en *En torno al casticismo* y que Pedro Antonio vive en sus momentos finales. Antes de citar los pasajes claves de este final, subrayemos el hecho de que Pachico llega a su verdad por medio de un "trance" en que, al enajenarse, al perder conciencia de su "yo egoísta", entra en comunión con lo eterno: este trance corresponde en la vivencia del espectador al alejamiento del propio dolor, a la inmersión en lo ajeno a sí en que todas las realidades se funden, y por medio del cual hemos visto a Pedro Antonio entrar en la plena libertad. Lo que en las páginas sobre Pedro Antonio queda apenas indicado aparece aquí desarrollado con todo detalle porque, a fin de cuentas, Pedro Antonio, un intrahistórico, no sabe nunca que vive en la inconsciencia, en tanto que Pachico, un racional analítico consciente de su historicidad, sabe, a la vuelta del trance, que ha vivido, enajenado, la inconsciencia de lo eterno. Leamos ya:

> Pachico... sigue con su afición a las excursiones montescas...; en día claro y sereno se va, en cuanto puede, al monte, fugitivo del monótono bullicio de la calle... Tiéndese allá arriba, en la cima, y se pierde en la paz inmensa del augusto escenario... A lo lejos se dibuja la línea de alta mar cual un matiz de cielo... ¡El elemento nivelador e igualitario!... Desde la cima de la montaña no veía Pachico alzarse las olas, ni oía la canción del mar, viéndolo en su quietud marmórea y comprendiéndole tan asentado y firme como a las montañas en sus raíces pedernosas... Y luego, zahondando en la visión de la guerra, sumerge su mente en la infinita idea de la paz... Tendido en la cresta, descansando en el altar gigantesco, bajo el insondable azul infinito, el tiempo, engendrador de cuidados, parécele detenerse. En los días serenos, puesto ya el sol, creyérase que sacan los seres todos sus entrañas a la pureza del ambiente purificador... Todo se le presenta entonces en plano inmenso, y tal fusión de términos y perspectivas del espacio llévale poco a poco, en el silencio allí reinante, a un estado en que se le funden los términos y perspectivas del tiempo. Olvídase del curso fatal de las horas y, en un instante que no pasa, eterno, inmóvil, siente en la contemplación del inmenso panorama la hondura del mundo, la continuidad, la unidad, la resignación de sus miembros todos, y oye la canción silenciosa del alma de las cosas...; luego..., adormiladas por la callada sinfonía del ámbito solemne, se le acallan y aquietan las ideas..., desvanécesele la sensación del contacto corpóreo con la tierra y la del peso del cuerpo se le disipa... enajenado de sí... Despiértasele entonces la comunión entre el mundo que le rodea y el que encierra su propio seno: llegan a la fusión ambos... ¡Cuántas cosas entonces que nunca expresará!... Es una in-

mensidad de paz; paz canta el mar; paz dice calladamente la tierra; paz vierte el cielo... y en la paz parecen identificarse la Muerte y la Vida *(ibid.,* 322-326).

Con absoluta precisión nos da aquí Unamuno los pasos que llevan, a través del abandono gradual de las potencias, al trance contemplativo en que el alma, enajenada, se entrega a la idea de lo eterno. Como toda narración del progreso hacia la contemplación absoluta, esta aventura del alma hacia el abandono de sí misma en lo otro empieza negativamente: el primer paso es, como siempre, un poner la casa en orden, un dejarla sosegada por rechazo del lastre del mundo; en términos de los poemas antes citados, un "limpiarse" de sí. Fugitiva hacia su soledad —ámbito de la contemplación—, el alma empieza por rechazar el Tiempo y sus cuidados.

...en día claro y sereno se va, en cuanto puede, al monte, fugitivo del monótono bullicio de la calle...

Tras el arranque inicial —acción *voluntaria* para huir de la acción—,[35] lejos ya el mundo y su bullicio, el contemplativo debe huir de sí y, primero, de su cuerpo, aquietándolo: Pachico "tiéndese allá arriba, en la cima". Ahí, así, sumido todo en actitud pasiva —quieto el hombre, quieto el mundo— se alcanza el primer fruto de la huída: Pachico "se pierde". Y entregado ya a la contemplación, en espera estática de mayores cosas, el tendido, el quieto, observa nada más; recorre con la vista del cuerpo el ser misterioso del cuerpo de la naturaleza. Son todavía dos el dentro y el fuera del hombre, el alma y la realidad objetiva a través de la cual llegará, paso a paso, a la contemplación última en que se funden lo interior y lo externo, el objeto y el sujeto. Pero ya Pachico siente y *ve fuera de sí,* como realidad objetiva, la fusión de los distintos elementos del cuerpo de la naturaleza que, sin dejar de ser aún ellos mismos, empiezan, imperceptiblemente, a ser como otros:

A lo lejos se dibuja la línea de alta mar cual un matiz de cielo.

Todavía no es cielo el mar, hay límites aún *—línea—* entre las diferentes partes de lo de fuera, como fronteras hay todavía

[35] Nótese que aquí, como en el camino místico que lleva al trance, la *voluntad* es sólo parte del proceso anterior al trance mismo. Éste se le da a la persona —si es que se da— por obra de "gracia" en la mística, y, desde el punto de vista psicológico, por obra de alguna tendencia interior del espíritu anterior a toda voluntad y ajena a ella.

entre lo de fuera y lo de dentro. La metáfora es aún de primer grado, no absoluta: "Mar *cual* un matiz de cielo". Lo uno no es aún lo otro, sino apenas como lo otro.

Y sigue el contemplativo avanzando por negaciones: "no veía Pachico alzarse las olas; no oía la canción del mar...". Como en camino místico, se empieza por la negación para luego alcanzar, en la cima de todas las negaciones, la revelación positiva. Un paso más y, negados ya el ruido y el movimiento en cuanto espaciales, es ahora el Tiempo lo que muere: el Tiempo "parécele detenerse" a Pachico. Y, entonces, el primer chapuzón hacia lo más hondo de lo infinito, de lo eterno: Pachico, "zahondando en la visión de la guerra, sumerge su mente en la infinita idea de la paz...". Último momento de las potencias temporales del alma, la visión de la guerra —memoria viva aún en Pachico— es superada por ahondamiento. No rechaza Pachico la guerra. En vez, *zahonda* en su visión —ya estática— de ella y, una vez en su fondo, *sumergida* ya su mente, encuentra, infinita, la idea de la paz.[36]

Hasta aquí, la aventura del alma contemplativa de Pachico había marchado por negaciones y pareceres: *no ver, no oír, mar como cielo, tiempo al parecer quieto.* Domina todavía la presencia de lo físico y sus límites, y la entrada de lo uno en lo otro —mar en el cielo, tiempo en la eternidad, alma del hombre en el alma del paisaje y alma del paisaje en la del hombre— no es aún absoluta. Pero con la llegada del primer momento de la noche, "puesto ya el sol", acabará por borrarse el espacio, los límites físicos, se fundirán plenamente los elementos de la naturaleza y, con ellos, los del tiempo. Aparecerá entonces, ilimitada, abierta, el "alma de las cosas" y, por fin, en la "callada sinfonía del ámbito solemne", silenciosas y quietas las ideas, perdida la sensación de su propio cuerpo, el contemplativo se enajena y su alma se pierde en la de las cosas, se funde con ella en su continuidad para alcanzar una unidad total sin límites, eterna. Lejos ya el día y su luz que todo lo deslinda para enfrentar en guerra los contrarios,[37] logra Pachico, como Pedro Antonio al caer la tarde, la comunión total entre su ser y el del mundo que le rodea:

[36] Sobre *zahondar, sumergirse* y otros verbos que indican penetración en el mundo de lo inconsciente, cf., además de todo lo que tendremos oportunidad de decir a lo largo de este estudio, nuestro ya citado art. "Interioridad y exterioridad..."

[37] Para más detalle sobre este tema, cf. lo que decimos en nuestro Cap. VIII, "La luz difusa".

> Todo se le presenta entonces en plano inmenso, y tal fusión de términos y perspectivas del espacio llévale poco a poco, en el silencio allí reinante, a un estado en que se le funden los términos y perspectivas del tiempo. Olvídase del curso fatal de las horas y, en un instante que no pasa, eterno, inmóvil, siente en la contemplación del inmenso panorama la hondura del mundo, la continuidad, la unidad, la resignación de sus miembros todos, y oye la canción silenciosa del alma de las cosas... ; luego..., adormiladas por la callada sinfonía del ámbito solemne, se le acallan y aquietan las ideas..., desvanécesele la sensación del contacto corpóreo con la tierra y la del peso del cuerpo se le disipa... enajenado de sí... Despiértasele entonces la comunión entre el mundo que le rodea y el que encierra su propio seno: llegan a la fusión ambos... Y en la paz parecen identificarse la Muerte y la Vida.

Ha sido el silencio el último elemento que ha llevado a Pachico a la visión más alta y honda; lo negativo ya positivo que sirve de base a la paradoja lírica de lo inefable: la "canción silenciosa", la "callada sinfonía" que Pachico escucha;[38] paradoja última por medio de la cual todos los elementos de la realidad se pierden en sus contrarios y es posible la comunión y entrada en lo continuo eterno donde lo uno es ya lo otro, Todo y Nada, Vida y Muerte. Paradoja con que se logra, temática y estilísticamente, la fusión armónica que Unamuno predicaba en las páginas de *En torno al casticismo.*

En este momento de la contemplación, cima a que ha llegado la novela desde aquel principio en la oscura chocolatería de Pedro Antonio, como en todo trance en que la realidad pierde su ser concreto y, por lo tanto, el *nombre* exacto de su contenido, surge la queja tradicional en todos los poetas: lo revelado

[38] Además de las referencias que ya hemos hecho al tema de la música sin letra *(supra,* p. 40, nota 13) y que haremos aún (Cap. V), debemos indicar que se da también en Unamuno una peculiar mística del silencio y de la comunión silenciosa de la cual ya hemos hablado en otro trabajo nuestro (*Unamuno teórico del lenguaje,* p. 109, nota 39). Sólo partiendo de ella podemos entender, por ejemplo, versos como éstos de *Teresa* (p. 154):

> Cuando callaste, el mundo del silencio
> quedó en silencio musical sumido.

Sólo en este silencio musical —la misma paradoja mística que emplea Unamuno en *Paz en la guerra*— comulgan plenamente Teresa y Rafael, así como en él comulgan Unamuno y el alma de las cosas, o la Eternidad, o Dios. Cf. nuestro Cap. V. También en este silencio se le revela Dios a Unamuno (cf. nuestro Cap. VI, sección 4).

es, en rigor, inefable: "¡Cuántas cosas entonces que nunca expresará!".[39] Y a continuación –como tras todo trance de quien pretende expresarse– el intento poético, no racional, de expresar lo inefable:

> Es una inmensidad de paz; paz canta el mar; paz dice calladamente la tierra; paz vierte el cielo...

La música sustituye al discurso: superada ya la forma narrativa, es la meditación lírica, alucinada, repetitiva, la que, con leves variantes rítmicas y de vocabulario, pretende llevarnos al centro último y único de la contemplación, extática ya en su monótono repetirse. La prosa de estas páginas, ya de por sí lenta, ensimismada y reiterativa, se remansa aquí, meciéndose apenas, en la idea musical, plena, de la paz. Prosa lenta, ritmoide; estilo peculiar de esta novela por oposición al estilo agónico de, por ejemplo, *Abel Sánchez* o *Del sentimiento trágico*.[40]

Tras esta experiencia decisiva que va a servirle de punto de referencia para su comprensión de la realidad durante el resto de su vida, al volver del trance otra vez a sí mismo, baja Pachico del monte a la ciudad, es decir, a la Historia. A su conciencia del hecho histórico ha añadido ya definitivamente su conocimiento *directo* y *positivo* de que más allá de la ciudad está la Naturaleza, bajo la Historia la intrahistoria, bajo la conciencia la inconsciencia, bajo la guerra la paz, y que todos estos contrarios se funden y armonizan en una continuidad última en que lo vivo es lo eterno, lo accidental todo lo que depende del Tiempo. Así, al volver a Bilbao entra ya Pachico a la Historia para siempre, desde luego –y esto es claro en el último párrafo de la novela–, pero entra a la Historia con el compromiso hacia sí mismo de despertar al prójimo a la verdad de que lo que en la Historia vive eternamente es lo intrahistórico, "la humanidad en nosotros"; se lanza, pues, de la paz a la guerra por la paz y para la paz. Éste, y no otro, es el sentido del título de la novela, *Paz en la guerra,* frase de Unamuno que se ha malinterpretado a placer.[41] No puede caber

[39] Tema, éste de la imposibilidad de comunicar lo inefable, insistente en Unamuno: cf. nuestro libro citado, pp. 96-102.

[40] Lo de *ritmoide* es palabra que Unamuno mismo aplicó a su novela y, en especial, a sus páginas finales: cf. *OC.,* II, 746 (también *Teresa,* 29).

[41] Claro que, porque vivimos en el tiempo, toda paz es circunstancial y limitada; toda paz parece estar siempre *en* la guerra. Pero se ha jugado demasiado con este concepto de Unamuno (él fue el primero en iniciar

duda que, desde la doble vertiente de su personalidad, lo intuido por Pachico en su *trance* es la realidad *absoluta* de la paz; este absoluto es lo que, desde la montaña, pretendió traer para siempre al mundo, como Unamuno, su creador, en *En torno al casticismo.*

Hay que advertir, sin embargo, que de las vueltas que se le ha dado a esta frase de Unamuno gran parte de la culpa la tiene Unamuno mismo: no es difícil imaginar que tras las contradicciones disfrazadas de paradojas del último párrafo de la novela[42] se esconde la otra cara de la verdad que ya por aquellos

el juego): no es que la paz esté en la guerra misma (es decir: en el guerrear), sino que la paz está *bajo* la guerra, aunque en el mismo mundo temporal; en el tiempo, pero cuando la guerra se suspende, o bajo la guerra, o a pesar de ella. Es claro en este caso que la paz de que habla Unamuno es paz, no guerra: por ello tras esta intuición *vuelve* Pachico de la paz a la guerra. Dos realidades alternantes y contrarias, pues. Unamuno nos confunde cuando dice cosas como ésta: "Dentro de [la paz] hay siempre alguna forma de guerra, lo que Lucano llamó alguna vez *concordia discors,* una concordia discorde" (*OC.,* V, 59). En primer lugar, esto no es necesariamente así, como veremos: se da muchas veces en Unamuno —como en tantos otros— la paz sin tensión de guerra; y, en segundo lugar, no nos interesa aquí entender la guerra que puede haber dentro de la paz, sino que nos importa subrayar que, a veces, bajo la guerra —o dentro de ella, cuando la guerra se olvida— se puede dar, y se da, la paz plena: "Paz desnuda de guerra", dice alguna vez en el *Cancionero.*

[42] "Una vez ya en la calle, al ver trajinar a las gentes..., asáltale, cual tentación, la duda de la finalidad eterna de todos aquellos empeños temporales. Mas, al cruzar con algún conocido, recuerda las recientes luchas, y entonces el calor reactivo a la frescura espiritual de la montaña infúndele alientos para la inacabable lucha... Cobra entonces fe para guerrear en paz, para combatir los combates del mundo descansando, entretanto, en la paz de sí mismo. ¡Guerra a la guerra! Mas ¡siempre guerra!

Así es como allí arriba, vencido el tiempo, toma gusto a las cosas eternas, ganando bríos para lanzarse luego al torrente incoercible del progreso... y baja decidido a provocar en los demás el descontento.

En el seno de la paz verdadera y honda es donde sólo se comprende y justifica la guerra; es donde se hace sagrados votos de guerrear por la verdad, único consuelo eterno; es donde se propone reducir a santo trabajo la guerra. No fuera de ésta, sino dentro de ella, en su seno mismo, hay que buscar la paz; paz en la guerra misma".

Aunque estos párrafos finales de *Paz en la guerra* presentan claramente las dos vertientes de la personalidad de Unamuno y, en cuanto que la *paz* se da en el monte y la *guerra* en la ciudad, justifican nuestro análisis, no dejan de ser confusos. Nótese, por ejemplo, que el último párrafo empieza diciendo que en el seno de la paz (o sea en el monte, en comunión con la naturaleza y lo eterno; *lejos* de la guerra) se entiende y justifica la guerra (como actividad *otra* que la paz), pero termina diciendo que dentro de la guerra (es decir, *en el guerrear* esta vez) se encuentra la paz. Son dos ideas muy distintas, contrarias, y de ellas nace la confusión en la interpretación

años empezaba a sospechar Unamuno; a saber, que quien entra en la guerra, aunque lo haga para traer la paz, puede muy bien no salir nunca de la guerra, transformado ya el medio en fin por la fuerza de las circunstancias. Casi podemos imaginar que éste va a ser el destino de Pachico porque, en gran parte, lo fue el de Unamuno: tan hundido se encontró en la guerra que, según fueron pasando los años, sólo supo salir de ella a intervalos, volviendo de vez en cuando a los ambientes que propiciaban el redescubrimiento de la verdad de la paz que, aunque al parecer perdida bajo el estruendo de la agonía, guardó siempre en el fondo de su alma. Empujado por este dilema, jugó Unamuno insistentemente con la frase que da título a su primera novela, pretendiendo a veces decir con ella que la paz se encuentra *en el guerrear* mismo: la imprecisión conceptual de nuestra lengua le permitió desarrollar múltiples variantes de este juego doloroso, todas las cuales, al confundir, han logrado desviar a sus lectores —como en el fondo no le engañaban a él mismo— del sentido primero y clarísimo de una frase que, tal como se ve explicada en *En torno al casticismo* y vivida en *Paz en la guerra,* no puede dejar lugar a dudas.

Me he detenido, pues, en comentar este pasaje como momento cimero de su pensamiento contemplativo, no porque tenga ninguna importancia en sí el que Unamuno siga los pasos tradicionales de la mística en su descripción del trance de un personaje de su novela; no por subrayar influencias, imitación o plagio, sino porque, imitado o espontáneo,[43] el parentesco de este pasaje con la tradición mística nos ilumina las tendencias más interiores de un Unamuno contrario al que, en *Del sentimiento trágico,* en uno de los momentos centrales de su apología de la lucha por la lucha, opone, en pleno grito agónico, su verdad a la verdad de los místicos y a la de toda tendencia a la contemplación en que se borren los límites del *yo.*[44] La voluntad de cuerpo y tiempo del agonista, su entrega desesperada a la guerra, su apología de ella, suelen adquirir su

de la frase "Paz en la guerra". Hemos interpretado aquí la novela según el significado de la primera parte de este párrafo final; la segunda parte nos parece una justificación de la agonía en la que, sin duda, sospechaba Unamuno se iba a ver comprometido totalmente Pachico, ya que, al bajar de la Naturaleza a la Historia, le es difícil al hombre (como le fue difícil a Unamuno) poder volver a encontrar la paz absoluta con plenitud de eternidad, tal como puede darse *fuera* de la Historia.

[43] Como puede deducirse de *En torno al casticismo,* en esta época conocía ya Unamuno bien a los místicos y le interesaban especialmente.

[44] Cf. *supra,* p. 22, nota 13.

pleno sentido por oposición a la mística y, viceversa, el Unamuno contemplativo aparece en su mejor luz en esta entrega rítmica a la descripción de un trance y de los pasos que a él llevan con que cierra su primera novela, una de sus obras más importantes.

Pero podrá decirse, y no sin algo de razón teórica, que en el análisis de una novela realista o histórica (como pretendía Unamuno que era *Paz en la guerra*[45]) es grave error confundir al autor con sus personajes. Son varios los motivos, sin embargo, que, en este caso concreto, justifican nuestra identificación (por lo demás, común entre los que han estudiado el pensamiento de Unamuno).

En primer lugar, poseemos suficiente evidencia para creer que en los montes de Bilbao, frente al mar, tuvo el joven Unamuno una revelación similar a la de su personaje.[46] Esta revelación sería la base de experiencia vivida a cuyo calor se organizaron y adquirieron sentido sus experiencias históricas y sus lecturas dando origen a su concepto de *intrahistoria* y, a partir de él, a su primer libro de ensayos y a su primera novela. No debemos olvidar en este sentido que, si los cinco ensayos de *En torno al casticismo* se concibieron y escribieron en el año mismo de su publicación (1895), *Paz en la guerra,* publicada en 1897, fue concebida, según declaración de Unamuno, diez o doce años antes y fue gestándose lentamente a lo largo de ellos.[47] Ello nos hace creer que la revelación final de "Pachico-Unamuno" es el germen de la novela, aunque en la novela, debido a su propia lógica interna, se dé al final; a su vez, esta revelación sería la experiencia personal de lo que discursivamente se predica en las páginas de *En torno al casticismo.* En este momento de experiencia subjetiva comulgan, pues, la primera novela de Unamuno y su primer libro de ensayos.

[45] Cf. el Prólogo a la segunda edición *(OC.,* II, 15). En general, al igual que Unamuno, la crítica considera a *Paz en la guerra* como "novela histórica". Su mayor significado e importancia, sin embargo, no estriba en lo que tiene de novela histórica, sino, todo lo contrario, en su calidad de novela "lírica".

[46] Cf. Sánchez Barbudo, "Sobre la concepción de *Paz en la guerra", loc. cit.,* y, además en este libro, Caps. VI (sección 5) y VII.

[47] En el Prólogo a la segunda edición nos dice Unamuno que en *Paz en la guerra* puso "más de doce años de trabajo": es decir, la novela —la intuición primera de la realidad que la novela nos da— fue quizá concebida alrededor de 1885, mucho antes de que Unamuno pensara escribir *En torno al casticismo.*

Además, la igualdad Pachico-Unamuno se hará plenamente evidente a lo largo de este libro según vayamos descubriendo, una y otra vez, las mismas ideas, las mismas tendencias de su espíritu, en obras en las que Unamuno habla como *yo* único.

Pero más importante aquí que estas razones extrañas a la novela es quizá la evidencia interna que nos ofrecen sus páginas mismas: lo que en última instancia justifica ver en *Paz en la guerra* la expresión viva del pensamiento y la sensibilidad de su autor no es que Pachico sea el doble de Unamuno, sino que en este momento final de la novela Pachico es sólo la encarnación última y más aparente del espíritu todo de *Paz en la guerra* y de una serie de personajes, todos los cuales reflejan fielmente y de igual manera el espíritu contemplativo de Unamuno. Si por su tratamiento de la relación entre el hombre y la naturaleza —por la manera como se funden el uno en la otra— son estas páginas excepcionales en la novelística española del XIX, ello se debe a que, para bien o para mal, *Paz en la guerra* es una novela excepcional entre las de nuestro siglo XIX: no es *Paz en la guerra* novela histórica ni realista, sino una novela impresionista en la cual la historia real es sólo el pretexto para la expresión de una visión personal y lírica de la realidad. Así como en la cima del momento contemplativo de Pachico se borran los límites y distancias entre el hombre y lo que lo rodea, entre el *yo* y lo otro (en este caso el alma del mundo), se borran también en la novela todas las distancias —necesarias en una novela realista o en una novela histórica— entre autor y mundo creado: las actitudes de todos los personajes ante la realidad histórica que les rodea y, sobre todo, ante el paisaje, son las mismas que las de Pachico en esta escena última, y la forma en que Unamuno las describe (tono, ritmo, vocabulario, etc.) son iguales para todos que para Pachico, porque son las actitudes y el tono emocional de Unamuno. Lo que le acontece al ser contemplativo de Pachico al entregarse a la naturaleza y a la meditación sobre la paz es lo mismo que le acontece a Pedro Antonio y a los innumerables personajes que aparecen grises, difusos, perdidos casi en el anonimato de un vivir y sentir comunes. Estos hombres y mujeres —lo veremos en detalle en nuestro Cap. VI— *son* Naturaleza y, claro, se confunden con ella (no hay entre ellos límites) y entre sí mientras viven anónimamente, monótonamente y en silencio.[48] Todos los personajes de esta novela son el mismo y Una-

[48] Por lo que toca a esto del silencio, es notable, por ejemplo, la poca cantidad de diálogo de esta novela y, cuando lo hay, su laconismo. El

muno es como todos ellos, no sólo como Pachico. La tesis de la novela viene, pues, a ser su forma misma: *Paz en la guerra,* novela impresionista, poética, más que realista o histórica, es en España una de las primeras obras del nuevo "género" subjetivo que, andando el tiempo, y por diversos caminos, llevará en Europa a la "desnovelización" por lirismo de la novela.

Es notable en este sentido que más de una vez comentara Unamuno las palabras de un amigo suyo sobre el final de *Paz en la guerra:* debía haber sido escrita en verso.[49] Casi podríamos decir lo mismo de toda la novela ya que toda ella puede reducirse a una inspiración lírica.[50] Cuando Unamuno explicaba que *Paz en la guerra* era lo más suyo –y siguió diciendo hasta el final de su vida que era su obra predilecta y sus personajes los que más quería entre todos los creados por él–, a esto se refería indudablemente.

Se podría también alegar, por otra parte, que el mundo descrito aquí por Unamuno en 1897 es el mundo perdido para siempre por aquel joven que al llegar a Madrid en 1880 entró de lleno en el racionalismo. Diremos solamente que el hombre capaz de concebir y escribir una novela así –de este tema, con este estilo– es todavía así en 1897 en algún rincón de su alma.

Se podría, por último, pretender quitarle importancia a *Paz en la guerra* diciendo que, aunque Unamuno haya sido todavía así en 1897, este espíritu, este concepto de la realidad no vuelve a aparecer en el resto de su obra: se ha hablado, en efecto, de un "cambio de signo" radical a este respecto.[51] Es éste un problema fundamental para nuestro estudio: lo que en él trataremos de demostrar es que si desaparece, ello ocurre sólo a

único que verdaderamente habla, y habla por los silenciosos, es el espectador, el joven que ha descubierto el verdadero sentido de la Historia; no es ni siquiera Pachico, sino, *fuera de la novela,* escribiéndola desde su revelación, Unamuno mismo. Por ello, más que de diálogo, esta silenciosa *Paz en la guerra* está hecha de descripciones de lugar y de estados de ánimo, todos, además, casi iguales entre sí; descripciones todas correspondientes a una visión única de la realidad. Como hemos indicado, el autor no logra –o no quiere– superar la subjetividad de esta visión para crear personajes o emociones independientes de su propia manera de sentir el mundo.

[49] Cf. *Teresa,* 29 y *OC.,* II, 746.

[50] Como se verá a lo largo de este estudio, esto es verdad no sólo por la manera impresionista en que está concebida la novela, sino por la insistencia con que el tema aparece en la poesía lírica de Unamuno.

[51] Sánchez Barbudo, "Sobre la concepción...", *loc. cit.;* Meyer *(op. cit.,* pp. 22-23) acepta la opinión de Sánchez Barbudo y habla a propósito de *Paz en la guerra* de "tentative sans lendemain".

primera vista; el espíritu del Unamuno de *Paz en la guerra* lo iremos redescubriendo, aquí y allá, a lo largo de toda su obra. La experiencia de la paz absoluta, la entrega sin reservas a la contemplación de lo esencial eterno, la pérdida de la voluntad de persistencia temporal, serán a lo largo de toda su vida constantes tan centrales, aunque muy a menudo soterradas, como la ostentosa y energuménica voluntad de agonía. Tan importante como la voluntad de límites y de conciencia en la vida y en la obra de Unamuno será este que podríamos llamar su espíritu de disolución, su tendencia a entregarse, satisfecho y libre de las trabas de lo temporal, a la disolución de su propio *yo*. En este sentido, *Paz en la guerra* y *En torno al casticismo* son las dos obras básicas que dejan para siempre huella profunda en su espíritu.

"Nicodemo el fariseo"

Cuatro años después de la publicación de *En torno al casticismo* y dos después de *Paz en la guerra,* en 1899, lee Unamuno en el Ateneo de Madrid su *Nicodemo el fariseo (OC.,* IV, 15-38). "Que nadie se llame a engaño –advierte antes de entrar en tema–, esto que vais a oír, más os parecerá sermón que otra cosa. Acaso no falte quien lo crea impropio de este sitio; yo os aseguro que no lo hago por singularidad, sino que creyendo que aquí nos hace falta derramarnos, predico con el ejemplo" (p. 18). Hermosísimo sermón el de estas páginas en las que, arguyendo contra su ser agonista, se derrama, como pocas veces, el espíritu religioso de Unamuno que siempre buscó, y a veces encontró, la fe inconsciente de sus primeros años.

El tema central del sermón, si alguno tiene,[52] es el de la angustia del tiempo y de la muerte que sienten los Nicodemos de este mundo aferrados a todo lo corporal. Un poco como luego glosará el *Quijote,* glosa aquí Unamuno el encuentro de Cristo y Nicodemo. Llega éste a Cristo para preguntarle por el sentido del Tiempo, la muerte y la inmortalidad; quiere Nicodemo cambiar, tener fe y ver el reino de Dios,

[52] Dice también como introducción: "No os llaméis a engaño. No es esto una conferencia, ni con la presuntuosa pretensión de enseñaros cosa alguna vengo; no aspiro más que a sugerir en vosotros un estado de ánimo . . . No busco el que salgáis de aquí llevando ideas nuevas o nuevos datos . . ." *(OC.,* IV, 18). Una vez más, por oposición a la lección (idea, letra, dogma), el *sugerir,* el estado de ánimo (lo nebuloso, lo sin contornos definidos).

> pero –ha pensado y se lo dice a Cristo– la fe no es voluntaria; se debe a gracia, y si no la tengo, ¿qué hacer?; además, cambiar significa nacer de nuevo... ¡Nacer de nuevo! Sólo naciendo otra vez para ser otro, no ya yo, podría ver el reino de Dios; pero no lo vería yo, sino el otro... ¡Cuánto absurdo! (p. 20).

He aquí dos ideas centrales del Unamuno agonista –a quien encarna Nicodemo–, dos causas de su congoja: (1) que la fe no es cuestión de voluntad, y (2) que si para ver el reino de Dios hay que "nacer de nuevo", el que lo ve es *otro,* no yo, "este pobre yo que me soy y me siento ser ahora y aquí". Dos ideas agónicas que Unamuno va a rechazar en este sermón porque tiene plena conciencia de la realidad irreversible y terrible del tiempo y de que esa realidad limita, para desgracia suya, las querencias más íntimas de su *yo* no agonista al que, por inclinación natural, está dispuesto a entregarse. Unamuno sabe muy bien de qué habla Nicodemo y, por ello, desde su ser contemplativo, puede comentar sus palabras para, extrañado, terminar preguntándole si él de verdad duda de la posibilidad de nacer de nuevo. En esta pregunta, y en toda la afirmación del *espíritu* que sigue –por oposición a la *materia* limitada–, van implícitas la fe y la voluntad de fe de Unamuno y, desde luego, la inclinación de su alma a evadirse de la agonía.

Pero, por lo pronto, frente a la extrañeza de Unamuno, surge la terrible pregunta de Nicodemo:

> Dícele Nicodemo: ¿Cómo puede nacer el hombre siendo viejo? ¿Es que puede volver a entrar en el vientre de su madre y nacer? (p. 21).

Para esta pregunta ya sabemos que no tiene respuesta el Unamuno de *Del sentimiento trágico,* y, sin embargo, he aquí que sin titubear, en un acto de plena fe, este Unamuno da la respuesta de Cristo:

> Respondió Jesús: De seguro y bien seguro te digo que el que no naciere de agua y de espíritu no puede entrar en el reino de Dios. Lo nacido de carne es carne, y lo nacido de espíritu, espíritu. No te maravilles de que te diga: Tenéis que nacer otra vez. El viento sopla de donde quiere y oyes su sonido, mas ni sabes de dónde viene ni adónde va. Así es todo aquel nacido del espíritu (p. 22).

A lo que añade:

> Es, Nicodemo, que sólo miras a tu hombre carnal y no al espiritual; es que sólo miras al que fluye en las apariencias temporales y no al que permanece en las realidades eternas. . . ; es que no buscas, bajo el que obra, al que es.

Tras esta elaboración "a lo divino" del tema de *Paz en la guerra,* tras este rechazo de lo aparente (las obras) en pro de lo esencial, similar al de *En torno al casticismo,* le aconseja Unamuno a Nicodemo que, como San Pablo, exclame: "¡Miserable hombre de mí! ¿Quién me librará de este cuerpo de muerte?" (p. 24), y le da el ejemplo de las "almas de los santos" que, "desnudas de su misma conciencia temporal, desnudas como salieron de las manos del Señor y como volverán a ellas, llegan al inefable toque de su eterno núcleo con el eterno Foco de vida y de amor. Piérdense en el mar de la vida divina" *(ibid.).* El Unamuno "contemplativo" dialoga, pues, en este sermón con el agonista que temía ser desnudado de sí mismo; y su voluntad de "inefable" contacto y fusión con lo eterno (específicamente divino en este caso) es comparable a la inclinación natural que lleva a Pachico a dejarse perder en la unión con el alma de las cosas cuando se hunde en la inconsciencia más allá de cualquier sensación de su cuerpo.

Y es que aunque las preguntas de Nicodemo son las del Unamuno agonista, las respuestas son las del Unamuno contrario que aquí venimos viendo, un hombre que tendía a enajenarse en el ilimitado mundo del espíritu; y son respuestas que encuentra porque, desde las rinconadas y escondrijos de su corazón, una cierta inclinación de su *yo* más "primitivo" le llevaba a rechazar instintivamente el tiempo y su conciencia de él. Un Unamuno tan contrario al agonista que, aunque éste justifica en un momento del sermón la duda y el sufrimiento que en la duda se encuentra (p 28), justifica después, en lo que sería flagrante contradicción si no supiéramos que el que habla ahora es el Unamuno contemplativo, la fe del carbonero (p. 32). Y es que:

> Hay, Nicodemo, en nosotros todos dos hombres, el temporal y el eterno . . . Desde nuestro nacimiento carnal, terreno y temporal, desde que nuestro espíritu, embrión entonces, fue puesto en la matriz del mundo, de donde naceremos con el parto de la muerte a vida espiritual, celestial y eterna, recibimos del mundo, como de placenta, capas que nos van envolviendo, capas de pasiones, de impurezas, de iniquidades, de egoísmo, y a la vez va creciendo, con crecimiento interno, aquel espiritual embrión, pugnando por desplegar en sí vida de virtud y de

> amor divinos. Hay un crecimiento de dentro a fuera, crecimiento que nos viene de Dios, que habita dentro nuestro, y hay otro de fuera a dentro, que nos viene de esas capas de aluvión que el mundo deposita en torno de nuestro núcleo eterno intentando ahogarle en el tiempo. Así vivimos separados los unos de los otros con costras más o menos espesas, a través de las cuales irradia penosamente en los buenos, y desfigurado casi siempre, el fuego de la caridad divina. Mas aun así y todo comunícanse las eternas honduras de nuestra alma con la hondura eterna de la creación que nos rodea, con Dios que habita en todo y todo lo vivifica, con Dios en quien, como en mar común, somos, nos movemos y vivimos. Cuando Dios, que habita en el último seno de todo, se te muestra en tu conciencia, uno consigo mismo, que en tu último seno habita, te ves perdido en el mar inmenso, sin propia conciencia temporal, en esplendente conciencia eterna, viviendo en Él a tu propia vista (p. 23).

Sueños, tal vez, de los que, al despertar, nacía el Unamuno de la agonía; pero sueños que corresponden a una realidad de experiencia revelada, como hemos tenido oportunidad de ver al leer cómo Pachico se comunicaba desde "la eterna hondura de su alma" con "la hondura eterna de la creación" que le rodeaba. La misma metáfora del mar, la forma en que funciona simbólicamente en este párrafo, apunta ya también, como tendremos oportunidad de ver en nuestro capítulo VII, a una experiencia personal que se expresó siempre con los mismos símbolos. Entendida así la relación entre estas palabras y lo que hasta aquí hemos visto, indicada su relación con uno de los temas que van a ocuparnos, comprendemos que los consejos de Unamuno a Nicodemo no son sólo un querer, por rechazo puramente negativo de la agonía, lo nunca antes conocido, sino un enfrentar racionalmente dos experiencias contrarias de su personalidad entre las cuales Unamuno escoge, en este caso, la de su ser contemplativo.[53] El Unamuno que predica aquí, como en *En torno al casticismo,* la comunión de "las eternas honduras de nuestra alma con la hondura eterna de la creación que nos rodea", que la predica porque la ha vivido, rechaza la conciencia temporal del agonista. Fe ésta como la de *Paz en la guerra,* pero vuelta aquí a lo divino, es decir, más llena aún de contenido positivo. Difícil será encontrar en Unamuno un más fecundo ahondamiento en la idea de lo eterno, en su in-

[53] Un caso más de selección entre contrarios alternativos (cf. *supra,* p. 55, nota 24).

tuición de la unidad última de la Vida y la Muerte, que la que nos ofrece este sermón de ensueño, tan ajeno todo él, en lenguaje y en ideas, a sus obras de mayor angustia temporal.

Fácil sería, sin embargo, y justísimo, desde el punto de vista contrario al nuestro, ver en *Nicodemo el fariseo, además* de una expresión del *yo* contemplativo de Unamuno, la primera expresión pública de la angustia que engarrotaba al agonista.[54] Pero "llevo dentro de mí dos hombres" y "mi pensamiento marcha por la afirmación alternativa de los contradictorios": tanto como la angustia soterrada del agonista que podríamos adivinar en estas páginas, aparecen en el sermón las respuestas del contemplativo que hemos comentado.

4. Después de 1900. Breve recorrido

Este mismo espíritu, no ya teñido de religiosidad, sino otra vez, como en *Paz en la guerra,* derivado de la pura contemplación de la naturaleza, lo encontramos en "El perfecto pescador de caña" (1904), uno de los más íntimos y deliciosos ensayos de Unamuno, escrito, al igual que tantos otros suyos, "a lo que salga", como comentario a un libro de reciente lectura. Sólo que aquí el libro no trata, como tantos de los comentados por Unamuno, de los problemas de España, ni de los de la cultura europea, ni de asuntos religiosos; no es un libro de Ibsen, ni de William James, ni de Kierkegaard, ni una de aquellas publicaciones de la casa Alcan que tanto le enfurecían; se trata, curiosamente, del sencillo y modesto clásico inglés *The Compleat Angler, or the Contemplative Man's Recreation,* de Isaac Walton; el libro de un contemplativo pescador escrito en 1653 para los pescadores de caña; una obra llena de tecnicismos que sirven como pretexto para un largo y diluido diálogo sobre la naturaleza y la vida contemplativa. Especie de apología de la vida retirada, escrita en la más reposada y suave prosa inglesa, es *The Compleat Angler* parte central de una tradición "naturalista" que luego culminará en Coleridge, Wordsworth, la arquitectura y la pintura inglesa prerrománticas y, en América, en el *Walden* de Thoreau.[55]

[54] Hasta esta fecha (1899), sólo en su correspondencia se encuentra la franca presentación de sus problemas y de su imposibilidad de creer en la palabra de Cristo. Más adelante, como ya sabemos, ésta será la norma de su obra agónica.

[55] Hablo aquí de "naturalismo" en el sentido inglés que conviene a estos

Lo primero que llama la atención de Unamuno en este libro es la "pureza y dulzura de lenguaje" de Walton: "el más dulce y musical inglés" *(OC.,* III, 513, 515). Con agrado, y un poco como quien comenta la obra de un alma gemela, se detiene Unamuno a observar que "Walton amaba la música", que "el espíritu mismo de Walton es un espíritu musical" *(ibid.,* 515). Este rasgo, que hermana a Walton con Fray Luis, le basta a Unamuno para entregarse a la lectura lleno de entusiasmo. No nos hemos equivocado, no; el hombre que habla aquí en forma elogiosa de la musicalidad del espíritu de Walton es el mismo –por lo menos en nombre– que aquí y allá, en versos ya famosos, y en prosa, ha denunciado la música por considerarla opio del alma. Y es que estamos ante la inclinación íntima que Unamuno sentía por la música, por debajo de sus gritos y su mal oído, una de las querencias claves de su personalidad no agónica. La musicalidad de la prosa de Walton –la misma que atraía a Wordsworth, el que tanto atraía al Unamuno contemplativo[56]– no podía dejar de tocar las fibras más secretas del autor de *En torno al casticismo* (que habla entusiasmado de la "armonía" de Fray Luis) y de *Paz en la guerra* (cuyo Pachico descubre la verdad en "musical silencio"), del Unamuno a quien le "bullían en la cabeza mil cosas inefables, música pura, pero música silenciosa" (Benítez, *op. cit.,* p. 279); el Unamuno para quien, como ya hemos tenido oportunidad de indicar y como veremos en mayor detalle, todo lo musical tenía una atracción de la que en vano trataba de liberarse el agonista que, según hemos dicho en el capítulo I y estudiaremos aún, veía en la entrega a la música una forma de pérdida de la conciencia.[57]

A continuación de este elogio, habla Unamuno del "amor contemplativo que Walton profesaba al agua" *(OC.,* III, 516),[58] y ya de ahí se lanza, como Walton mismo, a la apología de la vida contemplativa y del sabroso descanso que siente el hom-

autores, desde luego; concepto que se refiere a la contemplación de la Naturaleza y comunión con ella peculiar a esta corriente de la literatura y el arte de lengua inglesa y que nada tiene que ver con el "naturalismo" de la novela del XIX. Sobre la relación entre estos autores y la arquitectura inglesa romántica –es decir, sobre un modo de vida inglés que, sospechamos, debió influir en Unamuno– cf. el precioso libro de Geoffrey Scott, *The Architecture of Humanism.*

[56] Cf. las dos primeras páginas del ensayo: leyendo a Wordsworth, "poeta favorito", se decidió Unamuno a leer a Walton.

[57] Cf. nuestro Cap. V.

[58] Cf. nuestro Cap. VI.

bre al "sentarse a la orilla del río y a la sombra de un álamo, a dejarse vivir en suave baño de resignada dejadez". "¡Qué secreta escuela de resignación y de calma!", exclama *(ibid.,* 517), entusiasmándose con dos actitudes del espíritu *(resignación, calma)* que tanto aborrece el autor de *Del sentimiento trágico.* Y luego escribe:

> El agua amansa, y el que ha tomado la vera de las aguas por escuela de contemplación, se hará manso, y, como tal, poseerá la tierra y ésta será de él *(ibid.,* 519).

Unas páginas atrás había exclamado, como quien se deleita en el hallazgo de una idea que justifica su manera de ser:

> Sí, Dios hizo el mundo para los contemplativos, que no en vano se dijo que los mansos poseerán la tierra *(ibid.,* 516).

Y el lector no puede dejar de recordar el ideal de mansedumbre que dominaba, ya desde 1895, las páginas mejores de *En torno al casticismo,* de *Paz en la guerra* y de *Nicodemo el fariseo,* así como, según hemos indicado, domina lo más íntimo de su correspondencia de estos años.

A continuación, con un lenguaje casi igual al de *Paz en la guerra* y *En torno al casticismo,* pasa Unamuno a hablar de las "rítmicas palpitaciones de las entrañas" de la vida, de "la música del cuerpo", de "la serenidad augusta de la Naturaleza" que, para su deleite, siente el contemplativo "mientras descansa la inteligencia adormecida" *(ibid.,* 518). "Libertados de la obsesión de la vida –dice– gozamos de ésta como sus dueños" cuando nos entregamos a la contemplación serena, rítmica y desnuda *(ibid.,* 518-519); sensación ésta que ya hemos visto vivir a Pedro Antonio en la cima de su libertad. Y como el estilo mismo de Walton, la prosa de Unamuno se remansa en ritmos lentos, se recrea en la repetición de adjetivos y sustantivos desconocidos en su estilo agónico: *pureza, dulzura, dejadez, resignación, calma, dulce, resignado, sabroso, musical, augusto*... Tema y estilo son, de nuevo, una y la misma cosa: el Unamuno que así habla del libro de Walton es así en algún rincón de su alma.

Leído el libro y escrito el ensayo en febrero de 1904, tienen sus páginas –y así lo confiesa Unamuno– algo de la nostalgia de invierno por la belleza estival del campo, por el recuerdo de aquellos momentos en que Unamuno, como Pachico –y como Pedro Antonio e Ignacio– contemplaba los campos y los montes y el mar de su País Vasco; nostalgia también de los paseos que, junto al Tormes de "verdura discreta y sobria" *(OC.,* I, 632), como Walton "junto al espadañoso Lee o al pie de los tentadores laberintos del arroyo de Shawford" *(OC.,* III, 512), daba el Unamuno que, solitario, se retiraba "lejos de las tormentas de la historia" para gozar el "remanso de quietud" que era su Salamanca. Mundo éste de la Naturaleza en el que, como veremos en mayor detalle, se entregaba Unamuno, en cuanto tenía oportunidad, a la "dulce inconcreción" *(OC.,* III, 221) de su espíritu contemplativo.

Es "El perfecto pescador de caña" el comentario a un libro, pero es ya, también, el primero de esos ensayos para contemplativos en los que Unamuno tratará después sólo el paisaje; ámbito éste de su prosa en el que, como en su poesía más recatada, se refugiará el Unamuno amante de la paz y la armonía que ya hemos olvidado entre el ruido de sus guerras interiores y públicas.

Porque, en efecto, este Unamuno desaparece de la luz más pública alrededor de 1905, y de aquí que se haya hablado de un cambio de signo en su obra: ya en la *Vida de don Quijote y Sancho* (1905) dominan la angustia y el grito y el hambre de inmortalidad fenoménica. Y en los ensayos que en 1910 compondrían el tomo de *Mi religión* y en 1911 el de *Soliloquios y conversaciones,* la polémica y el tema de la agonía son el elemento central y el que más impacto tuvo en sus lectores. Cuando en 1912 salen al público *Del sentimiento trágico* y los ensayos de *Contra esto y aquello,* el agonista llega a su plenitud y la leyenda de la guerra acapara toda la atención que en un tiempo, y sobre todo debido a su primera novela, se dirigió al Unamuno contemplativo que hemos visto en el centro de su obra anterior a 1905. De aquí en adelante, sus poemas más violentos y angustiados, su actividad política, la rebeldía de Augusto Pérez en *Niebla,* la desesperanza de *La agonía del cristianismo* y las páginas terribles de *Cómo se hace una novela* logran que desaparezca de la conciencia del público el Unamuno de los primeros años. ¿Cómo reconocerlo, o recordarlo, entre tanto grito y tanto ataque a la razón, a la ciencia, a la civilización, a Europa...? ¿Cómo leer sin esta distorsión agónica su prosa de paisajes o la poesía que aquí veremos? Difícil era recordar al hombre que, en perfecto acuerdo con los ensueños y divagaciones metafóricas de *Paz en la guerra* y *En torno al casticismo* y *Nicodemo el fariseo,* había exclamado en 1898:

> ¡Esas mis nebulosidades es lo que más amo! Sólo la niebla, el matiz, el nimbo que envuelve a las cosas de la vida profunda... ¡Hay que aspirar a la poesía nouménica!

Dada la fuerza y la importancia del Unamuno que pedía una inmortalidad "fenoménica", difícil era que los lectores tuviesen ya presente a este amigo de la poesía "nouménica" que gozaba en "bañarse"[59] "en nubes de misterio" *(OC.,* III, 221) y recorría, callado, los "escondrijos y rinconadas de la vida espiritual" escuchando las "misteriosas voces de silencio que nos vienen de debajo del alma, de más allá de sus raíces" *(OC.,* III, 730). Parece desaparecer el Unamuno que respiraba "a sus anchas" –la dilatación, frente a lo limitado– cuando podía "volar por las regiones nebulosas del pensamiento protoplásmico", sin ideas ni conceptos definidos,[60] "por aquellas alturas en que se funden el sentimiento, la fantasía y la razón, en que se amalgaman la Metafísica y la Poesía", porque "yo soy ante y sobre todo un espíritu ilógico e inconcreto".[61] *Espíritu inconcreto:* el que buscaba la música callada, la armonía difusa, la continuidad eterna en que todo se funde en todo, lo nebuloso; el que rechazaba la razón –como no podía rechazarla el agonista si quería perseverar en su agonía– porque de ella nacen los perfiles fijos, los claros límites entre *yo* y *no yo,* entre Vida y Muerte.

Olvidado todo esto ya para 1912, y olvidado hoy, ¿cómo acordarse de que Ortega, allá en 1904, le había criticado "ese misticismo español clásico que en su ideario aparece de cuando en cuando"?[62] En el estruendo de la agonía no se hablaba ya después de 1904 del "misticismo" de Unamuno, o, si se hablaba –entonces como ahora–, se le daba un significado inexacto.[63] Imposible era, en efecto, reconocer en el Unamuno de *Del sentimiento trágico* al hombre que en 1897 le había parecido a Azorín –¡nada menos que a Azorín!– *débil, impre-*

[59] El verbo *bañarse* entra en la categoría de verbos como *sumergirse, anegarse, fundirse,* etc. (cf. *supra,* p. 70, nota 36).

[60] Música sin letra otra vez.

[61] Carta a Ruiz Contreras, 22 de junio de 1899. Citada por García Blanco, *op. cit.,* p. 20.

[62] Citado por Unamuno mismo en "Almas de jóvenes", *OC.,* III, 472.

[63] En general, por "misticismo" se suele entender, cuando se habla de Unamuno, "hambre de inmortalidad" y "sed de Dios", lo cual, dada la voluntad de inmortalidad de bulto que implica, nada tiene que ver con la entrega de la personalidad a la realidad absorbente de lo otro que es Dios para los místicos; o mejor: es precisamente lo contrario.

ciso, vaporoso.[64] Entre tanto estruendo, su vida y su obra parecían, en verdad, haber cambiado "de signo".

Y, sin embargo, aquel contemplativo nebuloso sigue dirigiéndose al público en los artículos que, escritos entre 1907 y 1909, formarían luego el volumen de *Por tierras de Portugal y España* y en los artículos escritos de 1911 a 1920 recogidos en 1922 en el volumen de *Andanzas y visiones:* notas de viajes, libros sin polémica, que por su naturaleza misma, recatada y difusa, no podían salir a la superficie dominada por la agonía. Son éstos los libros en que Unamuno expresaba el deleite que encontraba en "meditar, esto es, vagabundear con el espíritu por los campos de lo indefinido" *(OC.,* I, 606); expresión de los momentos en que su alma se entregaba, en "El silencio de la cima" de cualquier montaña, a la busca de algunos de sus otros *yos (OC.,* I, 538) y a sentir, como Pachico, la quietud y la eternidad de la vida:

> Lo he sentido, lo he sentido así en la cima de la Peña de Francia, en el reino del silencio; he sentido la inmovilidad en medio de las mudanzas, la eternidad debajo del tiempo, he tocado el fondo del mar de la vida *(ibid.,* 542).

Es éste un Unamuno que en las páginas de *Por tierras de Portugal y España* describe en su reposo el monasterio de Guadalupe, "visiones que están fuera del tiempo" *(ibid.,* 409); un Unamuno que, en la Gran Canaria, frente al pico de Teide, "reposaba en aquella visión como en algo que careciese de materialidad tangible" *(ibid.,* 483) y que, junto a un arroyo cualquiera, siente el deseo de quedarse allí, "bajo los tilos", "en un hoy perpetuo, sin ayer y sin mañana" *(ibid.,* 486). Un contemplativo que en *Andanzas y visiones* se recrea describiendo Galicia –su nebulosidad, su melancolía, su lluvia– en una prosa mansa y lenta que no conocemos en sus obras de mayor fama *(ibid.,* 753-757); el mismo que se deleita en describir Coimbra ("remanso de paz", *ibid.,* 636) y su "dulce" y "sosegadora" modorra *(ibid.,* 643); o Salamanca, sus edificios, su Universidad

[64] "...hay en Unamuno cosas que me gustan: no me gusta su nebulosidad, ni su incerteza de ideal filosófico, su vaguedad de pensamiento..." También le critica su falta de "tesón" *(Charivari,* 1897, en *Obras completas,* Aguilar, Madrid, 1947, vol. I, p. 250). No deja de ser curioso que sea precisamente Azorín quien dice esto de Unamuno; aunque hay que recordar que por aquellos años el "energúmeno" decidido y nada nebuloso era Martínez Ruiz.

—ese patio "henchido en su silencio de rumores seculares", *ibid.*, 631—, o "los sotos de las orillas del río" en que se "inspiró Fray Luis de León" *(ibid.,* 632), aquel Fray Luis en quien alternaron también el luchador y el contemplativo, el maestro que, ya desde *En torno al casticismo,* le servía de modelo. ¡Cuánto habló Unamuno, y con qué tranquila melancolía, de esa Salamanca en que se "nos da la sensación de que el tiempo se detiene y remansa en la eternidad"! *(loc. cit.).* Salamanca es, así, como el mar visto a lo lejos por Pachico desde los montes de Bilbao, o como el "espadañoso Lee" en que pescaba Walton.

En esta idea del tiempo quieto (eternidad revelada en el paisaje, como veremos en detalle), tan repetida en las páginas de *Por tierras de Portugal y España* y de *Andanzas y visiones,* así como en la lentitud rítmica de esta prosa y en su vocabulario, perdura, por lo menos desde 1907 hasta 1920, el Unamuno que buscaba y encontraba, sumergiéndose en la contemplación, la "dulce" huella imprecisa de la eternidad.

En los ensayos de ideas en que se funda su fama de pensador moderno y polémico, sin duda la parte "más vigorosa" de la obra de Unamuno,[65] es bastante menos fácil encontrar huellas de su personalidad no agónica: no olvidemos que, casi por definición, estos ensayos son la guerra de Unamuno. Y, sin embargo, aun entre ellos, aquí y allá, nos llegan ecos de aquella tendencia de su personalidad que, generalmente, prefería él recatar o diluir entre sus obras de menor importancia "histórica" y legendaria. Más que ecos nos parece oír, por ejemplo, en dos curiosas parábolas de 1910 y 1911: "El canto de las aguas eternas" y "La sima del secreto".

"La sima del secreto" (1911) *(OC.,* III, 1032-1038), recordará el lector, cuenta la historia de la atracción que un pueblo entero sentía por una cueva misteriosa en la que todo rastro de vida desaparecía en un extraño silencio. No querían, a razón y a conciencia, acercarse a la sima que se abría en el bosque los hombres del pueblo aquel; pero algo más fuerte que su voluntad y su miedo les llamaba siempre allá, a contemplarla, a meditar sobre su significado. Y no pocos se acercaban a la sima para algo más que meditar sobre ella: como movidos de alguna fuerza irracional, dejaban su vida, su razón y su voluntad de conciencia para entrar, liberados, en aquel mundo interior y oscuro

[65] Como ha dicho, por ejemplo, García Blanco, *Cuadernos de la Cátedra de Miguel de Unamuno,* I, p. 118.

del que nadie había jamás vuelto. La atracción del misterio y de la muerte –no la busca de la inmortalidad– quedan subrayadas en este ensayo-parábola por un estilo diluido y lento en el cual no se retuerce la oración, ni por un momento, en la agonía del grito y la violencia.

"El canto de las aguas eternas" (1910) *(OC.,* III, 916-925) es igualmente extraño e inesperado dentro del conjunto de escritos agónicos en que aparece. Se cuenta aquí la historia de un joven que, apresuradamente, marcha hacia un castillo –al que ha de llegar antes de caer el sol– en el cual su feliz vida temporal seguirá siendo suya a conciencia para siempre. Marcha el joven por un camino escarpado a lo largo de todo el cual hay una profunda cañada de la que llega, lejano, subterráneo e insistente, *el canto de las aguas eternas*. El simbolismo nos parece obvio: bajo el tiempo y sus prisas, en su fondo, la eternidad (como bajo la historia la intrahistoria); y en el camino consciente –y voluntario– del joven hacia una interminable conciencia, en su fondo, atrayéndole siempre *contra* su voluntad, el canto de la inconsciencia eterna. Más obvio es aún este significado si consideramos que una sola vez se detiene el joven en su recorrido, contra su voluntad y mejor raciocinio: al escuchar el llamado de una muchacha al calor de cuyo regazo se pierde casi para siempre en la inconsciencia mientras el canto de las aguas eternas le llega más cerca que nunca.[66] Cuando por fin se libra del abrazo de la muchacha y vuelve al camino, ya es tarde: cae la noche y el joven se queda en una tenebrosa y fría oscuridad repitiéndose a sí mismo, sin fin, los hechos de su vida temporal que le han quedado en la memoria.

En esta parábola presenta Unamuno, creo que con absoluta claridad, las dos tendencias principales de su alma: de un lado, su voluntad de alcanzar una inmortalidad consciente de tiempo repetido en la memoria, y, de otro, el atractivo inexplicable que tenía para él el mundo de lo eterno sin límites específicos –Todo o Nada– en cuyo regazo el alma se acuesta para su sueño.[67] ¡Y quién sabe si nos esté incluso diciendo que más que una inmortalidad en que se repita por obra y gracia de la memoria la vida de este mundo, es preferible el sueño en el regazo de la inconsciencia junto al arrullo del canto de las aguas eternas! Pero no necesitamos llevar la interpretación hasta este extremo –muy probable– para ver aquí la presencia de aquel

[66] Sobre el tema del regazo y la inconsciencia, cf. nuestro Cap. V.
[67] *Ibid.* para el tema del "sueño".

yo no agonista de Unamuno que le latía por "debajo del alma". Lo importante es, pues, en estas dos parábolas, que ninguna de ellas adquiere su pleno significado si no tomamos en cuenta la existencia de un Unamuno muy distinto del que predicaba la guerra sin descanso.

Pero más que en sus *Ensayos,* y más incluso que en su prosa de paisajes, el Unamuno de *Paz en la guerra* perdura, como veremos ampliamente, en esa poesía "otoñal", humilde y recogida que tan entrañablemente quería. A lo largo de este libro recurriremos constantemente a ella para nuestros ejemplos; en este capítulo de introducción general bástenos con mencionar algunos de los poemas más conocidos en que se encuentra de manera más acusada la tendencia de Unamuno a la contemplación y al abandono. Recuerde el lector, por lo pronto, "El Cristo de Cabrera" (*P.,* 55 y sigs.) y cómo, al contemplar este Cristo en el reposo de su capilla, cree Unamuno sentir, una vez más, la eternidad en el tiempo mientras la paz que en el paisaje reina le lleva a pensar que

> aquí, el morir un derretirse dulce
> en reposo infinito debe ser. . . ,

pensamiento éste bien ajeno al del Unamuno aterrado de la muerte que nos ha creado la leyenda. Recuérdese también, por ejemplo, el soneto "Dulce silencioso pensamiento" *(RSL.,* 240) en cuyos versos tranquilos, de un equilibrio no siempre logrado en su poesía, describe Unamuno cómo

> . . .en la paz santa que mi casa cierra,
> al tranquilo compás de un quieto aliento,
> ara en mí, como un manso buey la tierra,
> el dulce silencioso pensamiento.

Este soneto –que veremos en detalle más adelante– es modelo de la poesía hogareña, pacífica y modesta que Unamuno practicó como nadie.

La misma tendencia al abandono y la paz contemplativa, el mismo reposo, lo encontramos en otro soneto de 1911, "Ir muriendo" *(RSL.,* 120), en cuyo verso final se dice Unamuno a sí mismo que "gozas" "rincón en que morirse gota a gota". Y la encontramos también en *El Cristo de Velázquez,* en su blancura de amanecer, en la ternura que fluye tan lenta y entregada de cada uno de sus versos.[68] El mismo estado de ánimo, el mismo tono no agónico es evidente también en *Teresa,* en las ansias de *desnacer* de su protagonista.[69] Y lo encontramos todavía en el *Cancionero,* cuando en 1929, tras tanto dolor, escribe del

Entrañado sosiego
de recatada celda,
donde a dormido fuego
la esperanza se suelda
de una paz sin orillas *(C.,* 337).

Paz sin orillas que viene a ser el concepto exactamente contrario al de guerra con límites que obsesiona al Unamuno de la agonía. Ha ido uno leyendo el *Cancionero,* siguiendo adolorido el dolor casi cotidiado de Unamuno y, de repente, tras unos breves y violentos poemas histéricos en los que el luchador se retuerce en dilemas al parecer sin solución, de repente lee uno estos versos: soterrada, escondida en su silencio hasta ahora, he aquí que surge la querencia contemplativa, lenta y nebulosa, el amor a la paz. ¿Cómo entender este breve poema si en Unamuno sólo reconocemos su voluntad de guerra?

Según veremos, se encuentran también profundas huellas de este Unamuno en el *Romancero del destierro* (1920) y en *De Fuerteventura a París* (1925), dos de sus libros de poesías por otra parte más violentos y torturados. Pero no demos excesivas referencias sin análisis en este capítulo introductorio: bástenos ahora un solo ejemplo más, uno de los más altos, puros, positivos y estrictamente contemplativos de toda la poesía de Unamuno. Leamos el soneto "Horas dormidas", que se encuentra, precisamente, en *De Fuerteventura a París* (pp. 100-101):

Horas dormidas de la mar serena;
se cierne el Tiempo en alas de la brisa;
cuaja en el cielo azul una sonrisa
y todo él de eternidad se llena.

[68] Siempre que hagamos referencia al *Cristo de Velázquez* debemos tener presente que fue escrito, con toda intención, como alternancia al terrible poema sobre "El Cristo yacente de Santa Clara", todo él agonizante de tierra y sangre y cuerpo. Esto lo sabemos por confesión de Unamuno mismo (cf. García Blanco, *op. cit.,* p. 210). Más adelante tendremos oportunidad de citar algunos versos de este poema al "Cristo de sangre y tierra", que, veremos, corresponden perfectamente bien a la idea que tenemos del Unamuno agonista y a lo que tanto se ha dicho sobre sus Cristos "españoles".

[69] Cf. nuestro Cap. V.

Ábrese el Sol su más íntima vena,
corre su sangre sin retén ni sisa,
Naturaleza oficia en muda misa,
que es de la paz sin hombres santa cena.

Todo es visión, contemplativo oficio;
nada en el cielo ni en la mar padece;
es sin pena ni goce el sacrificio;

de ensueño el Universo se estremece,
y de la pura idea sobre el quicio
en el alma de Dios mi alma perece.

No es éste ya aquel "querer querer" del soneto basado en un verso de Miguel Ángel, sino una experiencia plenamente lograda de la contemplación enajenada. El poema está escrito desde la entrega misma a la eternidad serena, desde el quicio mismo de la paz vivida sin contradicciones. Treinta años después de la revelación de Pachico, he aquí la misma sensibilidad, la misma penetración de la realidad, sólo que ahora más ceñida, más pura si cabe decirse, estampada ya para siempre en el poema exacto. Al sol, a plena luz cálida, dormido el mar, dormido el cielo y la naturaleza toda, en lo más hondo de la "muda misa", tras un último "estremecerse" en la entrada a la revelación, encuentra el poeta el Tiempo detenido, lleno de eternidad y, ya sin esfuerzo alguno, se pierde en lo ajeno a sí:

Todo es visión, contemplativo oficio.

¡Qué lejos del Unamuno de la agonía éste que "sin pena ni goce", olvidada toda guerra en el mundo de la pura idea ilimitada, deja morir su alma en entrega espontánea al alma de Dios! Si no supiéramos que el poema es de Unamuno, difícil sería comprender como suyo este momento místico.

Notemos, además, cómo a la idea del poema corresponde un estilo ajeno al del Unamuno de la leyenda: la quietud de lo contemplado, la plenitud de la revelación de lo divino se logra en el poema a base de endecasílabos de idea completa, enumerativos y sueltos, en los que todo se remansa sin que casi nada pase de uno a otro excepto un tono espiritual. En los catorce versos hay doce oraciones de las cuales, en rigor, once son independientes entre sí (cuatro en el primer cuarteto, dos en el segundo, tres en el primer terceto y dos en el último): leves brochazos aislados, un como enumerar lento y asistemático –sin hilo de idea central– del contemplativo que mira a su alrededor y, en plena paz, sin prisa ni orden preconcebido, nombra. Sólo al final del último terceto, en los dos últimos versos, notamos un ligero apurarse al cerrar la serie de visiones sueltas y estáticas. Pero este apurarse, en vez de romper la quietud, la llena de eternidad, la dilata, dándole su máxima amplitud para, después de la suave pausa en alto del penúltimo verso, resumir todos los fragmentos de la visión en una revelación ya hecha idea que se entrega para siempre en la palabra cimera del poema, la última: *perece.*

En efecto, todo es ya *visión* pura y el del poeta sólo *contemplativo oficio* en que perecen sus potencias todas, muy especialmente esa razón provocadora de la agonía que siempre torturó a Unamuno. He aquí la cabeza derrotada, pues, sin esfuerzo, y con ella la agonía, por obra de una revelación poética. Al quedar así eliminada toda guerra, desaparece con ella la tan traída y llevada "poesía de ideas" de Unamuno; en su lugar, un soneto limpio, quieto, manso, sin uno solo de esos encabalgamientos durísimos, sin una sola de esas digresiones que tanto se han comentado en la poesía del Unamuno agonista.

Y no olvidemos: este poema se encuentra en *De Fuerteventura a París,* tal vez el libro de poesía de Unamuno más lleno de guerra temporal, junto con el *Romancero del destierro.*[70] He aquí, pues, que aun en estas páginas, es decir, en aquellos días de mala Historia, vemos salir a flote, y en su forma más pura y libre, las más íntimas querencias de Unamuno, su ser contemplativo.

Éste es, pues, a grandes rasgos, el Unamuno que vamos a estudiar en las páginas que siguen. Un hombre suave y resignado, amante de la paz y del vagar inconcreto del pensamiento; un hombre que tendía a la dilatación y lo ilimitado de la misma manera que desde su ser de agonista necesitaba la concreción de los límites del tiempo, el *bulto* de que nace la guerra. Este Unamuno, veremos, es unas veces "positivo" en su entrega a Dios y a la idea de la Eternidad, otras veces "negativo" en su rendición tranquila y resignada a la idea de la Nada y de la inutilidad de todo esfuerzo. En estos dos sus formas más importantes (formas de una misma tendencia) aparece en su obra desde el principio y la recorre hasta el final: en los primeros

[70] Puede que sólo en el *Cancionero* haya tantos poemas característicos del "energúmeno español, morabito máximo", saturado de grandes y pequeñas pasiones, como en estos dos libros.

años en el centro de su prosa toda; se sumerge después, y, mientras España vibra con las estridencias de sus ensayos agónicos y su poesía más torturada, recorre en voz baja su poesía más íntima y el género para contemplativos al que dedicó tanto de su tiempo más interior: la prosa lírica, especialmente la prosa de paisajes. Éste es, pues, el Unamuno al que no reconoceríamos jamás a través de su leyenda y su obra de agonista, ni, desde luego, a través de la crítica que ha querido ver en sus "silencios" solamente revelaciones de la Nada y mudas confesiones de su gran "farsa".

"Entristece oír que nos celebren lo menos nuestro", dijo alguna vez Miguel de Unamuno *(OC.,* III, 220-221): no vamos aquí a celebrar nada; pero, a través del estudio de ciertos temas y símbolos insistentes de su obra, cuya primera expresión se encuentra casi siempre en *Paz en la guerra* y *En torno al casticismo,* trataremos de llegar a aquella parte de su personalidad que, no pocas veces, consideraba él mismo como más suya.

TEMAS Y SÍMBOLOS PRINCIPALES

III

EL PUNTO DE PARTIDA: LA IDEA DE LA NIÑEZ

> ¡Los que llevamos la niñez a flor de alma! *(OC.,* V, 886).

> Vuelvo a ti, niñez, como volvía a tierra a recobrar fuerzas Anteo *(P.,* 322).

En *Paz en la guerra* el tema de la niñez y mocedad es uno de los motivos dominantes, y no sólo en las vidas mozas de Pachico e Ignacio, sino en los recuerdos de Pedro Antonio, de Josefa Ignacia y de varios otros personajes; la niñez y su recuerdo son también motivo esencial en *Amor y pedagogía,* en *Niebla,* en *La tía Tula* y en varias otras narraciones cortas de Unamuno; como en sus novelas y cuentos, en su teatro *(Soledad,* por ejemplo) tiene la niñez un valor de constante soterrada en el modo de sentir la vida sus personajes; también en innumerables artículos se detiene Unamuno, tangencialmente, a meditar sobre el significado de la infancia, tema al que dedicó alguna vez todo un libro: *Recuerdos de niñez y mocedad;* y en su poesía, al igual que en *Cómo se hace una novela,* la memoria de su propia niñez es el tema principal o uno de los principales.[1] ¿Qué significado tenía para Unamuno la infancia tan insistentemente recordada y elaborada como tema literario?

La niñez y la fe católica

Ya se ha dicho, y muy justamente, que para Unamuno la niñez simbolizaba la fe perdida, como valor absoluto, desde sus primeras dudas de estudiante universitario: "Luz de nativa creencia" llamó a su infancia alguna vez *(C.,* p. 461). Según Unamuno se va haciendo viejo, cuando llega a dudar ya hasta de su duda, cuando desespera de no hallar solución a su agonía –él, que tanto negó el valor de las soluciones– vuelve, insistente y obsesionado, al recuerdo de la niñez en busca de la fe inocente en que había vivido tranquilo. En los momentos más angustiados de su vida, niñez y fe llegaron a ser sinónimos, y la busca

[1] Carlos Clavería *(op. cit.,* p. 10) destaca también la importancia de este tema en la obra de Unamuno.

de aquel paraíso perdido retumba dramáticamente en las obras más personales de sus últimos años: en *Cómo se hace una novela* y en el *Cancionero,* donde el "rebusca en tu seno al niño" (*C.*, p. 444) vibra patéticamente. "Yo he crecido a mi pesar" es el lamento instintivo y terrible de este Diario (*C.*, p. 26), al que sigue la exclamación:

¡. . . Ay niñez, mi niñez! . . .
Yo quiero ser niño
por siempre y siempre jamás (*C.*, p. 27).

Años antes, en *Teresa* (1924), exclamaba su Rafael:

Tú, Señor, que a Dios hiciste niño,
hazme niño al morirme (*T.*, 150).

Ya en 1904 había sentido Unamuno el deseo de "llegar a viejo niño" (*OC.*, III, 470), y en un poema de 1911, "Mi vieja cama" (*RSL.*, 36-37), expresaba su voluntad de morir "desnudo", como llegó al mundo, en la cama en que durmió sus primeros años.[2]

Que esta elemental y angustiosa búsqueda de la niñez es, en gran parte, un esfuerzo por recapturar la fe perdida, lo vemos claro cuando, en otro lugar, escribe que "ya el Cristo dejó dicho para siempre que quien no se haga como un niño no entrará en el reino de los cielos, y yo he repetido muchas veces que el niño que llevamos dentro es el justo por el que nos justificamos" (*OC.*, V, 887). Y en el *Cancionero:*

Agranda la puerta, padre — porque no puedo pasar;
la hiciste para los niños, — yo he crecido a mi pesar.
. . . .
Vuélveme a la edad bendita — en que el vivir es soñar (*C.*, 26).

¡Con qué insistencia buscó Unamuno en sus últimos años este refugio de fe que era la niñez perdida!

¡Si pudiera al cabo darte, Señor mío,
el que en mí pusiste cuando yo era niño. . . ! ,

exclama en el mismo libro (*C.*, p. 48). Cuando ya nada parecía tener sentido para él, cuando ni la agonía sonaba constante en sus últimos y tristes años, se aferraba Unamuno a la idea de que

[2] Cf. también, por ejemplo, el cuento titulado "Abuelo y nieto" (*OC.*, V, 1014-1019) en el cual se narra cómo un abuelo, tras haber sido arrojado de su casa por sus hijos, vuelve para morir en la cama en que había nacido.

el niño en él, es decir, en este caso, la fe de su infancia, podía salvarle de la muerte:

Las voces del niño ahogan
silencios de mi interior;
de nuevo mis ansias bogan
mar adentro del amor.
Me está volviendo otra vida
mientras una se me va... *(C.,* p. 434).

Si en su vejez sólo le quedaban silencios vacíos en el alma, según creía él mismo en sus momentos más pesimistas, en su infancia –en Vizcaya– estaba el Dios perdido:

Cuna de tierra bendita
donde enterré mi niñez,
en tus entrañas habita
Dios envuelto en su mudez *(RD.,* 49).

Únicamente volviendo a aquella infancia, desenterrándola, podrían haberse acallado los terribles silencios vacíos, o se lograrían los silencios plenos de una fe en que la misma mudez de Dios es su presencia;[3] cuando en sus últimos años cree Unamuno alguna vez haber llegado de nuevo a Dios por la vía más directa, es ello en alas de su infancia revivida:

En un cascarón de nuez
arribé a Ti navegando;
iban el azul remando
las alas de mi niñez *(C.,* p. 401).

Pero, en rigor, "ni los hombres ni los pueblos vuelven a su pasado histórico" *(OC.,* V, 166): esta niñez, esta infancia-fe, es un mundo de vivencias para siempre perdidas, y, como tal –lo deseado, lo que no es– aparece, elemento provocador de angustia, en la vida del Unamuno agonista.[4] Por lo tanto, si limitamos nuestra visión de la infancia de Unamuno a la fe inocente de que en ella disfrutó, seguiremos, como en círculo vicioso, dentro del mundo de la agonía, y seguirá eludiéndonos el Unamuno contemplativo que latía callado pero vivísimo bajo todas sus guerras.

[3] Sobre la presencia de Dios revelada en el silencio, cf. nuestro Cap. VI.

[4] Esto se ve claramente en la angustiosa busca de la niñez a que se lanza Jugo de la Raza en *Cómo se hace una novela.*

Otro aspecto de la niñez de Unamuno

Y es que la fe católica no agota todo el mundo infantil de Unamuno, como, por ejemplo, no lo agota el tan traído y llevado bombardeo carlista de Bilbao (1870) de que fue testigo a los seis años:[5] guiados los esfuerzos de historiar los primeros años de Unamuno por la idea fija del agonista que entre él y nosotros nos hemos hecho, se ha solido buscar en ellos lo que pudiese explicar la posterior agonía interior religiosa (lucha consigo mismo) y su agonía exterior nacional (lucha por España), para lo cual suele convenir subrayar la importancia de aquella fe y del bombardeo carlista porque, en efecto, de que Unamuno fuese profundamente católico y dejara de serlo brota la agonía religiosa, así como de la lección de problemática española que fueron aquellos bombardeos brota su agonía patriótica. Pero, desde el punto de vista que aquí nos guía, el bombardeo de Bilbao fue apenas un *suceso* en la vida de Unamuno,[6] algo exterior por histórico: cuando en 1931, por ejemplo, añora su tierra natal, niega la importancia de los sucesos históricos de su niñez para mirar más adentro —como sus personajes intrahistóricos de *Paz en la guerra*— hacia el mundo quieto y callado del niño que vivía en el interior de la Historia; sueña Unamuno en un poema que Bilbao le habla en el recuerdo, y no le habla de "historias" ni de guerras, sino de eternidad:

> Tú no, tú no, Bilbao, me cuentas
> historias;
> tú, con labios de madre, lentas
> memorias
> que hablan de eternidad... (*C.*, p. 430).

Y es que bajo la historia externa —las cotidianas historias, sucesos por fuera, políticos, militares o religiosos— están los silencios de un niño pasivo que gustaba de dejarse perder en toda clase de imaginaciones imprecisas: si queremos penetrar en la realidad del Unamuno no agonista debemos añadir —y hasta oponer— a las verdades de la fe y la guerra carlista la verdad de una niñez toda vida interior, contemplativa, en la cual

[5] Para la insistencia con que la crítica se detiene en estos dos detalles de la biografía de Unamuno basta leer el primer capítulo de cualquier estudio completo.

[6] Unamuno, muy conscientemente, lo llama *suceso* (*OC.*, I, 64). *Suceso,* como bien se sabe, es para él lo cortical; *hecho* es lo profundo y auténtico (cf. nuestro art. cit. "Interioridad...").

la historia es un accidente y la fe apenas parte de un nebuloso mundo de ricas vivencias interiores mucho más difusas, más amplias y hondas, que las realidades concretas del dogma. El dogma y la fe en él son apenas el foco hacia el cual converge el modo de sentir la vida toda un niño que –por naturaleza, por razones ambientales– gustaba de la paz y la soledad; un niño que –frente al mar, en el regazo de la madre, ante un libro, dentro de una iglesia– se deleitaba en abandonarse a la inconsciencia de ensueños de armoniosas fusiones con el ser del mundo. Niñez, pues, como veremos en seguida, que no sólo es guerra o fe, sino, sobre todo, "pureza de soñar" *(C.,* p. 27). Así como la guerra carlista cuaja ciertas formas de la vida de Unamuno ya latentes en su interior, la fe de su niñez se levanta sobre un mundo fundacional anterior a ella; un mundo todo melancolía y ternura, paz interior lenta y meditativa, ajena a cualquier historia.

Apenas se ha reparado en lo que, por debajo de la fe, tienen de contemplativo la niñez y mocedad de Unamuno; apenas se ha detenido la crítica en lo que hay en ellas de búsqueda intuitiva –y de hallazgo– de esos momentos de abandono en que, enajenada el alma, se funden, hasta desaparecer, el mundo objetivo y los posibles mundos del espíritu vagamente imaginados. Y, sin embargo, hasta en las frías y corticales páginas de *Recuerdos de niñez y mocedad* (1908) podemos ver que fue Unamuno un niño "inocente" *(OC.,* I, 31), tímido, callado (p. 30) –"tan callado cuanto suelto de lengua soy ahora"–, dado a diálogos monosilábicos *(loc. cit.),* "de los más tranquilos" (p. 72). Un niño que en los días de lluvia contaba cuentos en clase para deleite suyo y de sus compañeros (p. 30), su actividad más destacada entre los juegos, peleas y calificaciones "sobresalientes" de los demás; un niño afecto a la lectura difusa e imprecisa (p. 47), que *sorbía* los libros en vez de leerlos (pp. 115 *ss.),*[7] que

[7] Así era también, en *Paz en la guerra,* su Pachico, el cual, por ejemplo, "sobre los libros [de la biblioteca de su tío] soñó mil vaguedades abstractas" *(OC.,* II, 67). Interior, imaginativo y vagaroso era también Ignacio (recuérdese lo que hemos dicho sobre la idéntica manera de ser de todos los personajes de la novela; todos son Unamuno): una de las primeras cosas que de él se nos cuenta es que todas las noches, antes de acostarse, leía lo que le caía en las manos; su madre también le leía y le contaba cuentos y leyendas: después "íbase a dormir Ignacio, y se dormía con él su mundo, y a la mañana siguiente, al salir a la frescura de la calle y a la luz del día, todas aquellas ficciones, aunque apagadas, teñían su alma, cantándole en silencio en ella" *(ibid.,* 39-40). En la misma novela se nos habla también de otro personaje que leía nada menos que libros de economía sumido en

se dejaba llevar por el sonido de palabras misteriosas apenas entendidas (pp. 48-49), por la "retórica" de Zorrilla (pp. 78-79), por los "misterios del espíritu" que se le ofrecían estudiando para las clases de psicología (p. 80).[8] También, como hemos dicho, un joven inventor de filosofías (pp. 85-89), lector de poetas románticos mexicanos y de Ossian (p. 85); un contemplativo que se deleitaba, sobre todo, en dejar vagar la imaginación por el campo (pp. 75-76), o en el interior de la iglesia (pp. 89-93), "sintiendo, entonces, la trabazón de todo" (p. 37), como su Pachico de *Paz en la guerra.* Un niño que no solía recordar las explicaciones exactas de los libros de historia pero sí, junto con alguna palabra sonora, el aspecto del libro que le servía de trampolín para sus sueños (p. 74); niño, y luego mozo, tímido y sentimental, dado a llorar sin motivo (pp. 48, 85), admirador de Trueba y su *Mari Santa* (p. 76), admirador de Lecuona (pp. 103-108).[9] Además, un niño débil de salud (p. 75). Un contemplativo que prefería dejarse mecer en el matiz de las situaciones y las cosas y las ideas a pensar concretamente (p. 85); capaz de "enajenarse del mundo" (p. 100) con facilidad; un exponente, típico tal vez, del "vago romanticismo vascongado" que admiraba en Trueba (p. 114) y que le llevaría después a escribir las páginas líricas y tiernas de *Paz en la guerra.*[10]

Y aunque Unamuno dijera alguna vez que "niñez no quiere decir paz ni sosiego" y que "el niño no es pacífico, ni la niñez es quieta" *(OC.,* V, 888), sin duda ello se refiere al juego externo de los niños y no a su mundo interior de ensueños y divagaciones. Desde luego, no se aplica al niño que Unamuno recreó,

"meditaciones vagas", "en sopor dulce" *(ibid.,* 29). Es, pues, fundamental en Unamuno esta manera de absorber la realidad inconsciente y nebulosamente, sin la *acción* directa que requiere el pensamiento concreto.

[8] Y de filosofía: "así del Hegel, por ejemplo, de Balmes, llegaba a mí un eco apagado y lejano de la portentosa sinfonía de su gran poema metafísico" *(OC.,* I, 87). Nótese, de nuevo, la vaguedad fundamental del contemplativo y la necesidad que tiene de apoyarse más en metáforas que en conceptos.

[9] Sobre la importancia de Lecuona, cf. nuestro Cap. VIII ("La luz difusa"). Sobre su gusto por Trueba, mientras no nos sea posible hacer un estudio completo, no estará de más preguntarse si no será muy otro el Unamuno que gustaba de la obra de su paisano del Unamuno que revivía la fuerte problemática de Kierkegaard.

[10] No pretendo con este brevísimo esquema convertir a Unamuno en el típico joven hipersensitivo a lo Bécquer o Rilke, o a lo Pachico Zabalbide (sobre la enfermiza hipersensibilidad de Pachico cf. González Caminero, *op. cit.).* Quiero, simplemente, subrayar una manera de ser de Unamuno que no ha merecido la atención necesaria, y a partir de la cual podemos empezar a explorar la personalidad que se escondía en el fondo de su leyenda.

una y otra vez, para sí y sus lectores en el recuerdo:[11] insistió siempre Unamuno en hablar de su niñez callada, quieta, hacia dentro.

> Era un niño calladito
> con ensueños por prendar,

decía de sí mismo, por ejemplo, en 1929 *(C.,* p. 207). Y unos años antes, al igual que en *Recuerdos de niñez y mocedad,* se describía en *Rimas de dentro* (1923) como "un muchacho pálido y triste".[12] En una carta ha hablado de su "infancia, algo melancólica, pero serena".[13] Y en un artículo de 1922 *(OC.,* I, 802) nos cuenta cómo en su mocedad gustaba de ir "a los Caños —de Bilbao— a buscar, lejos del movimiento de la Villa, la paz interior", igual que Pachico en *Paz en la guerra* (y como Ignacio, como Pedro Antonio). En otro lugar nos ha hablado de su niñez "larga", "honda", "intensa", "el más preciado don de la mano del señor" *(OC.,* V, 887).

En verdad, nada en la niñez revivida en las páginas de *Paz*

[11] Creo que, incluso, no se refiere al niño que Unamuno fue por fuera. Cierto que en sus *Recuerdos de niñez y mocedad,* si no prestamos especial atención al aspecto contemplativo de aquellos años, parece Unamuno completamente normal, demasiado tal vez (por ello no es éste, en realidad, el mejor libro para entender su niñez y mocedad; mucho mejor es *Paz en la guerra,* donde protegiendo su intimidad tras la ficción, se expresa Unamuno con mayor claridad y profundidad). Vemos en esas páginas autobiográficas, que como todo niño Unamuno se tiraba por las barandillas (p. 23), que hacía diabluras mil con moscas y escarabajos y que, en el campo, más que contemplar, jugaba (pp. 37-42). Jugaba también a las estampas (con las que hacía, además, provechosos negocios: pp. 32-34), y llegó en sus travesuras hasta a tirar, con sus amigos, un gato por una chimenea para que cayese entre las calderas de una fonda (p. 27). Pero, por lo general, en estos recuerdos de travesuras infantiles, rara vez es Unamuno el actor principal. Como en el caso de una pelea que recuerda entre otros dos niños (pp. 55-58), parece más bien haber sido espectador de las actividades de sus compañeros. Su ser contemplativo palpita así dentro de un exterior de absoluta naturalidad y movimiento: juega lo suficiente, estudia lo suficiente, pero no es nunca participante central como no fue nunca estudiante brillante (p. 70). Con su actividad infantil se da el mismo fenómeno que con su Bilbao (por lo menos en su recuerdo): aunque nunca ha sido Bilbao una villa de descanso, sino activísima y guerrera (cf. lo que él mismo dice en la p. 18 del libro que venimos citando), para Unamuno, vivir en sus calles y en sus campos era más observar y absorber realidad que actuar. (Para otros rasgos de su niñez nada "hipersensitiva", cf. *ibid.,* pp. 23, 27, 33, 34, 39, 41 y 69).

[12] Cf. Luis Felipe Vivanco, *Antología poética. Miguel de Unamuno,* Madrid, 1942, p. 295. *Rimas de dentro* es un libro dificilísimo de encontrar; afortunadamente Vivanco ha tenido el buen juicio de incluirlo completo en su *Antología.*

[13] Cf. Benítez, *op. cit.,* p. 261.

en la guerra, de *Recuerdos de niñez y mocedad* y de innumerables artículos y poemas, permitía adivinar el futuro iconoclasta que, a golpes de prosa violenta y versos duros, con su problemática interior y nacional, con sus gritos y anecdóticas actitudes públicas, creó la base de la leyenda del energúmeno agonista. Por debajo de la guerra carlista y por debajo de su catolicismo institucional, nada más lejos del "energúmeno español, morabito máximo" que este niño cuya vida en Bilbao se mueve callada a lo largo de lentas horas muertas,[14] entre una sentimental neblina en que todo parece desdibujarse por un ambiente de calles húmedas,[15] libros entre leídos y soñados, vagos sistemas metafísicos inventados hacia dentro y tranquilos paseos por el monte, con el mar contemplado a lo lejos.

La memoria de la niñez como idea viva

Ahora bien, para poder llegar al hombre "contemplativo" que Unamuno decía llevar dentro de sí, lo que importa destacar aquí no es tanto la realidad objetiva de esa infancia –que, en rigor, haya sido o no así–, como el hecho real de que Unamuno insistiera en recordarla y describírnosla así a lo largo de su vida. Nuestro *hecho* aquí no es tanto la infancia real de Unamuno cuanto la idea que Unamuno tenía de ella, es decir, el reflejo vivo –consciente o inconsciente– en la memoria de un hombre que volvía sobre su niñez "como volvía a tierra a recobrar fuerzas Anteo". Importa, pues, subrayar la presencia insistente de la niñez en el recuerdo de Unamuno, pero, sobre todo, importa ver la forma en que Unamuno recreaba, revivía y, suponemos, hasta inventaba en la memoria su idea de la niñez. Es fundamental esto último porque la manera de idear desde la madurez aquel mundo "fundacional" es una manera de revivirlo, de seguir viviéndolo como si, en todo rigor, así hubiese

[14] Así describe Unamuno la niñez de Pedro Antonio en *Paz en la guerra,* novela a la que, como he dicho, doy valor autobiográfico en todo lo que sea adjetivación emotiva. Otras veces ha hablado Unamuno de su propia infancia lenta, así como de los "lentos" bueyes que veía por las calles de aquel Bilbao de sus primeros años (*C.,* p. 102). Tal vez sea *lenta* el adjetivo que mejor se aplique a aquella niñez "sin mañana" que Unamuno elaboraba en el recuerdo.

[15] Cf. *Cancionero,* p. 149. Y recuérdese la importancia ambiental de la lluvia y la humedad en *Paz en la guerra.* Ya veremos en nuestro Cap. VII el valor simbólico que tiene la lluvia en toda la obra del Unamuno contemplativo.

sido: no es la niñez de Unamuno, entendida de esta manera, un paraíso perdido como el del mundo histórico de la fe concreta, sino un manantial de vivencias no agónicas en el que, a lo largo de toda su vida, abreva su espíritu contemplativo. A diferencia de sus esfuerzos inútiles por recapturar la fe de los primeros años, cada vez que Unamuno se sumerge en las "serenas y nobles visiones de la niñez lejana" *(OC.,* I, 546), bien sea en sus propios recuerdos o en los de sus personajes,[16] está reviviéndose a sí mismo: la insistencia en recordar la infancia como "lenta", el deleite creador con que lo hace, nos indican ya que estamos frente a un Unamuno muy otro del de las violentas luchas interiores y externas. En este caso recordar es poseer; ser así.

> Sí,
> la más alta verdad es la del sueño
> de un niño,
> es el cariño, la íntima hermandad
> del universo todo;
> porque él duerme de Dios en el regazo
> en abrazo con todo lo que es puro,
> con todo lo que vive sin saberlo,
> del abrigo al seguro.
> De tu alma en la laguna
> cuna de calma,
> cuando se aduerme,
> se refleja la Mente Soberana,
> la infinita Inconciencia,
> que es la ciencia de Dios . . .[17]

El Unamuno que frente a la cuna de su hijo dormido imagina de esta manera el mundo de la niñez (y veremos que los temas y símbolos de que se vale aquí Unamuno son todos de fundamental importancia para la comprensión de su espíritu contemplativo) sigue siendo así, es así, en algún fondo de su alma, y, tal vez, "a flor de alma": este Unamuno capaz de concebir la "íntima hermandad del universo todo" como un puro vivir inconsciente, capaz de dejarse dormir en la idea de la *Mente Soberana,* es muy otro del energúmeno de la conciencia agónica.

[16] Cosas que hacen muy a menudo, sobre todo en los momentos de crisis; por ejemplo, Pedro Antonio, en *Paz en la guerra,* cuando ha muerto su hijo, se dedica a dejar que vayan poco a poco surgiendo en su conciencia impresiones de su niñez *(OC.,* II, 278, 313, 320). Lo mismo hace don Avito al final de *Amor y pedagogía* cuando ha muerto su hijo. Y lo mismo, según veremos en nuestro Cap. V, hacen Pachico e Ignacio *(Paz en la guerra),* Apolodoro *(Amor y pedagogía)* y Augusto Pérez *(Niebla).*

[17] Vivanco, *op. cit.,* p. 305.

Y en este sentido, como tantas veces lo dijo Unamuno citando a Wordsworth, *el niño es el padre del hombre,*[18] porque

> Las ideas que, en cierto modo, traíamos virtualmente al nacer, las que encarnaron como vaga nebulosa en nuestra primera visión, las que fueron viviendo en nuestra vida y de nuestra vida hasta endurecer sus huesos y su conciencia con los nuestros, son las ideas madres, las únicas vivas, son el tema de la melodía continua que se va desarrollando en la armoniosa sinfonía de nuestra conciencia *(OC.,* I, 99).

Ideas madres: anteriores a la agonía de contrarios que siguió a la crisis racionalista y más hondas y reales que ella; anteriores y más hondas, incluso, que su fe católica impuesta, aunque de niño, desde fuera. Más hondas y reales, no sólo por anteriores a la expresión de la agonía y la fe o no fe, sino porque, así como la agonía y la duda son, en cuanto pasiones conscientes, discontinuas, lo esencial de las ideas madres es su continuidad silenciosa, inconsciente y subconsciente: son estas "ideas" la "melodía continua que se va desarrollando en la sinfonía de nuestra conciencia" sin que de ello nos demos cuenta.

En el caso concreto de Unamuno, estas *ideas madres* son nada menos que la nebulosa visión —que en el poema arriba citado atribuye a su hijo— de la "hermandad del universo todo". Como ya hemos visto al comentar la revelación de Pachico, en *Paz en la guerra,* son estas ideas la creencia profunda de que en la realidad última y eterna y más positiva, todos los contrarios se funden: la Vida y la Muerte, el alma del hombre y la de las cosas. Según veremos en nuestro capítulo V al hablar del símbolo de la madre y en nuestro capítulo VI al hablar de la Naturaleza, esta visión de la realidad lleva, además, implícita la tendencia de Unamuno a entregar su conciencia a la continuidad de lo ajeno a sí que es, precisamente, la realidad inconsciente, subconsciente o *intraconsciente* (como la llama Unamuno en *En torno al casticismo)* de lo no histórico.

Esta concepción panenteísta de la realidad,[19] tan contraria al concepto del mundo del agonista, recorre, como veremos, toda

[18] Siempre que acudía Unamuno a esta idea citaba a Wordsworth, en cuyos "poemas todos", dice, vibra "una larga, entrañada, casi abismática niñez" *(OC.,* V, 887).

[19] Algún día habrá que estudiar más a fondo la influencia del krausismo en Unamuno que, sospecho, se mezcla en él con la de sus lecturas de Hegel, Fichte, Herder, etc. Quizá el idealismo alemán le llegara por primera vez en forma directa gracias a sus maestros krausistas.

la obra de Unamuno y se encuentra ya claramente expresada en *En torno al casticismo* y en *Paz en la guerra*. En *En torno al casticismo* por ejemplo, después de haber explicado larga e insistentemente que en el fondo de la Historia palpita la *intrahistoria,* su continuidad intraconsciente, su *tema* melódico profundo y silencioso, "lo inconsciente de la Historia", al hablar Unamuno, tangencialmente, de la relación entre el espíritu y lo ajeno a él, nos dice, entre otras cosas, que "va... la realidad... depositándose en silencio en el hondón del espíritu y allá a oscuras organizándose" *(OC.,* III, 75). Ahora bien, la realidad más honda de la vida del espíritu –personal o histórico–, leemos también, "es como un mar eterno sobre que ruedan y se suceden las olas, un eterno crepúsculo que envuelve días y noches, en que se funden las puestas y las auroras de las ideas. Hay un verdadero tejido conjuntivo intelectual, un fondo intraconsciente, en fin"; "un fondo de continuidad, un *nimbo*" *(OC.,* III, 43). En él, el *tema* de la melodía cambiante, que surge a veces dominante y otras parece desaparecer en el silencio, es el de las ideas madres "que traíamos virtualmente al nacer"; *tema* sobre el cual van depositándose en silencio, sin que tengamos conciencia de ello, los infinitos otros temas y subtemas de la vida subconsciente.[20]

En *Paz en la guerra* esta idea se encuentra recreada –ya que no desarrollada discursivamente– en un doble sentido: al mismo tiempo que la novela es un redescubrimiento de las "ideas madres" de Unamuno mismo, se nos hace ver claramente que

[20] Las *ideas madres* son *el tema* básico porque, aunque no se detiene a analizarlo ni explicarlo en detalle, Unamuno cree en la existencia de un *yo* sustancial anterior a toda experiencia. Por eso, aunque en sus últimos años llegó a afirmar que la persona es *su historia* (postura si se quiere existencialista o historicista) (cf. nuestro Epílogo), la mayor parte de su vida creyó en la existencia de un *yo* anterior a toda Historia, sobre el que se amontonan las *capas de aluvión* (cf. *Nicodemo el fariseo*) de las circunstancias. Esto, lo mismo para la persona que para los procesos históricos (y de aquí, por ejemplo, que su concepto de intrahistoria no haya sido nunca todo lo dinámico que podría haber sido): hasta que no llegó a la crisis del exilio distinguió siempre Unamuno entre una realidad interior y una apariencia externa (cf. nuestro ya citado art. "Interioridad y exterioridad..."). De aquí que cuando escribió, por ejemplo, esta frase fundamental para su pensamiento: "Yo y el mundo nos hacemos mutuamente" (alrededor de 1902; no tenemos la fecha de este ensayo "Civilización y cultura"), esté mucho menos cerca del pensamiento de Ortega de lo que podría parecer a primera vista. Y, sin embargo... hacia ese pensamiento marchaba el Unamuno que escribió –igual que Ortega muchos años más tarde– que el hombre es hijo de sus obras y la interioridad de una realidad sólo puede aprehenderse estudiando sus efectos *en* la Historia.

todos sus personajes viven de sus respectivas ideas madres y en ellas. Toda realidad baja siempre al *fondo* del alma de los personajes en esta novela y ahí parece dormirse mientras se "organiza" y sigue viviendo en silencio para siempre: leemos, por ejemplo, cómo, tras sus lecturas nocturnas *(OC.*, II, 38-40), "íbase a dormir Ignacio, y se dormía con él su mundo y a la mañana siguiente, al salir a la frescura de la calle y a la luz del día, todas aquellas ficciones, aunque apagadas, teñían su alma, cantándole en silencio en ella". Ignacio leía —al igual que Pachico, cf. *supra,* nota 7— y dejaba hundirse en su alma la realidad legendaria de lo leído de la misma manera que, en la chocolatería de su padre y también antes de acostarse, solía oír "complacido, mas como quien oye llover, los inacabables comentarios del tío Emeterio . . .":[21] estos comentarios, sin duda, se iban a dormir también al fondo de su alma, donde, sin darse él cuenta, iban viviendo y conformando su espíritu.

Que en verdad seguían vivas aunque calladas en su alma estas realidades recibidas inconscientemente —como ciertas realidades similares siguen palpitando en el fondo de las almas de Pachico y Pedro Antonio— lo sabemos porque en el último momento de su vida —como las últimas veces que en la novela vemos a Pachico y a Pedro Antonio— son ellas las que salen a flote de su memoria desde el fondo de la guerra y de las ocupaciones temporales de toda índole que le habían alejado de su niñez.[22] Este mundo que se duerme en el fondo del niño —padre del hombre— es, pues, igual al mundo de la tradición que vive en el fondo de la Historia (además de ser la realidad que pone en contacto a la persona con la intrahistoria y sus leyendas) y, aunque parece perdido en el silencio del alma (como la intrahistoria en el fondo de la Historia), *canta* en su silencio, *tiñe* para siempre las vivencias de esa alma.

No nos extrañe, pues, leer en las páginas de *Recuerdos de niñez y mocedad* que "nuestros primeros años tiñen con la luz de sus olvidados recuerdos toda nuestra vida, recuerdos que, aun olvidados, siguen vivificándose desde los soterraños de nuestro espíritu, como el Sol que sumergido en las aguas del Océano las ilumina por reflejo del cielo" *(OC.,* I, 99).[23] En *Amor*

[21] De la misma manera oía su madre, Josefa Ignacia, las conversaciones de su marido y sus amigos en la chocolatería *(OC.,* II, 23). Ignacio, como tantos otros personajes de Unamuno, es mucho como su madre.

[22] Cf. nuestro Cap. V.

[23] Nótese que la paradoja "olvidados recuerdos" es del mismo tipo que la de "musical silencio", ya comentada en nuestro Cap. II.

y pedagogía ya había puesto Unamuno en boca de don Fulgencio las siguientes palabras: "Cuantas impresiones hieren nuestro cerebro quedan en él registradas, y aunque las olvidemos, y aun cuando al recibirlas no nos hubiéramos de ellas dado cuenta, allí quedan, como en toda pared quedan las huellas que las sombras todas pasajeras sobre ellas proyectaran una vez... Todo cuanto nos entra por los sentidos en nosotros queda, en el insondable mar de lo subconsciente; allí vive el mundo todo, allí todo el pasado, allí están también nuestros padres y los padres de éstos en inacabable serie" *(OC.,* II, 447-448), idea ésta que es una con la de la continuidad que Unamuno encuentra, indestructible, entre los abuelos ya muertos y los nietos aún nonatos,[24] y que ya había expresado en *En torno al casticismo:* "lo olvidado no muere, sino que baja al mar silencioso del alma, a lo eterno de ésta" *(OC.,* III, 19). En uno de sus cuentos ("El abejorro", *OC.,* II, 647 y sigs.) vuelve Unamuno a hablar de los *fondos* de recuerdos inconscientes que viven para siempre en el alma de cada hombre y, en otra parte, habla de la "santa idea de nuestra infancia enterrada en la conciencia" *(OC.,* I, 100).

La relación que tiene todo esto con la idea de la intrahistoria es evidente, sobre todo si volvemos a la frase *ideas madres:* este mundo de lo inconsciente, como veremos en nuestro capítulo V, es el que se hereda de la madre o se asocia siempre a ella: por algo en las lecturas de Ignacio está junto a él, callada, su madre, y por algo siempre que los personajes de Unamuno recapturan el mundo de la niñez surge, central en ella, la figura de la madre. Y la madre, como nos dice don Fulgencio, es la *tradición del progreso* que es el hombre, su fondo.[25] Frente al hijo-hombre que tiende a figurar en la Historia, la mujer-madre silenciosa es su interior, la costumbre sin historia.[26]

De todo esto resulta la importancia de que Unamuno se describiese a sí mismo en su niñez como describió a sus principales personajes: quieto, pasivo, más dado a *sorber* la realidad que a burcarla racionalmente (es decir, agónicamente); de aquí que importe su idea de que quien "ha sido de verdad niño lo será siempre y sus canas, cuando envejezca, tendrán blancura de niñez". Aunque la niñez sea, en cuanto historia, una realidad perdida, la visión del mundo que en ella tenía el niño sin

[24] Cf. nuestro Cap. V.
[25] *Ibidem.*
[26] Cf. nuestros Caps. IV y V.

saberlo está siempre ahí, en el fondo inconsciente de la vida. Por eso brota de ella ese "canto íntimo y recogido" de que Unamuno habla a propósito de su Pedro Antonio cuando, al final de *Paz en la guerra,* nos dice, precisamente, que era su vejez "como una aurora". De aquí que el Unamuno que, como alternancia de su agonía, quería y lograba huir del tiempo, de la historia y de sus guerras, dijera que "la más noble ocupación de un espíritu es la de escudriñar en sí mismo su propia niñez" *(OC.,* V, 935); por ello se deleitaba él en contemplar "las serenas y nobles visiones de la niñez lejana" y, en sus momentos de divagación interior, solía tratar de recoger el "caudal" del espíritu contemplativo de sus primeros años *(OC.,* V, 886). *Caudal* que se puede recoger y revivir siempre porque, como el de la intrahistoria, es eterno en su inconsciente continuidad interior. Así, en los últimos años de su vida, podía Unamuno escribir lo siguiente:

> Se me secaron los huesos, mas en sus tuétanos vibran
> las húmedas *chireneadas* de mi niñez bilbaína *(C.,* 149).

En efecto, el niño es el padre del hombre; y el padre de este Unamuno que aquí vamos a ver es aquel niño capaz de enajenarse y de comprender "la hermandad del universo todo".

En cuanto que el vagaroso mundo contemplativo de su niñez sigue vivo y constantemente recreado por Unamuno bajo sus guerras, es la base de su otredad; en cuanto que ese mundo "fundacional" anidó y se fue "organizando" en el subconsciente al calor del hogar y de la madre, frente a la Naturaleza y en los interiores de las iglesias, de él emanan su atracción por la paz del hogar, por el regazo de la madre, por la Naturaleza, por la paz de las iglesias, símbolos todos de la continuidad inconsciente que busca y encuentra este hombre tan otro del agonista.

Pero tengamos en cuenta lo siguiente: el estado de ánimo en que Unamuno se pensaba a sí mismo niño y aun volvía a ser capaz de enajenarse del mundo, de la Historia y sus guerras, para entregarse a la fusión con el alma de las cosas o con Dios, aunque sea la entrada en lo que él llamó a veces su verdadero ser, aparece sólo de vez en cuando en su obra y su vida, y dadas ciertas circunstancias; es sólo una alternancia que requiere cierto alejamiento de la luz pública y de su quehacer y sentir agónicos más aparentes. Aunque la tendencia a la contemplación y al abandono esté siempre ahí, auténtica y espontánea, su actualización requiere generalmente situaciones especiales, un encerrarse en ciertos refugios, dados los cuales le es más fácil a Unamuno volver al que había sido y era aún por dentro bajo sus luchas.

Los refugios principales a que acude Unamuno son, naturalmente, aquellos por los que siente más poderosa atracción: la vida hogareña, la idea de la madre y el espectáculo de la Naturaleza. En estos refugios –cerrado el hogar como el "claustro materno", abierta la Naturaleza– y dadas a veces ciertas circunstancias –cierta luz, por ejemplo, cierta época del año– vuelve Unamuno a lo que él imaginaba como su primer ser y sale a flor de alma su capacidad de enajenamiento y entrega a la paz absoluta de la inconsciencia.

IV

EL REFUGIO EN LA FAMILIA

La importancia del hogar

Alternando con su historia interior de agonía religiosa y con su lucha externa de propagación de la leyenda agónica, la "historia doméstica", "la eternidad espiritual de la familia" *(OC.,* II, 1171) es el tranquilo reino cerrado a que se acoge, día tras día, el Unamuno que gustaba de entregarse a la paz interior.[1] La familia, la casa —"la paz santa que mi casa cierra"— es el refugio inexpugnable, firme y continuo a que vuelve el luchador cansado de andanzas y guerras discontinuas: es notable, por ejemplo, que de las cinco partes en que se divide el *Rosario de sonetos líricos* (1912), libro empezado en un viaje, tres lleven por título, como estribillo en que necesita apoyarse el poeta, las frases "De vuelta a casa", "En casa ya" y "De nuevo en casa". La "vuelta a casa" es para Unamuno, en efecto, el alejamiento de toda forma aparencial de la Historia y una de las vías para el regreso a su ser contemplativo. El hogar le ofrece silencio seguro, paz, y un sentido de continuidad interior que le faltaba en las guerras del tiempo.

> Cuando he llegado de noche
> todo dormía en mi casa,
> todo en la paz del silencio . . .
> . . . .
> Sólo se oía el respiro
> . . . .
> de mis hijos que dormían *(P.,* 277).

Claro que la "vuelta a casa" solía también significar para Unamuno el regreso a la soledad de su estudio y, en él, a sus más angustiosas meditaciones sobre la muerte: dentro de su

[1] Ya se ha estudiado el tema del hogar en la obra de Unamuno (cf., por ejemplo, M. Fernández Almagro, "La poesía de Unamuno", *Ínsula,* 15 de febrero de 1947), y, aunque no se haya hecho con todo detalle, seré aquí breve, pues poco hay que decir que no hayan visto ya la mayoría de los lectores de Unamuno. Lo que nos interesa ahora del tema es relacionarlo con la idea general de este libro, darle el sitio preciso entre los otros temas que estudiamos.

casa es el estudio el recinto en que Unamuno se queda totalmente a solas con su conciencia y lucha con ella; no es refugio, sino campo de batalla en que le asaetean las preguntas sin respuesta de la conciencia que trata de comprender su propio destino.[2] El refugio está, pues, no en la soledad, sino en la compañía familiar en cuyo centro, con su mujer, rodeado de sus hijos, siente Unamuno la plenitud y la realidad eterna de las horas lentas y reposadas de la costumbre,[3] la ternura y la dicha que en ellas se encierra.[4]

> Sosiego, tierno sosiego,
> yace el cotidiano fuego
> del hogar;
> las horas se hacen ovillo,
> briza al seno el argadillo
> secular... *(C.,* p. 323).

Mundo sin violencias ni agonía en que el alma se deja *brizar,*[5] hecha, como las horas, ovillo; es decir, eternidad. Reino en el que Unamuno se abandona, según nos dice en un poema, no al pensar estruendoso y destructivo, sino al "Dulce silencioso pensamiento":

> En el fondo las risas de mis hijos;
> yo sentado al amor de la camilla;
> Heródoto me ofrece rica cilla
> del eterno saber, y, entre acertijos
>
> de la Pitia venal, cuentos prolijos,
> realce de la eterna maravilla
> de nuestro sino. Frente a mí en su silla
> ella cose, y teniendo un rato fijos

[2] Cf., por ejemplo, el poema "Es de noche en mi estudio" *(Poesías):* soledad de la noche cerrada y soledad de su estudio son en este poema los puntos de partida para una angustiosa revelación de la inminencia de la muerte. Así como, en el polo contrario de la soledad del estudio, la casa significa para Unamuno la silenciosa compañía de la familia, veremos más adelante (Cap. VII) que, frente a la oscuridad total, la penumbra es, también, un refugio.

[3] El tema de la costumbre ha sido bien estudiado (cf., por ejemplo, las excelentes páginas que Marías dedica al asunto, *op. cit.,* en nota 1 del Cap. I). No me detendré, por lo tanto, en él, sino que haré apenas las referencias necesarias para el desarrollo de este estudio.

[4] Sobre esto véase su precioso artículo "Al correr de los años" *(OC.,* II, 591-597). Algo más diremos también nosotros unas páginas adelante.

[5] Sobre el verbo *brizar* y otros afines, cf. nuestro Cap. siguiente.

mis ojos de sus ojos en la gloria,
digiero los secretos de la historia,
y en la paz santa que mi casa cierra,

al tranquilo compás de un quieto aliento,
ara en mí, como un manso buey la tierra,
el dulce silencioso pensamiento (*RSL.*, 240-241).

La esposa

Casa cerrada, y en ella, siempre ahí sosteniendo la costumbre de la vida familiar[6] —aunque difuminada en el fondo gris propio de esa costumbre—,[7] su mujer, su "Concha", doña Concepción Lizárraga de Unamuno, primer y último centro del refugio cotidiano de la "paz santa". Muchas veces declaró Unamuno la importancia que en su vida (y en su obra) tenía su mujer. Fue tanta, en efecto, esta importancia que hasta en los menores detalles de la obra de Unamuno es evidente: por ejemplo, sin ir más lejos, en la estructura misma del soneto arriba citado, en el cual, sin que el autor nos declare nada, podemos ver muy bien la relación que existía entre Unamuno y aquella paz cerrada en la cual era su esposa el centro de equilibrio en que todo se remansa. Examinemos estos catorce versos en algún detalle.

Notemos ante todo la reposada sencillez, puramente descriptiva, con que se abre el soneto:

En el fondo las risas de mis hijos;
yo sentado al amor de la camilla . . .

En estos dos endecasílabos de idea completa, sin violencia alguna ni de sintaxis, ni de metáfora, ni de encabalgamiento (en su poesía agónica son fundamentales los encabalgamientos), fija Unamuno, esquemáticamente, el sentido de su vida familiar: a lo lejos, *fondo* impreciso y apenas oído de juegos cotidianos (y, por lo tanto, eternos, según veremos), los niños, símbolos de la

[6] Lo de *sostener la costumbre* no es, de ninguna manera, metáfora nuestra: recuérdese el papel que como sostén de la familia desempeñó doña Concepción durante el exilio de Unamuno. El lector interesado puede referirse a un testimonio reciente: Rubén Landa, "El último libro que Unamuno dejó inédito", *Cuadernos Americanos,* año XIV, 1955, 3, p. 263.

[7] Sobre la presencia difusa de doña Concepción en la vida de la familia, cf., por ejemplo, el testimonio de Moreno Villa en *Los autores como actores,* México, 1951, p. 14.

vida inocente cerrada aún a los problemas del mundo y del tiempo; y en medio de este vivir cotidiano, percibiéndolo apenas con conciencia leve, inmerso en él (y, por ampliación de la metáfora del segundo verso, inmerso en su *amor*), sin sentir la necesidad de violentar su curso, Unamuno mismo.

En los versos siguientes (3-7), con esa su tendencia a convertir las tangentes de un tema en tema central aunque sólo sea por un momento, se distrae Unamuno en la mención de las meditaciones provocadas por la lectura de Heródoto y se rompe el equilibrio de la leve tensión poética creada en los dos primeros versos: al entrar en el terreno de las ideas, como siempre que ello ocurre en su poesía, no sólo se distrae del tema original, sino que la forma no parece bastar a contener su pensamiento[8] y surgen las rudezas en el verso: no sólo ha desviado Unamuno el tema, sino que ha cambiado el tono y, debido principalmente a los encabalgamientos torpes (especialmente violentos por contraste con los dos primeros versos "completos"), cae el soneto en la prosa. Tenemos la impresión de que se ha roto un equilibrio, de que se ha destruido una intuición primera y el poema ha perdido su rumbo originario.

Pero, de repente, a mitad del séptimo verso, y casi en el centro mismo del soneto, termina el comentario a la lectura de Heródoto y, *frente* a Unamuno, en el corazón mismo de la paz, *en su silla,* surge la imagen de su esposa como realidad en la que, según vemos al progresar el poema, se asienta la vida hogareña. De aquí en adelante, el soneto vuelve a su concepción y sencillez originales (o, si se prefiere, se adentra aún más en la intuición original), se remansa en la plenitud de la visión de los ojos de doña Concepción, y fluye ya hacia el final en el reposo de los endecasílabos completos (sin encabalgamientos otra vez), para terminar con la literal, pero melodiosa y perfecta, traducción de las palabras de Shakespeare:

> y en la paz santa que mi casa cierra,
> al tranquilo compás de un quieto aliento,
> ara en mí, como un manso buey la tierra,
> el dulce silencioso pensamiento.

[8] Separo aquí los conceptos de fondo y forma porque, precisamente, cuando ocurre lo que en el texto indicamos, no se suele lograr el poema en Unamuno. La falla fundamental, cuando esto ocurre, suele radicar en una inadecuación, es decir, en el hecho de que notamos que luchan en el poema un fondo y una forma contradictorios, o no originados en unidad.

Es este soneto como una doble espiral emotiva que, nacida en la lejanía del juego de los niños dentro de la casa, tiene su centro receptivo en un Unamuno sumergido en el ambiente y en un libro; ambiente que, a su vez, se apoya en la figura dulce y fuerte de la esposa, punto de apoyo último de la vida hogareña en la contemplación de la cual no termina todo, sino que de *ella* todo nace hacia dentro en una nueva espiral que se va ampliando en reposo hasta quedar plenamente abierta y difusa en la lejanía interior del último verso. Aislamiento del mundo en casa cerrada, en silenciosa compañía y comunión, de la que brota ese "dulce silencioso pensamiento" que es la plenitud de la vagarosa meditación inconcreta en cuyo seno gustaba de dejarse mecer el Unamuno contemplativo.

No es casualidad que la esposa de Unamuno ocupe el centro exacto de este soneto, que sea el punto en que todo se remansa brevemente y del que todo fluye hacia el final, como no es casualidad que para nombrarla diga Unamuno simplemente *ella,* en palabra inicial de verso después de una breve pausa al final del verso anterior: el recato en el empleo del pronombre y su colocación en el comienzo mismo del séptimo verso, subrayan poéticamente, y a una vez, lo acostumbrado y familiar de la presencia de doña Concha, y lo firme de esa presencia. Esta firmeza queda subrayada aún más sutilmente por ser *ella* la primera de las dos únicas palabras iniciales de verso acentuadas en la primera sílaba (la otra es *ara,* verso 13, un verbo), con lo cual se le añade al verso en que aparece un acento secundario, sutil, pudoroso, pero importantísimo, ya que nos detiene un brevísimo instante en la presencia difusa pero segura de doña Concepción. Así, con todo rigor conceptual y simbólico, la presencia de la esposa conforma uno de los sonetos más importantes de Unamuno.

Casa cerrada, niños, paz santa: todo es apenas fondo, percibido casi inconscientemente (de tan acostumbrado), para "el dulce silencioso pensamiento" que brota en Unamuno de la presencia de su mujer y, muy especialmente, de la imagen de sus ojos. ¡Con qué ternura, envuelta en reminiscencias de literatura amorosa, ha nombrado Unamuno los ojos de su mujer!

> Mansos, suaves ojos míos,
> tersos ríos
> rebosantes de quietud... *(P.,* 251).

Rara es la vez que nos habla Unamuno de doña Concepción sin que, como hemos visto en el soneto anterior, se detenga en la contemplación de sus ojos, de la paz interior que para él significaban:

> Me miráis, ojos de mi alma,
> con la calma
> con que mira el cielo al mar...
> ....
> ¡Oh mis dulces dos luceros,
> mis veneros
> de la paz que a Dios pedí...! *(ibid.,* 251-254).

De los ojos de su mujer brotaba, en efecto, la paz a que volvía siempre, como a la idea de la niñez, el Unamuno cansado de sus guerras. Así, por ejemplo, cuando a bordo del *Zeelandia* se dirige de Fuerteventura al exilio de París, al ganarle el cansancio y el deseo de paz, recuerda, ante todo, los ojos de su esposa: "Sed de tus ojos en la mar me gana", dice al empezar un soneto escrito a bordo; y luego,

> Dulce contento de la vida mana
> del lago de tus ojos; si me abruma
> mi sino de luchar, de ellos rezuma
> lumbre que al cielo con la tierra hermana *(FP.,* 106).

Veneros, en efecto, de paz, de resignación y hasta de contento.[9] Ríos tranquilos de los que renace el alma a la contemplación abierta y sin trabas de la fusión del cielo y de la tierra. Espectáculo éste en el cual, según hemos indicado al comentar la revelación de Pachico, y veremos aún, el alma se deja llevar, libre de peso de la conciencia, y acaba por enajenarse.

La imagen de los ojos de su mujer propicia siempre para Unamuno la inmersión en su ser contemplativo:

> Yo en sus ojos miraba los míos,
> sentía los bríos
> de mi pecho mermar...
> ....
> Y sentía el vaivén de la cuna,
> ....
> y escuchaba a lo lejos el canto,
> el divino llanto,
> cielo, que nos traes desde el confín *(C.,* p. 359).

[9] "A mi mujer la alegría del corazón le rebasa por los ojos", le decía Unamuno a Maragall en una carta *(Epistolario entre Miguel de Unamuno y Juan Maragall,* Barcelona, 1951, p. 56).

Recojamos aquí la idea de mermar los bríos, es decir, la guerra; la idea de que, frente a los ojos de su mujer, siente Unamuno el vaivén de la cuna como lo siente, sin conciencia de ello, el niño;[10] y esa sensación de haber escuchado el "divino llanto" en cuyo silencio se sumerge y se pierde el llanto interior y silencioso del hombre.[11] Aunque no sin cierta tristeza en este caso, la paz resignada y la comunión con el ser total del Universo vienen a ser similares a la paz y al abandono de aquel niño dado a inexplicables lágrimas que fue el Unamuno de Bilbao. Con razón le decía a Maragall en una carta: "...me restaura la mirada de mi mujer, que me trae brisas de mi infancia".[12]

"Ojos de silencio" *(C.,* p. 455), vasos de esencia eterna, del ser más puro sin tiempo, sin "contiendas"; ojos dulces cuya plenitud se alcanza en goces "caseros", "tras cerrada puerta":[13] "domésticos ojos apacibles"[14] aquéllos de su esposa en los que, como en los de Josefa Ignacia, uno de sus personajes más entrañables, "se pintaba la hondura de la larga costumbre"[15] a la

[10] Sobre *cuna, inconsciencia* y *niñez,* cf. nuestro Cap. siguiente.

[11] Cf. (en nuestro Cap. VIII) otro momento de llanto similar a éste cuando a Unamuno se le revela la eternidad frente a una puesta de sol en Granada.

[12] *Epistolario ..., loc. cit.*

[13] Cf. en el *Cancionero,* el poema 1608, pp. 439-440.

[14] Así describe los ojos de Rosa en *La tía Tula, OC.,* II, 1111.

[15] En la descripción de la muerte de Josefa Ignacia, en *Paz en la guerra,* leemos lo siguiente: "Al abrir la boca para recibir la hostia, encontró su vista a la del compañero de su vida y sintió piedad de él que se quedaba solo. Reposaba en éste sus dulces ojos rodeados de sonriente serenidad, ojos en que se pintaba la hondura de larga costumbre de convivencia con él... y al amanecer quedó exánime la pobre, tras de breve agonía. Quedóse el hombre un rato mirando aquellos ojos que inmóviles le miraban con paz desde la muerte..." *(OC.,* II, 318). Es tan personal en Unamuno este símbolo de los ojos de la esposa que, cuando muere su propia mujer, 37 años más tarde, escribe un poema en que se repite, casi al pie de la letra, esta idea puesta en 1897 en las mentes de dos personajes de novela (cf. *Cancionero,* p. 455). ¡Qué difícil es separar en Unamuno la vida de la literatura! Hasta tal punto son la misma cosa que, como ya hemos indicado en el capítulo II, todos sus personajes sienten el mundo como lo sentía él mismo. Por ello me he permitido aplicar a los ojos de la esposa de Unamuno las descripciones que de los ojos de su Rosa y su Josefa Ignacia él hizo en sus novelas. Tanto para sus personajes como para él, son siempre los ojos los "veneros" de vida interior eterna e inconsciente, vías para el enajenamiento: así, por ejemplo, en *Amor y pedagogía,* los ojos de Marina, en los que se *pierde* (cf. Cap. siguiente para más detalles) don Avito, y los de Clara, en cuyas honduras se pierde el hijo de Avito, Apolodoro. (Encontramos además referencias a los ojos

que se entrega el Unamuno que sabía y gustaba perderse de la Historia. Porque, para Unamuno, era la de su mujer una "vida sin historia en lo eterno cimentada" *(C.*, p. 475), lo contrario de su vivir agónico en el tiempo; el mundo alternante de su agonía; su refugio. Su mujer —presencia concreta de su concepto de la mujer como tradición—, los ojos de su mujer, son, pues, para Unamuno, una vía de entrada —entre otras— en la inconsciencia de la intrahistoria, que es lo eterno vivido en el seno mismo de lo cotidiano; un vivir al día en la eternidad.[16] La presencia difusa y cotidiana, pero firme, de la esposa es así el ancla de fe en lo eterno que sujeta la paz hogareña de Unamuno. Por algo dijo, en uno de sus versos más famosos: "eres tú, Concha mía, mi costumbre" *(FP.*, 52).

La cotidiana costumbre es ya un concepto fundamental en *En torno al casticismo* y aparece aplicado con insistencia a la vida de los personajes de *Paz en la guerra.* Más adelante encontramos el concepto, ya santificado, en *Andanzas y visiones:* "¡Oh, qué dulce el correr días iguales; repetición, sustancia de la dicha, lenta fusión de bienes y de males, santa costumbre, de eternidad espejo!" *(OC.*, I, 749). En *Poesías* (por ejemplo 220) y en el *Rosario de sonetos líricos (RSL.*, 224-225) es uno de los temas más importantes. En *El Cristo de Velázquez* no queda ya ninguna duda con respecto al valor positivo que para Unamuno tiene la costumbre cuando leemos que "es la dicha" *(CV.*, 82). En el *Cancionero* habla de "la ley que al hombre salvó, / ley sin letra: la costumbre" *(C.*, p. 425), idea que en el mismo poema va asociada al silencio musical del vivir cotidiano y a la de la música sin letra que, veremos, es central en Unamuno.

En el mismo *Cancionero,* y refiriéndose a su mujer, había escrito:

> Ternura, terneza, cariño,
> apego, costumbre, querencia,

de estas dos mujeres —siempre con el mismo significado— en las siguientes páginas de la novela: *OC.*, II, 352, 353, 356, 357, 364, 365, 371, 373, 381, 413, 418, 421, 422, 424). En *Dos madres* es Juan el que se pierde en los ojos de Berta —"mar sin fondo y sin orillas" *(OC.*, II, 996)—, así como también se pierde en los de Raquel *(ibid.*, 989, 990). En *Teresa* vemos que Rafael se anega, como en *cuna,* en los ojos de la protagonista *(T.*, 106). Y así en muchas otras obras que sería superfluo mencionar aquí. (Más sobre los ojos de su mujer, en el *Cancionero,* en las páginas 468, 475, 1697, 1719).

[16] Recuérdense las palabras que dedica Unamuno a Pedro Antonio al final de *Paz en la guerra.*

la ley que se tienen, sin ciencia,
los que hacen de Dios todo un niño (*C.*, p. 226).

Y, en otro poema del mismo *Cancionero,* dedicado también a la memoria de su esposa:

Sólo tú, mi compañera,
mi costumbre, tú me diste
repetición verdadera,
que a todo cambio resiste,
y es sustancia permanente
de la dicha, y es el vaso
de la eternidad presente
mientras dura nuestro paso (*C.*, p. 439).

Con insistencia de vivencia imborrable se repite así en 1932 la idea expresada por vez primera en 1895 en las páginas de *En torno al casticismo: costumbre-eternidad* en medio del cambio. Inmutabilidad de lo cotidiano eterno: *la dicha* que este Unamuno, tan distinto del agonista, encontraba en la vida con su Concha. Un Unamuno que, como su Pedro Antonio, comprendía lo que era vivir desprendido "de todo lo pasajero", "en la eternidad", "al día en la eternidad" (*PG., OC.,* II, 321), y lo anhelaba.

Frente a la conciencia agónica y su pasión discontinua, esta ternura por la vida intrahistórica de la costumbre centrada en su mujer y en el amor matrimonial de "recatadas fiestas" (*C.*, pp. 439-440); frente al ansia de temporalidad, este amor por la tradición y la rutina cotidiana y "natural". El mismo Unamuno que desarrolla la idea de la intrahistoria en las páginas de *En torno al casticismo,* el que revive en *Paz en la guerra* la intuición original de su concepto tal como le fue revelada en su juventud, es el que vuelve al mundo de su niñez y de la paz sumergiéndose en la vida sin historia del hogar cerrado, dejándose vivir en su ternura sin pretender jamás violentar su curso.

¡Oh, mis ojos, sólo quiero,
sólo espero
que al volar de esta prisión
me llevéis hasta perderme
donde duerme
para siempre el corazón! (*P.*, 254).

Lejos del Unamuno agonista que anhelaba una inmortalidad consciente y fenoménica —reacción contra él— este hombre que al contemplar los ojos de su mujer sólo espera perderse "donde duerme para siempre el corazón". Por ello, es desolador oírle decir en 1935, cerca ya del final de su vida, muerta ya doña Concepción:

> Perdí mi ancla, mi costumbre... *(C.,* p. 478)

Pero la mujer no es sólo centro y sostén de la paz inconsciente que se asienta en la vida hogareña; es, además, refugio en sí, *regazo* en cuya cálida profundidad el hombre se pierde de la Historia volviendo a "la edad bendita en que era hijo no más" *(C.,* p. 26). No es casualidad, sino, como veremos, precisión simbólica, que en uno de los poemas arriba citados diga Unamuno que al mirar en los ojos de su mujer y sentir "los bríos de su pecho mermar", *sentía el vaivén de la cuna;* como no es casualidad que en otro poema que empieza también nombrando los ojos de su mujer, termine hablando de la "calma del seno materno" *(RD.,* 84): veremos en detalle que si el niño es el padre del hombre, es su mujer la nueva madre que, como la primera, le mece en su niñez eterna.

En la madre fecunda que fue su mujer volvía Unamuno a la niñez en que todo es dejarse cunar en la inconsciencia. Esta intuición llegó a ser tema literario de gran importancia en su obra, prosa y poesía. Más de una vez en sus novelas y en su teatro vemos que algún marido llama a su esposa *madre* mientras ésta, abrazándole, metiéndole en su regazo, le llama *hijo mío.*[17] Que antes de ser tema literario fue ésta una experiencia vivida por Unamuno lo sabemos por las varias veces que contó —en cartas, en algún ensayo— cómo un día, cuando le "preocupaba lo cardíaco, al verme llorar presa de congoja, lanzó [mi mujer] un ¡hijo mío! que aún me repercute".[18]

Ojos y regazo de su mujer, "mar sin fondo y sin orillas" en el que, como algunos de sus personajes en los ojos y regazos de

[17] Cf. por ejemplo *Dos madres (OC.,* II, 992) y *Amor y pedagogía (ibid.,* 463). La idea se encuentra también en *Niebla* y en *Teresa* y en su drama *Soledad,* donde, por ejemplo, leemos estas palabras del protagonista a su mujer: "la mano de Dios es tu mano, mujer..., tu mano, mi ancla! Mano de madre..." *(Tea,* 143).

[18] Cf. carta a Maragall, *loc. cit.;* también una carta a Ilundain (Benítez, *op. cit.,* p. 260).

sus mujeres, se perdía hacia la inconsciencia el Unamuno que sentía una atracción incontrolable por los abismos en que el individuo se desprende de todo lo que en su ser es Historia y Tiempo. La esposa-madre: junto con el mar, como veremos, símbolo central a cuyo calor renace el Unamuno contemplativo.

V

LA MADRE: SU IMAGEN EN LA MEMORIA SUBCONSCIENTE DEL HOMBRE-HIJO. LA ENTREGA AL "SUEÑO DE DORMIR" Y LAS CANCIONES DE CUNA

> Vuélveme a la edad bendita... en que era hijo no más *(C.,* p. 26).

> Un ángel, mensajero de la vida...
> para adormirme canta la tonada
> que de mi cuna viene suspendida.
> *(C.,* p. 481).

Madres violentas o tiernas, mujeres frustradas en su deseo de maternidad, esposas o tías que podían haber sido madres, que no lo son y que luchan aún por serlo: la presencia de la mujer-madre (lograda, en potencia, o frustrada) es una de las constantes básicas de la obra de Unamuno,[1] en la trama y el ambiente de sus novelas, en los cuentos, en el teatro, y hasta en los ensayos, desde las primeras obras hasta las últimas.

La "furiosa hambre de maternidad" *(OC.,* II, 1013) es, generalmente, el rasgo que une a todas estas mujeres, y corresponde, en la sensibilidad y el pensamiento de Unamuno, al "hambre de inmortalidad" que tenía él mismo y de que hacen gala tantos de sus personajes masculinos. En toda la obra de Unamuno, tal vez sea el caso más extremo de esta hambre de maternidad el de Raquel, la viuda estéril de *Dos madres,* la que obliga a su amante –su don Juan, su "michino"– a casarse con otra mujer, Berta, para tener –poseer–, de cualquier manera, un hijo; que suyo será, y es a la larga, el hijo que da a luz Berta porque es hijo de don Juan, y don Juan es suyo, de ella: en la locura de su pasión tiene Raquel la suficiente sangre fría para complicar a los padres de Berta en cuestiones de dinero y, gracias a ello, comprar el hijo que, de todas maneras, siente como suyo porque es de su don Juan, a quien ha obligado a casarse con Berta. Caso extremo el de esta mujer cuya desespe-

[1] Baste recordar *Paz en la guerra, Amor y pedagogía, Niebla, La tía Tula, Dos madres, El marqués de Lumbría, Soledad, El hermano Juan* y, entre los ensayos, *Del sentimiento trágico,* muy especialmente el capítulo VII. De los innumerables casos (se dan más de los que aquí menciono) tomo en estas páginas sólo algunos cuya distancia en el tiempo indica la continuidad obsesiva del tema.

ración es: "¡No poder parir! ¡No poder parir! ¡Y morirse en el parto!" *(OC.,* II, 990). En su furor maternal no le van mucho a la zaga, aunque griten menos y no demuestren tan malsana inteligencia, la mayorazga de Lumbría (de *El marqués de Lumbría)* o la bondadosa y tierna tía Tula.

Pero éstos son casos extremados de la agonía femenina, y no todas las mujeres de Unamuno son "furiosas" en su hambre de maternidad. Así, por ejemplo, Marina, la madre de *Amor y pedagogía,* la *materia,* la *natural* mujer de don Avito Carrascal,[2] la madre de Apolodoro-Luis, el ex-futuro genio,[3] es, frente a Raquel —estéril soñadora de sueños malos—,[4] una resignada *soñolienta* que cuando queda embarazada "se duerme" pacíficamente "y en sueños continúa viviendo" *(OC.,* II, 361) mientras siente, no hambre de maternidad, sino vagorosa ternura

[2] Más adelante se verá la importancia que tiene el que Marina sea una mujer *natural,* así como el hecho de que Unamuno la llame *la Materia,* mientras que su marido, Avito, es *la Forma.*

[3] Tal vez sea conveniente recordar aquí, de manera esquemática, el argumento de *Amor y pedagogía,* ya que será muy necesario tenerlo presente para la mejor comprensión de las páginas que siguen. Avito Carrascal, apasionado de la ciencia y de la pedagogía, cree en la posibilidad de crear un genio: "el genio no nace, se hace", se dice a sí mismo y a quien quiera escucharle. Para ello, piensa, se necesita un padre de cabeza clara y compenetrado de las más modernas ideas pedagógicas, y que este padre en potencia *(Forma, Idea)* se case deductivamente, es decir, que escoja, no por pasión, sino por razón, una mujer adecuada para esposa y madre del genio (la *Materia):* dolicocéfala, fuerte, rubia, de mente clara, etc... Cuando empieza la novela, la *Forma* ya tiene escogida a su *Materia.* Pero ocurre en seguida lo que va a seguir ocurriendo durante toda la novela: el subconsciente entra en juego y le hace trampa a la razón. Y don Avito *cae,* es decir, se enamora; y se enamora de una mujer braquicéfala, morena, sensual, irracional, tierna, etc... De todas maneras, puesto que el amor le lleva, decide casarse para crear el genio. Pero como el matrimonio ha sido inductivo, el destino del futuro genio apunta ya hacia el fracaso. Nace el hijo, el padre lo llama Apolodoro (nombre "puro", sin tradición) y no permite que se le bautice: con todo esto cree eliminar la posibilidad de que nazcan con él (con su nombre y con el primer acto público de su vida) toda clase de prejuicios tradicionales y subconscientes (especialmente religiosos) que destruirían, sin duda, su posibilidad de llegar a genio. Hecho esto, se empeña en darle, desde el principio, una educación puramente racional y científica. Todo es inútil: Marina, la madre, lo bautiza a escondidas, le pone de nombre Luis y le llena el subconsciente de canciones de cuna tradicionales, de ternura y de *materia* natural (o sea intrahistórica). El experimento, claro, fracasa por fuerza de la tensión Materia-Forma y, después de una decepción amorosa, Apolodoro-Luis se hunde en el mundo de lo subconsciente y, en su fondo, en el pesimismo hasta que, para finalizar, se suicida.

[4] Para la diferencia entre los "sueños malos" y los "buenos", cf. adelante.

maternal.[5] Marina es una mujer toda vida interior, tranquila y triste, resignada, incapaz casi de protestas y violencias y, desde luego, incapaz de graves maquinaciones egoístas. En *Paz en la guerra* Josefa Ignacia es también una mujer madre *natural* resignada, de presencia difusa; sin desplantes trágicos en su maternidad. Tanto en la trama superficial como en el fondo de la novela su figura está ahí, apenas esbozada, indirecta, escuchando conversaciones de hombre en la chocolatería de su marido o cantándole a su hijo en voz muy baja. Es Josefa Ignacia una mujer que, antes de ser madre, rezaba lentamente, sin gritos, por tener un hijo, perdida en la penumbra de una iglesia *(OC.,* II, 21); cuando por fin tiene a Ignacio, su amor por él, cálido y profundo, es siempre interior, tímido, reservado.[6]

Y, sin embargo, incluso estas dos mujeres *naturales* (exagerada hasta lo grotesco Marina, modesta en realismo impresionista Josefa Ignacia) tienen alguna vez reacciones violentas de maternidad. Así Marina cuando, queriendo posesionarse plenamente del hijo que las teorías del padre alejan de ella, lo aprieta contra su seno y, entre besos apasionados, le llama a gritos "Luis, Luis", el nombre que ella en secreto le ha dado, no Apolodoro, el nombre por el que los demás le conocen; escena ésta en que, enajenada de pasión, Marina termina gritándole a su hijo en voz baja "mío, mío, mío..." diez o quince veces *(OC.,* II, 386-387). Lo mismo Josefa Ignacia, que muere de tanto pensar en Ignacio muerto, y que en el tránsito de la muerte centra toda su memoria en él mientras recuerda lejanos

[5] Desde este sueño, mientras escucha, por disco, una sonata, siente por primera vez la ternura maternal: "La pobre Materia soñolienta mira con sus tersos ojazos cándidos a la figura dominante de su sueño [Avito]; despiértale la sonata las dormidas ternuras maternales, y empieza a inundarle el corazón maternal piedad. Siente la pobre Materia que le hinchen las aguas profundas del Espíritu" *(OC.,* II, 364). "La pobre Materia siente que el Espíritu, su espíritu, un dulce espíritu material, va empapándola y como empujándola" *(ibid.,* 365). Ya nacido el niño, "el sueño de Marina se hace más profundo, baja a las realidades eternas. Siéntese fuente de vida cuando da el pecho al hijo. Desprende el mamoncillo la cabeza y quédase mirándola. Juega con el pecho luego. Y cuando en sueños sonríe, se dice la madre: «Es que sueña con los ángeles». Con su ángel se sueña ella, apretándoselo contra su seno, como queriendo volverle a él, a que duerma allí, lejos del mundo" *(ibid.,* 369-370). Perdida en estos ensueños, Marina se va hundiendo más y más en el sueño a lo largo de la novela (cf. pp. 372, 387, 390, 391) hasta llegar, con lenta seguridad, "al fondo de su sueño".

[6] Recuérdese, por ejemplo, cuando se despide de Ignacio, al marchar éste a la guerra, el magnífico control de emoción y de lenguaje de esta sencilla mujer.

cantos de cuna *(OC.,* II, 317-318); Josefa Ignacia, quien, frente a las terribles palabras de consuelo por la muerte de Ignacio que le dirige Pedro Antonio, su marido, se rebela agónicamente en un breve y angustioso diálogo:

—Pero si aquello es polvo, ¡mujer de Dios!
—¿Polvo? ¿Polvo mi hijo? ¡Pobre Iñachu mío! *(OC.,* II, 264).

Los posesivos gritados por Marina y Josefa Ignacia nos dan la dimensión de la agonía que se esconde bajo su exterior resignado.[7]

Y es que, dése en las mujeres de Unamuno la pasión maternal de manera furiosa o resignada, en cuanto que esta pasión es voluntad creadora y egoísta de la madre, estamos, una vez más, en la vertiente agónica del pensamiento y la sensibilidad de Unamuno. Detenernos, pues, en el hecho de que estas mujeres, en el extremo patológico de Raquel o en la naturalidad de Josefa Ignacia, quieran ser madres (como detenernos, por ejemplo, en el hecho de que varias de las niñas que aparecen en la obra de Unamuno sienten inconscientemente el llamado de la maternidad)[8] sería tangencial a nuestro propósito, ya que nos encerraría de nuevo en la problemática sin solución de la vida como agonía y nos impediría llegar a los fondos últimos en que palpita el Unamuno no agonista. Dejemos, pues, de lado, en

[7] Recuérdese también el dolor maternal de Soledad (en la obra teatral del mismo título), que ha perdido a su hijo antes del principio del drama. Y el dolor de esa otra madre, más perdida aún en el fondo de la narración que Josefa Ignacia o Marina, la madre de don Manuel (en *San Manuel Bueno, mártir)* de cuya existencia no sabemos nada hasta que se nos dice cómo, al sospechar la tragedia de su hijo, se le oía gemir en la iglesia, perdida su voz entre la de todos: "¡Hijo mío!" *(OC.,* II, 1207). Es ésta la obra de Unamuno en que más en el fondo, escondida y silenciosa, aparece la madre, y, sin embargo, hasta en ella brota el posesivo desgarrador.

[8] No sólo las mujeres (éstas, o, por ejemplo, Angelina en *San Manuel Bueno,* que se siente madre de su hermano y del párroco y permanece soltera toda su vida para poder cuidarlos; caso parecido al de la tía Tula), sino hasta las niñas demuestran igual instinto maternal en las obras de Unamuno. Dos ejemplos solamente: en *Paz en la guerra,* a Rafaela, la hija de don Juan Arana, al morir su madre, se le despierta el espíritu maternal para con su padre y sus hermanos *(OC.,* II, 201-202, 207). En *Amor y pedagogía* la hermana pequeña de Apolodoro, la niña delicada que muere, quizá, de exceso de cuidado maternal, juega ya, desde muy pequeña, a arrullar los barómetros y demás instrumentos científicos que su padre utilizaba para convertir a su hermano en genio. El tema se encuentra repetido, insistentemente, a lo largo de toda la obra de Unamuno, prosa y verso.

este trabajo, lo que las madres quieren ser, o son, o quieren hacer de sus hijos en la obra de Unamuno; olvidemos el problema de lo que los hijos significan para la madre y fijemos más bien nuestra atención en lo que las madres son *en* los hijos, desde ellos. No nos va a ocupar aquí la pasión de maternidad, sino la continuidad de la presencia de la imagen de la madre en el fondo, consciente o subconsciente, de la memoria del hombre-hijo; no lo que el hijo significa para la madre, sino lo que la madre simboliza para el hijo. De nuevo, nuestra realidad no va a ser el hecho más aparente, sino el reflejo de este hecho en la vida interior del hombre.

La presencia de la madre en la memoria subconsciente de algunos personajes de Unamuno

Son varios los personajes de Unamuno que, en momentos críticos de su vida, se abandonan, en el último fondo de su pensamiento, a la idea de la presencia de la madre de ellos.[9] Empecemos, una vez más, por *Paz en la guerra*, y, ahora, por Ignacio. La presencia de su madre, Josefa Ignacia, no es, al parecer, como hemos indicado, relevante en la novela, y, sin embargo, se la siente siempre ahí a lo largo de toda ella, bien sea en el origen del divagar interior de su hijo, o, silenciosa —pasivo receptáculo de charlas—, en el fondo de la chocolatería de su marido al que sostiene, día a día, en su tranquila y lenta costumbre. Pero esta mujer-madre resignada, callada, difuminada en silencios y oraciones recogidas, además de ser el fondo natural eterno sobre el que se proyecta toda la novela, surge de ese fondo y entra en la escena de la memoria de otro en dos momentos cruciales de la vida de su hijo (en dos momentos, por lo tanto, centrales de la novela). La primera vez cuando Ignacio, tras muchas marchas y contramarchas bajo la lluvia en el ejército carlista, cae enfermo y tiene que ir a recuperarse a la casa que por entonces —exiliados de Bilbao— tienen sus padres en el campo. Ahí, en el momento en que llega a su madurez espiritual, tumbado en una cama, ve a su madre como

[9] Entre los muchos ejemplos posibles tomo aquí sólo tres a varios años de distancia entre sí: el de Ignacio en *Paz en la guerra* (1897), el de Apolodoro en *Amor y pedagogía* (1902) y el de Augusto Pérez en *Niebla* (1914). Bastarán para indicar la continuidad de la idea.

por primera vez y piensa en ella de manera informe. Leemos que Ignacio

> Guardó cama, cayendo en una especie de marasmo dulcísimo, en que se sentía regenerarse como fermentado al fomento de la lluvia lenta y tenaz que le había calado. Parecíale la guerra un cuento, y el mundo un sueño; su madre, que le velaba y cuidaba, aparecíasele en sueños... *(OC.,* II, 158)

Presencia difusa la de Josefa Ignacia aun aquí, silenciosa[10] como en toda la novela, pero tan fundacional, tan esencial a la vida más honda de Ignacio, que, por segunda y última vez, entra en su memoria y la ocupa totalmente en el momento radical de su muerte. Recordemos la escena: Ignacio, herido, va a morir, y desde la sima de su vida le sube a la conciencia su infancia, y en ella, central, el recuerdo de su madre; en un fragmento impreciso de tiempo revive entonces las noches "en que en camisa y de rodillas... rezaba con su madre; y cuando en esta visión murmuraban en silencio sus labios una plegaria, la moribunda vida se le recogió en los ojos y desde allí se perdió, dejando que la madre tierra rechupara la sangre al cuerpo, casi exangüe" *(OC.,* II, 251). De la madre a *la madre tierra:*[11] he

[10] Los que viven en el mundo callado y resignado de la intrahistoria son "los silenciosos, la sal de la tierra" *(OC.,* II, 89). Bueno será recordar, por otra parte, que, a pesar de su silencio (o debido a él probablemente) son Pedro Antonio y Josefa Ignacia, símbolos grises y lacónicos de lo intrahistórico, los personajes centrales de la novela. Son no sólo la personificación primera y más profunda del concepto de intrahistoria en la obra de Unamuno, sino que, por ello, desde el punto de vista formal (estructural), son sus vidas el mundo alrededor del cual gira la novela toda. Impulsados siempre por la preocupación de llegar a las ideas del Unamuno agonista, los lectores de *Paz en la guerra* (la crítica por lo menos) suelen ocuparse casi exclusivamente de Pachico, ya que éste no sólo es un espectador y comentarista *elocuente* del trascurrir histórico e intrahistórico, sino que, hasta cierto punto, se parece a Unamuno; además, como la novela termina con la revelación suya en la contemplación de la Naturaleza, parece lógico suponer que es el personaje principal. No cabe duda que es el personaje a quien más claramente vemos y más oímos, pero su vida, así como el sentimiento más hondo y fundamental de la novela, dependen directamente de las vidas oscuras de Pedro Antonio y Josefa Ignacia, quienes, además, eran ya los personajes únicos de *Solitaña,* el cuento germen de *Paz en la guerra.* Vidas oscuras y difusas las suyas, inconscientes incluso, según veremos en nuestro Cap. VI, pero fundacionales: en la Historia de cuyo pasar son el fondo eterno, y en *esta* historia, en la novela.

[11] Metáfora muy común que, así, dentro de una rigurosa trabazón conceptual, recupera su sentido original. Esto ocurre con muchas de las más importantes metáforas de Unamuno, como tendremos oportunidad de ver

aquí el trayecto del niño-hombre; en los momentos radicales del tránsito, la afloración interior de la imagen de la madre que el hombre ha llevado siempre, sin saberlo, en el fondo de la memoria.

Muchos años después de *Paz en la guerra,* toda *Niebla* (1912) está saturada de la presencia difusa de la madre de Augusto Pérez, muerta antes del principio del relato. En su misma ausencia radica aquí la importancia de la madre como presencia en la memoria del hombre-hijo. Augusto Pérez había sido hijo único[12] y éste es, seguramente, el origen de toda su tragedia: niño-hombre de regazo, empiezan sus tribulaciones al encontrarse solo en el mundo, desde antes aún de ese magistral primer párrafo de la novela en que se presenta ante el lector sin centro, sin su refugio primero y último, acogedor y cálido.[13] Hijo único ya sin madre cuando empieza el relato –y a lo largo de él buscador de esposa que sustituya a la madre–, la memoria consciente y subconsciente de Augusto está llena de la presencia evocada de la ausente. En el nimbo de esta memoria intenta curarse de las heridas del amor, del fracaso en el mundo, de la angustia de no saber nunca quién es, de dónde viene, adónde va. Así, cuando le dicen que Eugenia –la mujer que ha escogido para sustituir a su madre– está comprometida con otro, "que tiene novio", se siente en seguida vencido y se retira "a la Alameda a refrescar sus emociones"; oye allí cantar a los pájaros y con su canto le vienen al alma los recuerdos de la infancia. En este momento, frente a su primera crisis real, lo que le llena el espíritu, tranquilizándole, es, "sobre

en algunos casos más (cf. especialmente, nuestro Cap. VII) (Enrique Anderson Imbert, en "Un procedimiento literario de Unamuno", *Ensayos,* Tucumán, 1946, ha comentado con agudeza sobre este procedimiento, tan unamuniano, de recrear metáforas y conceptos vulgares).

[12] Es importante, desde luego, que varios de estos hombres en los que vive intensamente, si callada, la memoria de la madre, sean hijos únicos. O como si lo fueran: aunque Apolodoro llega a tener una hermana (que muere niña), es él quien recibe toda la atención en la novela; es el centro único del problema. Es ésta una "licencia poética" que se toma Unamuno para poder llevar hasta su extremo la idea de la importancia de la madre en la vida del hijo.

[13] Unamuno llegó incluso a hablar, en primera persona y con nostálgica ternura, de la cama "con el calorcito maternal que nos envuelve" *(OC.,* V, 870). *Calorcito* y *envolver:* dos alusiones que, como veremos, llevan al centro mismo del simbolismo de la madre. Desde luego, casi siempre que toca el tema, habla Unamuno en los mismos términos: cuando no se trata de la cama, puede tratarse de los *sillones* en que se sentaba la madre ya muerta de algún personaje, por ejemplo de Augusto, el de *Niebla.*

todo, el cielo de recuerdos de su madre derramando una lumbre derretida y dulce sobre todas sus demás memorias". Es precisamente aquí donde Unamuno nos dice que Augusto apenas se acordaba de su padre, muerto cuando él era niño. Y se nos cuenta en seguida cómo fue creciendo Augusto al cuidado de "su madre que iba y venía sin hacer ruido", tal vez como Josefa Ignacia, en aquella casa "dulce y tibia"; su madre que le ayudaba a estudiar, y a llorar cuando estaba triste, mientras que en estas convivencias se les iba a los dos la vida inconscientemente, "como un sueño dulce". Hasta que vino "aquella muerte" que, como la vida de los dos, fue "lenta, grave y dulce, indolorosa"; una muerte "que entró de puntillas y sin ruido, como un ave peregrina, y se la llevó a vuelo lento en una tarde de otoño" *(OC.,* II, 713-715).[14] En su muerte se quedó ella con sus ojos en los de Augusto –como Josefa Ignacia en Pedro Antonio– y, así, sin ruido, sigue viviendo a lo largo del libro en su memoria. Presencia interior, suave, del pasado en el presente que, como costumbre intrahistórica[15] –mundo sin *ego* ni agonía–, se centra en la imagen de la madre, cobijado en cuyo calor nace, vive y muere el niño-hombre.

Es en *Amor y pedagogía,* años antes (1902), donde encontramos el último significado que tenía para Unamuno la vida inconsciente de la imagen de la madre en la memoria del hombre. La presencia difusa de Marina, contrario interior y callado –que al fin vence– de la presencia sólo exteriormente dominante del padre, es fundamental en la novela. Recordemos únicamente que Marina es una *soñolienta* y, sin más, veamos cómo es este sueño suyo el que surge en la conciencia de su hijo Apolodoro-Luis para apoderarse de él en sus momentos de crisis. La primera vez, por ejemplo, cuando Apolodoro-Luis, enamorado de Clara (y engañado luego por ella, como Augusto Pérez por Eugenia), se da cuenta de las hondas dimensiones de su amor y de la neblinosa realidad de su vida mientras se acoge

[14] Para la importancia y el significado que tiene en Unamuno el otoño, cf. nuestro Cap. VIII.

[15] Costumbre intrahistórica aludida en este capítulo, además, por la permanencia de los criados en la casa de Augusto –la casa de su madre–, quienes nos recuerdan la vida silenciosa que, pasando siempre, queda eternamente. El tema de la madre (como todo tema que toca este Unamuno no agonista) va, desde luego, íntimamente ligado al de la intrahistoria ya que, como dice don Fulgencio a don Avito, en *Amor y pedagogía,* las mujeres son "la tradición del progreso" *(OC.,* II, 405), y la tradición eterna, interior a la Historia, lo sabemos, es la intrahistoria. Aquí y allá, a lo largo de este capítulo haremos referencia a esta relación.

al calor de la cama.[16] La importantísima meditación a que se entrega en este momento va progresando a través de vagos conceptos y metáforas difusas hasta llegar, como es ya de esperarse, al recuerdo de la infancia y, en el fondo último, culmina, naturalmente, en la imagen de la madre, entre recordada y soñada. Imagen de duermevela que es, a su vez, punto de partida para meditaciones aún más recónditas, más inefables, silenciosas, desnudas ya de conceptos.

> Apolodoro siente de noche, en la cama, como si se le hinchase el cuerpo todo y fuera creciendo y ensanchándose y llenándolo todo, y, a la vez, que se le alejan los horizontes del alma y le hinche un ambiente infinito. Empieza la Humanidad a cantar en él; en los abismos de su conciencia, sus pretéritos abuelos, muertos ya, canturrean dulces tonadillas de cuna a los futuros nietos, nonatos aún. Revélase la eternidad en el amor... El ruido de la vida empieza a convertírsele en melodía... Toca la substancialidad de las cosas, su tangibilidad por el tacto espiritual; le es ya el mundo de bulto... Esto es lo único que no necesita demostrarse... Esto no es teatro, diga lo que quiera don Fulgencio; ha entrado al escenario aire de la infinitud, de la inmensa realidad misteriosa que al teatro envuelve... Esta noche sorpréndese Apolodoro con que las oraciones que de niño anidara en su memoria la madre le revolotean en torno a la cabeza, rozándole los labios a las veces con sus tenues alas... Y piensa en su madre y se le va el alma al pensar en ella *(OC.,* II, 425-426).

Ya se habrá notado la identidad esencial que une esta revelación interior a la del momento en que, frente a la naturaleza, Pachico entraba en comunión con el alma de las cosas. Aquí, como en las páginas finales de *Paz en la guerra,* describe Unamuno una forma del progreso hacia la pérdida de la conciencia que consiste en ir borrando los límites —"horizontes"— de las relaciones físicas y lógicas entre lo uno y lo otro. El "hincharse" y "henchirse" de que habla aquí Unamuno es un proceso de dilatación, en la culminación del cual acaban por desaparecer las lindes del *yo;* un proceso desconocido al agonista que sólo se sentía vivir entre las fronteras alambradas de su propia conciencia.[17] Tanto

[16] Cf. *supra,* p. 129, nota 13.

[17] Cierto que el Unamuno agonista también ha hablado (especialmente en *Del sentimiento trágico*) de su voluntad de "henchirse" y "dilatarse" para abarcar todo lo otro; pero quería "dilatarse" y, a la vez, no dejar nunca de ser él mismo (cf. nuestro Cap. I). Aquí, muy al contrario, vemos que al llenarse Apolodoro de *infinito,* se le alejan los *horizontes* del alma hasta que llega a perder los límites de su conciencia y, por lo tanto, suponemos,

Apolodoro como Pachico se abren a lo ajeno a sí mismos y se dejan penetrar por ello sin temor a perderse: si en *Paz en la guerra* era "el alma de las cosas" lo que se le revelaba a Pachico tras la negación de sí mismo en cuanto conciencia temporal, aquí se le revela a Apolodoro la presencia viva de la Humanidad,[18] es decir, la continuidad eterna cuyo centro es su niñez misma. Aquí, como en el caso de *Paz en la guerra,* por la negación del *ruido* –Historia y guerra; circunstancia– el contemplativo entra en la *melodía* de lo eterno, que no es, como se ha querido ver en las páginas finales de la primera novela de Unamuno, el vacío de la nada,[19] sino, bien a las claras, la plenitud más absoluta, la sustancialidad de las cosas, su continuidad indestructible que, de tan obvia y positiva, ni siquiera "necesita demostrarse": lo que tanto Pachico como Apolodoro descubren en la *continuidad* eterna es la vida interior de todo lo que parece haber muerto o estar fuera de nosotros. Continuidad que cada individuo lleva dentro de sí mismo como cada momento de la Historia lleva en su interior la tradición toda.[20] Esta realidad, lejos ya del mundo de las fáciles apariencias, es lo único que *no es teatro*.[21]

Ahora bien, lo que nos importa aquí más concretamente del pasaje citado es que, al llegar Apolodoro a la sima de esta revelación, que casa tan bien con el resto del pensamiento "contemplativo" de Unamuno, la continuidad descubierta se le da dentro de sí mismo, con todo valor absoluto, por el hecho de que revive durante un momento su niñez y siente que le llegan, desde *otra* realidad ajena a él, pero ya una con él, "las oraciones que de niño anidara en su memoria la madre". Al llegar aquí, a la memoria de la madre, termina la meditación; ésta

hasta que llega a perderse todo él en el último momento. Cuando Unamuno, en obras agónicas como *Del sentimiento,* lucha contra la tendencia oscura del hombre a dilatarse hasta perderse, no habla por teoría, sino por experiencia propia: esta tendencia, como veremos ampliamente, era muy suya, bajo su lucha por la conciencia. Habla, pues, aquí, contra sí mismo, contra la parte de su ser desde la que era capaz de crear estos personajes todos los cuales, de alguna manera, eran como él mismo.

[18] Otra vez, naturalmente, el tema de *En torno al casticismo.*

[19] Cf. *supra,* p. 36, nota 6.

[20] Cf. *En torno al casticismo,* el primer ensayo, "La tradición eterna".

[21] Parece anticiparse aquí Unamuno, no sólo a sus mismas dudas, sino a la acusación de *hipócrita* que él mismo se lanzaría años más tarde en *Cómo se hace una novela.* Desde luego, se anticipa a quienes han querido ver en *todos* sus silencios sólo una manera de engañar la agonía (y al público). Quien pretenda llamar a Unamuno "farsante" y no crea en la realidad positiva de este mundo "eterno" suyo, tiene aquí respuesta.

es su cima. Con lo cual se subraya simbólicamente que ésta es la novela de un joven que vive, sin saberlo, el mundo creado en él por su madre durante el embarazo y la infancia.[22] El hijo es, pues, el padre del hombre: alcanzado este punto ya no le queda al personaje más que abandonarse a la inconsciencia del tiempo anterior a su entrada en la Historia: y a Apolodoro "se le va el alma" tras la idea de su madre. Es decir, entra de ella –y por ella– al enajenamiento absoluto.

Más tarde, ya asimilada la revelación de este momento en que ha descubierto, a la vez, el abismo "substancial" de la continuidad de lo inconsciente y, a resultas de ello, las fronteras que, en el mundo normal de la superficie, aíslan su ser del de los demás seres humanos (por lo cual su amor fracasa), Apolodoro va perdiendo interés en la vida exterior (que ya no es más que apariencia) y va dejando que se le vaya el alma poco a poco, imperceptiblemente, a lo largo del resto de la novela hasta que, para finalizar, se suicida.

Este suicidio viene a ser la vuelta simbólica definitiva a la madre y es el único desenlace significativamente posible para la novela, ya que es lo que de la soñolienta Marina lleva Apolodoro-Luis en la sangre, y el recuerdo que de su regazo le ha quedado en el subconsciente, lo que le empuja, a pesar de la ciencia de su padre –contra ella–, a su búsqueda constante del "sueño de dormir" en el cual se encuentra la continuidad interior de lo eterno inconsciente. Su fracaso amoroso es, desde luego, el hecho superficial específico que le lleva al suicidio, pero este fracaso nace de su temperamento y opera sobre ese temperamento soñoliento, anterior a él, heredado de aquella mujer que de niño le apretaba entre sus sueños contra su seno para volverle al seno del sueño eterno.[23] El "¡Morir... dormir! ¡Dormir... soñar acaso!" que varias veces piensa Apolodoro en imitación de Hamlet a lo largo de la novela es, pues, el último eco y el más profundo de la presencia inconsciente, pero viva, de la madre en su alma. Porque, parece decirnos Unamuno, Marina, como toda madre, quiere guardar siempre en su seno al hijo, y Apolodoro, como todo hijo, anhela volver al calor del primer regazo, al sueño inconsciente que en su paz vivía. Sin que pretendamos hacer freudianismo de quinta mano, apegándonos sólo al tema según lo desarrolla Unamuno, podemos decir, pues, que en este *morir-dormir* que busca Apolodoro se

[22] De ahí que, como hemos visto en el Cap. III, hable Unamuno de "ideas madres" y diga que son las que "traíamos virtualmente al nacer".

[23] Cf. *supra*, p. 125, nota 5.

encuentra el significado último que en su obra tiene el tema de la madre como recuerdo vivo en la memoria subconsciente del hijo: la madre es, fundamentalmente, su regazo, el refugio primero y último en que el hombre se entrega al *buen sueño* de dormir, y en él a la continuidad de la Humanidad entera.

Los varios conceptos del "sueño" en Unamuno

Antes de seguir adelante conviene que nos detengamos brevemente a precisar el significado exacto que tiene este *sueño* de que venimos hablando y del cual vamos a ocuparnos en las páginas siguientes, ya que, como en el caso de tantas otras palabras, ha jugado Unamuno trágicamente con los varios posibles significados que en español tiene ésta, en sí, y, tradicionalmente, dentro del pensamiento occidental. Quizá, para nuestro propósito, baste con reducir los distintos "sueños" de que Unamuno habló a lo largo de más de cuarenta años a los siguientes:

1) Por lo pronto, el "sueño" que es la vida en el sentido calderoniano tradicional (ascético-místico y estoico y, si se quiere, platónico).

2) La profunda y terrible variante shakespereana de esta idea: "We are of such stuff / as dreams are made of, and our little life / is rounded with a sleep" *(The Tempest).* Este concepto, desde luego, va mucho más lejos que el calderoniano, puesto que implica que el ser mismo del hombre (su *estofa,* suele traducir Unamuno literalmente) es sueño, y puede significar que toda esperanza de despertar a una vigilia eterna en otra vida es despropósito enorme. Unamuno interpreta esta idea (en *Niebla,* por ejemplo, o en *El hermano Juan* y, desde luego, en *Del sentimiento trágico)* llevándola a su extremo: el hombre es sólo sueño de Dios (el cual, a su vez, puede que sólo sea sueño del hombre y cuando Dios despierte, morirá). La angustia producida por esta idea (que aterroriza al Unamuno agonista) puede llegar a la sima del existencialismo más nihilista si además se añade, como lo hace Shakespeare, que todo este sueño está, a su vez, rodeado de *sueño (sleep,* en este caso: *"dreams* rounded with a *sleep";* distinción que no podemos hacer en español y que facilita a Unamuno su juego trágico).

Ahora bien, ninguno de estos dos *sueños* es ni bueno, ni malo. Si la vida es sueño, en cualquiera de estos dos sentidos, así es y no tiene remedio: ante esta realidad sólo queda aceptar o rebelarse; pero no es posible calificarla de buena o mala.

Pero hay para Unamuno otros dos tipos de *sueño,* ya *en* el hombre, dada su existencia, real o soñada:

3) Los del corazón ambicioso que, como Satán, exige para sí la alternativa de "O todo o nada" (cf. *Del sentimiento trágico*) y los de la cabeza que pretende demostrar, nada menos, que Dios existe o que Dios no existe. A éstos los llama Unamuno muchas veces *ensueños,* y son desde el punto de vista del Unamuno no agonista que aquí nos ocupa, *sueños malos.*

4) Hay por último el sueño que el Unamuno contemplativo llama bueno. Es éste el sueño en que *se duerme* el hombre-niño en la inconsciencia de la fe o, ya sin precisión dogmática, en el abandono y la paz de la eternidad continua e inconsciente. Éste es el *buen sueño* que aquí nos viene ocupando, el *sueño de dormir,* el "sueño sin ensueños" a que se entrega Pachico en la cima del monte *(OC.,* II, 273). El centro simbólico en que se apoya este concepto es la madre, su regazo.

Hay que notar, desde luego, que estos dos últimos tipos de sueño serán para Unamuno *buenos* o *malos* según desde qué aspecto de su personalidad hable de ellos. No cabe duda de que, para el Unamuno agonista, el *sueño de dormir* a que se entrega el contemplativo tiene que ser un *mal* sueño. Y viceversa. Siempre dos actitudes alternantes y contrarias y, por lo tanto, dos sistemas de valores.[24]

Continuidad de la asociación simbólica madre-sueño de dormir

Treinta años después de *Amor y pedagogía,* en 1932, narra Unamuno uno de sus nostálgicos paseos por Madrid; nos cuenta cómo un día se detuvo brevemente en una plaza solitaria, lejos del bullicio, y, en una prosa segura, asentada, sin pretensiones, nos dibuja —rápido boceto en tono menor— la figura de una madre y de un niño que, abrazados en plena paz, se entregan al buen sueño, al sueño de dormir. A tantos años de distancia, persiste la idea central y, en pocas palabras, resume Unamuno su concepto de la relación que existe entre el hijo y la madre:

> La plaza inspiraba sosiego... En uno de los bancos una madre joven, novicia en maternidad al parecer, recogía en su regazo a un niño que dormía, y la madre, inclinando la cabeza, dormía

[24] A lo largo de *Poesías,* y muy especialmente en la página 27, trata Unamuno de estos distintos tipos de *sueño.*

> también. Eran dos sueños conjugados, y madre e hijo soñaban de seguro lo mismo: reposo. Y las bocas dormidas sonreían en sueños *(OC.,* I, 941-942).

Si, dejándonos llevar de la fácil leyenda, nos empeñamos en ver en Unamuno sólo al agonista, al hombre que se complacía en vivir a plena conciencia, despierto a la angustia y al dolor, podrá parecer extraño el deleite de nostálgica contemplación de lo vivido íntimamente con que Unamuno se detiene frente a una escena al parecer tan insignificante como ésta. No es ello accidental sin embargo, no obedece al impulso de una pura circunstancia, sino que la idea del *sueño inconsciente,* cuyo centro simbólico es el regazo de la madre, es una de las constantes de su pensamiento y su sensibilidad no agónicos. En efecto, recordamos ahora haber leído en *Amor y pedagogía* que "el sueño es la fuente de la salud, porque es *vivir sin saberlo*" *(OC.,* II, 415); y recordamos entonces que, en *Paz en la guerra,* don Miguel Arana, cansado de bailotear en la plaza, se acostaba para *"perder conciencia en el sueño"* *(OC.,* II, 168) de la misma manera que don Manuel, el protagonista de *San Manuel Bueno, mártir,* quería "dormir sin sueño" para evitar la agonía que le provocaba su falta de fe. Cuando en otra parte leemos que "dormir es acaso lo más espiritual que podemos hacer; es tomar un baño en nuestro protoplasma anímico, en el océano del espíritu; es acostarse en el regazo de Dios" *(OC.,* V, 545), debemos recordar que en Unamuno, como en todo auténtico creador, nada se da sin antecedentes; que cada idea, cada frase, cada metáfora, van preñadas de resonancias conceptuales e imaginativas que las hacen depender de otras ideas, otras palabras y otras metáforas suyas. Así, en las tres oraciones citadas, el lector puede detenerse, primero, en dos de las tres metáforas centrales *(protoplasma anímico, océano del espíritu)* y dejar que resuenen en ellas, a diecisiete años de distancia (estas palabras son de 1912), las metáforas en que se apoya, en *En torno al casticismo* y en *Paz en la guerra,* por ejemplo, la teoría de la *intrahistoria* que, según hemos indicado y veremos aún,[25] es *lo inconsciente* de la Historia; se podría, también, encontrar el parentesco entre la frase *tomar un baño* y algunos de los verbos centrales de la obra de Unamuno: *ahondar, zahondar, chapuzarse, sumergirse,* los cuales, por su relación entre sí y por la relación que tienen con el valor simbólico que da Unamuno al *agua,*[26] significan

[25] Cf. nuestro Cap. VI.
[26] Cf. nuestro Cap. VII.

generalmente la entrada en la inconsciencia *(océano)*; podríamos detenernos igualmente en la idea "dormir-actividad espiritual" y recordar que en su teoría de la intrahistoria y en dos de las novelas aquí comentadas, dormir es una actividad natural, pero que, según explica Unamuno en otra parte,[27] el hombre *natural* y el hombre *espiritual* están mucho más cerca entre sí que ninguno de los dos del intelectual y que, en algunas ocasiones, llegan incluso a la comunión absoluta. Si a esta nebulosa de conceptos y metáforas –y por ahora no queremos precisarlo todo: ello se hará, aquí y allá, en los siguientes capítulos– añadimos el hecho de que la soñolienta y natural ternura maternal de Marina es una ternura *húmeda*[28] (como húmedo es el Bilbao lluvioso y marítimo en que viven sus vidas intrahistóricas Josefa Ignacia y Pedro Antonio), veremos que el concepto de la vida inconsciente y del sueño se apoya, con todo rigor e insistencia, en dos símbolos básicos: *la madre* y *el agua*,[29] los cuales se funden en las palabras citadas cuando después de pasar por la metáfora del *océano* termina Unamuno diciendo que "dormir... es acostarse *en el regazo de Dios*": vuelto el concepto a lo divino (la forma más positiva de la intuición de lo eterno), toda la idea del buen sueño de dormir culmina así en la imagen del regazo, es decir, en la idea de la madre, nimbo que cobija el mundo eterno del subconsciente del niño-hombre.

No cabe duda, pues, que estamos frente a una idea fundamental del Unamuno contemplativo. Por algo en el drama *Soledad*, Agustín, el agonista, cansado de tanta batalla en la Historia (concretamente, en la política), busca el sueño de dormir, la inconsciencia, en el seno de su mujer-madre. En el sueño que desde su ser no agónico anhelaba Agustín, como en el sueño en que más a gusto vive y muere Apolodoro, encontramos el significado último que para Unamuno tiene la idea de la madre como imagen viva del subconsciente. No es, pues, casualidad que se goce Unamuno en la escena de la madre

[27] Cf. "Los naturales y los espirituales" *(OC.*, III, 552-568) y "La regeneración del teatro español" *(ibid.*, 135-162) entre varios otros ensayos en que toca este tema (también la segunda parte de mi libro ya citado, *Unamuno, teórico...)*. Importa aquí especialmente lo que dice en esos ensayos sobre el *genio:* el genio (que es siempre espiritual, Espíritu) es el que resume en su creación el sentido más profundo de la intrahistoria (Espíritu) de su pueblo (los Naturales). La gran obra de arte es, pues, la que logra la fusión armónica de lo espiritual y lo natural (lo intelectual –tercera categoría en que divide Unamuno a los hombres– es sólo un estorbo).

[28] Cf. *supra*, p. 125, nota 5.

[29] Cf. nuestro Cap. VII.

novicia que duerme con su hijo dormido; como no es casualidad que describa tan detalladamente las sensaciones y pensamientos de Apolodoro y de su madre en *Amor y pedagogía:* si el Unamuno agonista es el hombre despierto y "despertador" de conciencias, el contemplativo será el buscador del sueño de paz inconsciente y continua, absoluta, en el regazo de la madre. Porque, veremos en las páginas que siguen, la madre, su regazo, es la vía más próxima a su verdadero ser que para *desnacer* (no morir) hacia una eternidad de olvido donde todo –o nada– duerme en el buen sueño, encuentra el niño-hombre a quien movían extrañas tendencias ajenas a su voluntad más fenoménica.

Dormir, "vivir sin saberlo", "soñar inconscientemente".[30] Desde *Poesías* (1907), su primer libro de versos, hasta el *Cancionero,* su último, el tema del dormir sueño inconsciente es una de las constantes obsesivas de la obra de Unamuno. Por lo general, la idea de dormir suele surgir primero como obedeciendo a un puro deseo de huída de la guerra de los sueños malos de la razón y del mundo: el buen sueño "nos consuela de la adversa suerte" *(P.,* 100). Así, muchas veces aparece como esperanza de descanso:

> Duerme, alma mía, duerme,
> duerme y descansa,
> duerme en la vieja cuna
> de la esperanza;
> duerme *(P.,* 136).

Casi treinta años después de estas palabras, más cansado aún, escribe Unamuno en el *Cancionero:*

> Despacito; que se duerma
> mi cabeza, que está enferma
> de soñar *(C.,* p. 329).

Este sueño de dormir es, en efecto, un refugio contra los sueños malos de la agonía. En cuanto tal, las más veces surge apenas evocado como deseo.

Pero no siempre es ello así; algunas veces se trata de un sueño logrado, un sueño positivo en el que Unamuno, como hemos visto, encuentra a Dios mismo en la inconsciencia. Así, por ejemplo, cuando frente a un paisaje, al atardecer, entrega su alma a la belleza que le sirve de vía para reclinar su voluntad en el regazo de Dios:

[30] Cf. *Cancionero,* p. 437.

Nada deseo,
mi voluntad descansa,
mi voluntad reclina
de Dios en el regazo su cabeza
y duerme y sueña...
sueña en descanso
toda aquesta visión de alta hermosura...

Éste es el momento mismo de la revelación y son en él absolutas la entrega y la paz logradas. Pero ocurre a veces –y por ello hablamos de dos Unamunos alternantes–, como al final de este mismo poema (cuando termina la visión, caída ya la tarde), que la razón irrumpe en el alma antes entregada al éxtasis y, con ella, viene la duda:

Y ahora dime, Señor, dime al oído:
¿tanta hermosura
matará nuestra muerte? *(P.*, 53-54).

La visión y la entrega a la inconsciencia más positiva se habían logrado –Dios estaba ahí–, y en esa visión, en su *regazo,* se había dejado mecer el Unamuno contemplativo. Pero terminada la visión, el racionalista activo que Unamuno lleva también dentro de sí, duda de ella y, con la duda, vuelve a la agonía.[31]

Una que otra vez, esta razón, la razón negadora de la validez

[31] Suponemos, claro, que para Unamuno, en este momento, Dios existe (por eso hablo de entrega *positiva),* puesto que lo dice. No creérselo (o pasar por alto expresiones de fe como ésta) supondría creer que nosotros poseemos no sólo el secreto de la expresión de Unamuno, sino incluso el de la existencia o no existencia de Dios. Por otra parte, no se olvide que no pretendemos indicar aquí que este Unamuno "positivo" (del cual veremos mucho más) sea el "verdadero"; sólo nos interesa ver cómo, en cuanto alternancia de la agonía, es esta tendencia, en todas sus formas, una expresión real de su personalidad que la leyenda de la agonía nos ha impedido comprender. Alternancia que, por otra parte, es fundamental en este poema, pues en él vemos, además de la entrega absoluta a la contemplación, la reflexión escéptica de la razón sobre esta entrega. Ahora bien, esta reflexión *agónica* se nos da en los últimos siete versos del poema que aparecen en la página impresa claramente *separados* (por una serie de puntos) de los *66* versos anteriores en que se expresa la visión propiamente dicha. Este poema significa, pues, una entrega de la conciencia a la contemplación, un momento de abandono de su voluntad, o enajenamiento; y una *posterior* reflexión crítico-agónica de la conciencia sobre el hecho indiscutible de su enajenamiento y su tendencia a él. Sería, pues, un error juzgar todo el sentido del poema por esos siete últimos versos (en nuestro Cap. VII, pp. 237-244, comentamos más ampliamente este interesante poema desde otro punto de vista).

eterna de la paz contemplativa y del buen sueño, hace acto de presencia en el momento mismo en que Unamuno invoca al sueño. Cuando ello ocurre, llega Unamuno al extremo más negativo de su pensamiento, al concepto del sueño total –que le sigue atrayendo irracionalmente– como continente de la Nada:

> "Y si de mi sueño
> no despertara..."
> Esta congoja sólo
> durmiendo pasa;
> duerme.
> "Oh, en el fondo del sueño
> siento a la nada..."
> Duerme, que de esos sueños
> el sueño sana;
> duerme *(P.,* 137).

En esta revelación, el sueño de las potencias dormidas no es, paradójicamente, más que un sueño agónico, una pesadilla que la razón tiene bien clasificada: sólo un "dulce ensueño en que verdad se olvida" *(RSL.,* 167), la verdad del fracaso de la lucha, y, tal vez, de la no existencia de Dios.[32]

Pero aunque, a menudo, el sueño no es más que un ensueño, un encubridor de verdades amargas, otras veces, como hemos visto, aparece en la obra de Unamuno en forma tan positiva que no sólo es la revelación de la continuidad de lo eterno, sino que en esta continuidad encuentra Unamuno a Dios y a Él se abandona como el hijo a la madre en su regazo. Tanto ha hablado Unamuno del Dios que el hombre crea por voluntad, del Dios agónico, del Dios-Cristo de sangre y tierra y de la lucha con Dios, que se nos ha borrado ya en gris el Unamuno que, en sus momentos de cansancio o de fe, se entregaba sencillamente a la idea de un Dios manso y acogedor. Acogedor como la vida hogareña, como su esposa, como el regazo de la madre. ¿Cómo comprender, por ejemplo, *El Cristo de Velázquez* si pasamos por alto esta dimensión de Unamuno? Y, sin embargo, ahí está ese gran poema al "Cristo blanco" lleno de referencias al buen sueño. Y ahí está uno de sus más conocidos sonetos, "En la mano de Dios", incomprensible como poema del agonista. Vemos en este soneto, en nueva versión del "dejéme y olvidéme", a los dos antagonistas corazón-cabeza entregarse a

[32] Esta "verdad" es la única que parece descubrir Sánchez Barbudo en los "silencios" de Unamuno.

la idea de Dios, reposando en su pecho el uno, durmiendo en su mano la otra. Y todo ello apoyándose para su valor simbólico en la idea de la madre:

> Cuando, Señor, nos besas con tu beso
> que nos quita el aliento, el de la muerte,
> el corazón bajo el aprieto fuerte
> de tu mano derecha queda opreso.
>
> Y en tu izquierda, rendida por su peso
> quedando la cabeza, a que revierte
> el sueño eterno, aún lucha por cogerte
> al disiparse su angustiado seso.
>
> Al corazón sobre tu pecho pones,
> y como en dulce cuna allí reposa
> lejos del recio mar de las pasiones,
>
> mientras la mente, libre de la losa
> del pensamiento, fuente de ilusiones,
> duerme al sol en tu mano poderosa (*RSL.*, 160-161).

Nótese que el poema parte de una agonía que anhela su propio fin, de una razón que quiere verse libre de su propio peso (peso en el que va implícita la duda). Y así como el poema nace de este tan poco agónico anhelo, así marcha desde las explicaciones y precisiones racionales de su principio hacia el reposo final de los tercetos y, muy particularmente, del verso final. ¿Podemos concebir al Unamuno de *Del sentimiento* anhelando este descanso y buscando así, casi a tientas, este equilibrio musical de la forma? Y claro que en esta entrega a la idea de Dios, Dios es su mano, su *pecho; dulce cuna* todo ello como la cuna en que la madre mece al niño en su reposo en que comulga con lo eterno. Refugios simbólicos donde el preguntar de la inteligencia y el querer egoísta del corazón se entregan. En ellos la voluntad muere, muere la duda, y vislumbramos en su sentido más positivo, poseedor de fe, al Unamuno no agonista.

Hasta el deseo del sueño aparece expresado de vez en cuando en forma positiva y con ortodoxa fe. Así, por ejemplo, en "Sueño final", uno de los poemas más importantes para la comprensión del Unamuno no agonista. El soneto se basa en estas palabras del salmo CXXVII, 2: "Por demás os es el madrugar a levantaros, el veniros tarde a reposar, el comer pan de dolores;

pues que a su amado dará Dios el sueño", y se apoya, indirectamente, en el símbolo de la madre, aludido esta vez por los brazos de la Virgen y la idea de la cuna:

> Álzame al Padre en tus brazos, Madre de Gracia,
> y ponme en los de Él para que en ellos duerma
> el alma que de no dormir está ya enferma,
> su fe, con los insomnios de la duda, lacia.
>
> Haz que me dé, a su amado, sueño que no sacia
> y a su calor se funda mi alma como esperma,
> pues tan sólo en el sueño, a su calor se merma
> de este vano vivir la diabólica audacia.
>
> Este amargo pan de dolores pide sueño,
> sueño en los brazos del Señor donde la cuna
> se mece lenta que hizo de aquel santo leño
>
> de dolor. Este sueño es mística laguna
> que en eterno bautismo de riego abrileño
> con su hermana la muerte la vida readuna (*RSL.*, 108-109).

Positivo o negativo, logrado o deseado, creído o no, vemos, pues, que este sueño de total inconsciencia aparece insistentemente en la obra de Unamuno como tema esencial de aquel otro yo contemplativo suyo que latía sin ruidos ni violencias bajo su ser activo y agonizante; y se apoya siempre para su último significado (el original y originario) en el valor que daba Unamuno al símbolo de la madre, el regazo y la cuna. Así, esenciales al más completo significado de este poema son, por ejemplo, las resonancias que nos llegan desde esos *brazos* de la *Madre de Gracia* –vías para la entrada en Dios– que dan su principio y su tono al poema; esencial es también, como alusión simbólica que ahora entendemos plenamente, esa *cuna* hecha de la cruz –"santo leño de dolor"– que *se mece lenta* al iniciarse el remanso final del poema; y esencial es ese calor[33] en el cual, como en el del seno materno, se *funde* el alma en el *bautismo* en que, como vimos al comentar *Paz en la guerra,* son una la vida y la muerte.

Esta interdependencia simbólica "madre-sueño de dormir" aparece en la obra poética de Unamuno ya completamente esta-

[33] Cf. *supra,* p. 129, nota 13. La relación de causa-efecto entre *calor* y *fundir* (como esperma) es evidente.

blecida desde 1899, en "Al sueño", uno de los poemas centrales y menos comentados de *Poesías* (pp. 98 y sigs.).[34] Ahí, en un principio de desnudo y equilibrado clasicismo invoca Unamuno al sueño como *abrigo* contra los combates del alma y como *dueño del albedrío,* es decir, como realidad superior en que la agonía desaparece:

> ¡Dueño amoroso y fuerte,
> en los reveses de la ciega suerte
> y en los combates del amor abrigo,
> del albedrío dueño,
> del alma enferma cariñoso amigo,
> fiel y discreto sueño!

A continuación le atribuye al sueño la virtud de ser apóstol de la *paz eterna y honda,* portador de la *santa calma:*

> Eres tú de la paz eterna y honda
> del último reposo
> el apóstol errante y misterioso
> que en torno nuestro ronda
> y que nos mete al alma,
> cuando luchando por vivir padece,
> la dulce y santa calma
> que a la par que la aquieta la enardece.

Y cuando por fin llega el poema a declarar, no ya que en el sueño se esconde la verdad más amarga –muerte total, vacío, nada–, sino que en él "la verdad se revela", en este momento culminante, fundamental a la dimensión más positiva del Unamuno contemplativo, aparece por primera vez, centrada en la palabra *regazo,* la relación sueño-madre:

> . . . .
> la verdad se revela,
> paz derramando en torno;
> al oscuro calor de tu regazo
> . . . .
> desnuda alienta la callada vida
> acurrucada en recatado olvido,
> lejos del mundo de la luz y el ruido.

[34] Aunque el poema aparece en *Poesías* (1907), es de 1899: cf. García Blanco, *Don Miguel de Unamuno y sus poesías,* p. 14.

Unos versos más adelante ciñe Unamuno su concepto en la metáfora central del poema. La referencia es ya directa, y la madre —la imagen de la madre con el niño en su regazo— es ya aquí, y una vez más, el símbolo que cobija el meditar de Unamuno sobre el sueño de la paz de la inconsciencia:

> Tú con tierno cariño
> nos meces en tu seno
> como la madre al niño,
> cantándole canciones
> con suave ritmo de caricias lleno,
> y cuando llega tu hora,
> jadeantes se tienden las pasiones
> a dormir a tu sombra bienhechora.

Y más adelante:

> De tu apartado hogar en el asilo,
> como una madre tierna
> da en su pecho tranquilo
> al hijo dulce leche nutritiva,
> tú nos das la verdad eterna y viva
> que nos sostiene el alma,
> la alta verdad augusta,
> la fuente de la calma.

Verdad, pues, *viva;* "alta verdad augusta", no ya amargo engaño; verdad que se encuentra en el *asilo* del "apartado hogar", "lejos del mundo de la luz y el ruido".

Recordamos que Marina, la madre natural de *Amor y pedagogía,* se dejaba hundir más y más en su sueño inconsciente, reino de la vida más honda y eterna, y que desde él, como la madre novicia que Unamuno vio en 1932 en una plaza solitaria de Madrid, apretaba a su hijo "contra su seno, como queriéndolo volver a él, a que duerma allí, lejos del mundo".[35] Y es que lo que domina la obsesión de Unamuno por el sueño de dormir es la esperanza, implícita en la imagen del regazo de la madre, de abandonar el mundo de la guerra y la muerte para

[35] Cf. *supra,* p. 125, nota 5. *Lejos del mundo* en la vuelta al seno materno equivale a la vuelta al no tiempo anterior a la Historia y a la guerra. El deseo aquí expresado viene a ser, pues, similar al de un poema en que Unamuno le pide a Dios "la hora del reposo / de antes de tu «¡hágase la luz!»" *(C.,* p. 410). El hacerse la luz del mundo y el dar a luz de la madre vienen a ser la misma tragedia para el contemplativo cansado de la guerra.

volver a la paz inconsciente de la vida prenatal; la fe interior y abismática de que la muerte se vence con el *desnacer*. "¡Oh sueño! ¡mar sin fondo y sin orillas!": con estas palabras termina su poema "Al sueño". "¡Santo sueño prenatal!", exclamará años más tarde *(CH.,* 90). Y, en *Teresa,* así le escribía Rafael a su amada:

> ...en el claustro maternal me pierdo
> ...en él desnazco perdido *(T.,* 160).

Claustro maternal: esta metáfora española tan común adquiere, como tantas otras que Unamuno remoza, nuevo sentido, su sentido originario, al aparecer aquí con el valor preciso que le da el cerrado tejido de símbolos que forman la trama más íntima de su obra.[36] Y dentro de este tejido de símbolos el verbo *desnacer,* tan repetido por los lectores de Unamuno, tiene una función básica que no comprenderíamos jamás desde el punto de vista del pensar y el sentir del agonista para quien "desnacer perdido" sería el terrible nacer en cuanto otro –o morir– que temía Nicodemo. Años antes de que Unamuno hubiese escrito *Teresa* ya le decía don Fulgencio a Apolodoro –en *Amor y pedagogía*– que "así como nuestro morir es desnacer, nuestro nacer es un desmorir" *(OC.,* II, 380). Y veinte años después, por la misma época en que escribía *Teresa,* el torturado y ambicioso Agustín de *Soledad,* derrotado en la política, exclamaba ante su mujer: "Oh, si pudiera achicarme... achicarme... aniñarme... hacerme niño... menos que niño... y encarnar de nuevo en tu seno, Soledad, y dormir allí, para siempre... para siempre... para siempre..." *(Tea,* 128). Entonces, su mujer, Soledad, la mujer-madre de exacto valor simbólico evangélico, le llama "hijo mío" y le ofrece cantarle y *brezarle* para adormirle en su seno *(ibid.,* 143). Ante lo cual Agustín se entrega: "Cántame, Soledad, acúname". Ella responde cantándole, en efecto, como a un niño:

> Duerme, niño chiquito,
> que viene el Coco,
> a llevarse a los niños
> que duermen poco... *(ibid.,* 144).

Lo cual, según afirma nuestra razón positiva y agónica, es sólo un engaño; una manera de olvidar la única verdad, la de la

[36] La idea de "claustro", desde luego, va también referida al claustro religioso: cf. nuestro Cap. VIII, para la importancia que en este Unamuno tienen las iglesias y, de vez en cuando, concretamente, algún claustro.

guerra. Pero no nos importa aquí si el mundo del seno materno es, en verdad, lo que puede salvar al hombre de su guerra y de su muerte; no nos importa si el concepto de *desnacer* corresponde a una realidad objetiva o es sólo consoladora idea. Lo que subrayamos es una tendencia de Unamuno a *creer* en estos conceptos nebulosos, a entregarse a ellos. Una manera de ser suya que no encuentra aterrador "perderse" para vivir en la imagen inconsciente de otro.

Las canciones de cuna. La música y el sueño

Esta manera de ser, esta tendencia a entregarse a un tipo de realidad inconsciente y, por lo tanto, no agónica, va unida a la atracción que, curiosamente, tenía para Unamuno la música: lo que en última instancia envuelve la relación entre el niño-hombre y la mujer-madre, lo que crea el especial nimbo en que la conciencia se pierde y penetra en la continuidad eterna, son las canciones de cuna. No hay casi vez en que aparezca en la obra de Unamuno la imagen, concreta o simbólica, de la madre que, como en trance, duerme en su seno al niño, que Unamuno no hable de la canción de cuna cuya letra, o no es de este mundo, o "no dice nada" en el lenguaje lógico de este mundo. Asociada a la idea de la madre (y su claustro o la cuna) suele ir casi siempre la referencia a la pura melodía que, nacida del subconsciente de la madre –donde anidó en una niñez en que a ella también le cantaron–[37] anida para siempre, con imprecisos contornos, en el subconsciente del niño que el hombre lleva dentro.

Volvamos a *Amor y pedagogía,* la obra más importante que dentro de este tema ha escrito Unamuno. No sólo es fundamental ahí la presencia de Marina, sino que su figura aparece siempre como envuelta en un nimbo de música interior en la que se mece su ternura sensual que, desde ella, se derrama a los demás personajes y al tono de la novela. Desde que se sabe que Marina va a ser madre, Avito, su marido, la sienta a escuchar una sonata. Ello con fines puramente científico-pedagógicos, desde luego: la música, piensa el racional padre del futuro genio, sentida en la inconsciencia del claustro maternal, servirá para armonizar, desde antes aún de su desmorir, el espíritu

[37] Ésta es la cadena ininterrumpida del transcurrir interior de lo intrahistórico. Recuérdese lo dicho arriba (y en el Cap. III) sobre la continuidad espiritual que une a los abuelos ya muertos con los nietos aún nonatos.

del futuro genio. Pero a Avito, una vez más, se le ha olvidado contar con que en el subconsciente de Marina late una materialidad irracional, instintiva, natural,[38] que transforma la música escuchada con fines científicos en indescifrable canción de ternura maternal que, a la larga, latiendo en el subconsciente de Apolodoro, lo hará sentimental, melancólico, irracional, destruyendo con ello sus posibilidades de llegar a genio científico. A Marina "despiértale la sonata las dormidas ternuras maternales, y empieza a inundarle el corazón maternal piedad. Siente la pobre Materia que le hinchen las aguas profundas del espíritu" *(OC.,* II, 364). De aquí en adelante, esta ternura de origen musical define, con difuso matiz, las relaciones entre Apolodoro y ella. Contra la voluntad de su marido —quien, como hemos dicho, le ha prohibido no sólo bautizar a su hijo, sino hablarle de misterios que puedan mancharlo en cuanto creación pura—, mientras su marido teoriza y predica el estar despierto, Marina cobija a Apolodoro-Luis en la paz del sueño cantándole canciones de cuna:

> Marina, por su parte, sonambuliza, suspirando: "¡Qué mundo éste, Virgen Santísima!", y aduerme al niño cantándole:
>
> Duerme, duerme, mi niño,
> duerme en seguida,
> duerme, que con tu madre
> duerme la vida... *(OC.,* II, 374).

Y Unamuno reproduce varios versos más de la canción cuyas palabras, a pesar de su aparente significado concreto (por ejemplo: "Mira que luego riñe tu padre"), son melodía pura que cuna al niño en la inconsciencia de su sueño de dormir.

Cuando nace Rosa, la hermana de Apolodoro, don Avito no se ocupa de ella ya que, convencido de la inferioridad de las mujeres, piensa que de una niña no se puede sacar, pedagógicamente, un genio. Se la deja a Marina quien, gracias a ello, puede dedicarle a las claras, sin trampas, toda la ternura natural de su sueño interior:

[38] Cuando, contra su mejor razón, Avito se enamora de Marina, ello ocurre por culpa de los "ojazos" de ésta que "empiezan" a decirle "lo que no se sabe ni se sabrá jamás". Ante este fenómeno, inesperado para él, el pedagógico y racionalista don Avito comenta: "Tengo para mí que ha entrado en juego el Inconciente" *(OC.,* II, 354). Ésta es la verdad inevitable de la novela (y de la vida de Unamuno), y en ella se originan todos los hechos, trágicos y grotescos, de tragedia y de sainete, de la breve existencia del pobre Apolodoro.

> ...se la dejan, se la dejan para ella sola, le dejan la flor de su sueño, la triste sonrisa hecha de carne. Es un encanto de niña, sobre todo cuando en sus sueños parecen mamar sus labios de invisible pecho. Éntrale entonces a la madre, que la contempla, con golpe de apoyadura, ansias de hartar de besos a esta flor de sus sueños; mas por no despertarla, ¡que duerma! ¡que duerma!, ¡que duerma lo más que pueda! Por no despertarla se los tiene que guardar, los besos, y allí se le derraman por las entrañas cantándole extraños cánticos... Y crece apegada al regazo materno *(OC.,* II, 403).

Estos "extraños cánticos" interiores que no despiertan el sueño —ni el de la hija ni el de la madre— son canciones de cuna que, cuando el hijo o la hija están despiertos, se derraman hacia fuera para dormirles, para volverles al sueño prenatal. Y son, al correr los años, la memoria última, la más íntima, de la madre en la vida subconsciente del hijo-hombre. En ellos anida el mundo enclaustrado hacia el cual anhela el hombre desnacer. Así, cuando Apolodoro se enamora de Clara —que se parece a su madre, según se nos dice— y siente con la plenitud de vida del amor la necesidad de reintegrarse al seno materno, en el fondo de sus meditaciones empieza a mecerse lento el eco de las canciones que le cantaba Marina. He aquí la manera como se desarrolla la meditación de Apolodoro en este momento radical de su vida: primero, lo más obvio, la "invasión" de toda su realidad por el amor nacido de Clara:

> Con la invasión del amor ¡qué marea de melancolía! es un sentir la vida como un derretimiento, es un soñar en dormirse para siempre en los brazos de Clara.

Anegado por esta *marea,* Apolodoro va, sin darse cuenta de lo que hace, a pasear por la ribera del río.[39] Ve ahí pasar un cadáver flotando y, con la parte racional de su ser, como movido por un resorte mecánico, observa perogrullescamente —según lo haría su padre— que los vivos se hunden en el agua y los muertos flotan:

> *luego,* la vida pesa... la vida pesa y la muerte aligera... ¡Duerme!, duerme...

[39] No es, desde luego, casualidad que vaya Apolodoro a orillas del río: por una parte le es casi imposible a Unamuno meditar sobre la vida y la muerte sin recurrir a la metáfora tradicional vida-río y, por otra, todo lo relacionado con el agua desempeña un papel fundamental en la imaginación de este Unamuno contemplativo (cf. nuestro Cap. VII).

La tragedia grotesca de su destino es que lo que brota con la observación de lo más obvio y empieza a desarrollarse racionalmente con un *luego* lógico –herencia del pensar de su padre–, se desvía en seguida hacia una interpretación melancólica del mundo, puramente sentimental, herencia de su madre. Llegado a este punto, el lento río del pensamiento de Apolodoro, poseído ya por el espíritu que en él ha anidado su madre –hundido *bajo* el pensamiento de su padre–, nace de su subconsciente, como de un fondo en que todo pensar se diluye, la canción que su madre le cantaba de niño y que aún le oye cantar a su hermana:

Duerme, niña chiquita,
que viene el Coco
a llevarse a las niñas
que duermen poco...

Y compenetrado, desde su distancia masculina, del modo femenino de vivir en sueños la vida natural, exclama: "¡pobre madre!" Ya aquí, por las vías tan curiosamente consecuentes del subconsciente, ha hecho su entrada el tema fundamental de la vida de Apolodoro y de la novela. A continuación, por otra asociación espontánea y perfecta, recuerda Apolodoro las amonestaciones de su padre, el pedagogo racionalista:

> Ya te tengo dicho que no le cantes esos desatinos, que no le mientes el Coco, ¡Marina!

Y surge entonces en el fluir de su monólogo interior la teoría central de Unamuno sobre las canciones de cuna:

> Ésta es la letra, letra paterna, mientras la música, música materna, va cantándole por debajo: "Vida... sueño... muerte... sueño... vida... vida... sueño... muerte... muerte... sueño... vida"
>
> Duerme, niña chiquita,
> que viene el Coco...
>
> lo Inconocible... lo Inaccesible... *(OC.,* II, 427-428).

Llegamos aquí a una de las ideas centrales del pensamiento de Unamuno: la oposición de la *letra* al *espíritu,* idea obsesiva que recorre toda su obra y alcanza su mejor desarrollo en el capítulo tercero de *La agonía del cristianismo;*[40] idea base de la irracional poética en que se sustenta, para justificarse, lo mejor de su obra.

En pocas palabras –resumiré aquí lo que en otra parte[41] he tratado de explicar en más detalle– se trata de lo siguiente: el espíritu es lo vivo, la tradición eterna, lo que palpita nebulosamente más allá de la letra, bajo ella; su música; aquello de que la palabra es apenas símbolo, metáfora, parábola –y en el peor de los casos estorbosa superficialidad común–, como la historia es apenas signo de lo que fluye bajo ella, de la intrahistoria, la tradición eterna. Al espíritu –lo interior eterno– sólo se llega por el espíritu, o sea por la poesía, la cual, más que *decir* concretamente, insinúa musicalmente; llegan al espíritu sólo los *espirituales,* los poetas, y, guiados de su voz –metáforas y música–, los *naturales.* Frente al espíritu, la letra es corteza muerta que impide la penetración, el "derramarse" de las almas y, en última instancia, toda comunión; la letra es dogma, lo inoperante, el dominio de los intelectuales, lo que sólo adquiere vida cuando recibe en su interior el soplo del espíritu. Todos estos significados que tan hondas vibraciones tienen en la obra de Unamuno (y a los que tan poca atención ha prestado la crítica) se concentran en las frases, al parecer tan sin importancia, *letra paterna* y *música materna.* Si leemos *Amor y pedagogía* con clara conciencia de lo que para Unamuno significaban *la letra, el espíritu* y *la música,* es evidente que en estas dos frases –nacidas de ese fondo oscuro de la mente en que se originan los conceptos– se apoya todo el significado de la novela: desde las primeras páginas se nos ha descrito a don Avito como intelectual de la peor especie, el que cree a pie juntillas en la razón y en la letra, en las clasificaciones y los "rotulitos";[42] y se le ha llamado, no sin sarcasmo, *la Forma.*

[40] Por ejemplo: "El cristo, el Verbo, hablaba, pero no escribía... Y vino la letra, la epístola, el libro, y se hizo bíblico lo evangélico... La letra es muerta; en la letra no se puede buscar la vida... Y con la letra nació el dogma, esto es, el decreto..." *(OC.,* IV, 844-846).

[41] Todos estos temas (la letra como estorbo, la necesidad de la música, la relación entre los espirituales y los naturales, etc.) se pueden encontrar estudiados, como parte de una "poética" de Unamuno, en nuestro libro ya citado, *Unamuno teórico...,* Segunda parte.

[42] Los "rotulitos" en que, por su parte, no cree Apolodoro, y que además le desesperan *(OC.,* II, 416). Al "caleidoscopio" en que todo tiene "rotulito a la espalda" se opone así la *continuidad* subconsciente y nebulosa ("sin letra") que, para Apolodoro, va ligada a la música interior que le cantaba su madre.

Desde la primera aparición de Marina, también, Unamuno nos la ha descrito en términos de lo natural inconsciente eterno y la ha llamado *la Materia.* Por si no bastara, en una conversación con Avito, don Fulgencio ha insistido –entre burlas y veras– en que la mujer es *la tradición.* Frente a estos dos polos tan absolutamente contrarios trata de sobrevivir Apolodoro-Luis. Hemos visto que acaba por dejarse llevar de lo que la madre ha puesto en él, que es lo interior, natural y eterno: Apolodoro (Luis, ya) se desespera de los "rotulitos" del caleidoscopio de lo observable en la superficie *(OC.,* II, 416) y logra liberarse de su conciencia de lo temporal –Historia, apariencia, fenómeno puro– gracias al espíritu natural de la madre que vive soterrado en él, como lo intrahistórico, por obra y gracia de la música *sin letra* guiado de la cual penetra el hombre en la verdadera realidad de las cosas, en este caso la continuidad inconsciente del sueño prenatal.

Es obvio, pues, que el papel fundamental de la vida del hombre lo desempeña la madre, como la base de la historia es la intrahistoria y la del espíritu la música. Se habrá notado que las madres de Unamuno que aquí hemos visto simbolizan la presencia callada –presencia en "musical silencio"– de lo eterno cuya música va siempre "cantando por debajo", en el mundo en que todo vive, interior, para siempre; en ese reino donde nada es "teatro".

"Todo cuanto nos entra por los sentidos en nosotros queda –le dice don Fulgencio a Apolodoro, como hemos visto–, allí vive el mundo todo, allí todo el pasado, allí están también nuestros padres y los padres de nuestros padres y los padres de éstos en inacabable serie..." Idea ésta en que se basa la teoría de Unamuno sobre la intrahistoria y en la que culmina la revelación de Pachico en *Paz en la guerra.* Idea que, las más veces, se le revela al individuo cuando le llega el eco –silencio musical interior– de las canciones de cuna que le cantaron de niño: a Pachico, por ejemplo, quien siente en sí la Humanidad toda mientras oye también, "por debajo", las "tonadillas de cuna" que cantaban los abuelos de los abuelos a los nietos aún nonatos. La música, pues, es el último elemento que lleva a estos personajes de Unamuno a la comunión con lo eterno; música sin letra que les suena siempre, callada, dentro del alma:

Vida... sueño... muerte... muerte... sueño... vida...
vida... sueño... muerte... muerte... sueño...

De la vida a la muerte, de la muerte a la vida, nacer, desnacer, desmorir, morir; ciclo de la vida sin fin en que se unen los contrarios —la vida y la muerte— porque, en medio, el sueño lleva a la eternidad inconsciente donde todo es uno.

Letra paterna, música materna: una vez más la gran precisión conceptual y lingüística de Unamuno preña de resonancias la frase al parecer menos importante.[43]

Algo más sobre el concepto de "música sin letra". Breve paréntesis

Ahora bien, mientras en Unamuno sólo sigamos viendo la leyenda del agonista, se nos escapará la unidad sustancial de todos estos conceptos, temas y metáforas, y, por ende, lo que aquí venimos exponiendo podrá incluso llegar a parecer simple despropósito nuestro, o contradicción interna del espíritu de Unamuno, ya que, todos sabemos, fue precisamente Unamuno quien, en su tiempo, despotricó mejor y más violentamente contra la música y, muy en especial, contra todo intento que para hacer de la poesía "música" pretendiera limpiarla de ideas. Bien conocido es, en este sentido, su antiesteticismo[44] ferozmente dirigido contra toda "esa literatura de mandarinato, todas esas filigranas de capilla bizantina" *(OC.,* III, 246), "soi disant misti-

[43] Una última vez en *Amor y pedagogía* sale a la superficie, alucinante, el canto de cuna. Muerta Rosa, la hermana de Apolodoro, éste y su madre están junto al cadáver: "Los dos callan y parecen oír a lo lejos que del espacio invisible bajan estas palabras de silencio:

Duerme, niña chiquita,
que viene el Coco... (etc.)

Y la voz silenciosa se aleja cantando:

Duerme, duerme, mi niña,
duerme en seguida:
Duerme, que con tu madre
duerme la vida.
Duerme, niña chiquita,
que viene el Coco" *(OC.,* II, 460).

Una vez más la paradoja de vieja tradición *palabras de silencio,* y, una vez más como una esperanza de esta profunda tristeza, la referencia a la somnolencia materna en la que, inconsciente, duerme la realidad toda.

[44] Cf. nuestro libro citado, Segunda parte.

cismo de borrachos y morfinómanos" *(OC.,* III, 242), y bien sabido es que este desprecio nace, principalmente, del malestar que le provocaba la "musicalidad" de la poesía concebida como fin en sí. Algo hemos hablado en nuestro primer capítulo sobre esto y sobre cómo la manía de Unamuno contra la música casa a perfección con su sentido trágico y agónico de la vida. Pero no estará de más tener la evidencia viva en la memoria. Vuelva el lector, por un momento, al principio del poema "Música" *(P.,* 236-238), la expresión quizá más completa de esta obsesión unamunesca:

> ¿Música? ¡No! No así en el mar de bálsamo
> me adormezcas el alma;
> no, no la quiero;
> no cierres mis heridas —mis sentidos—
> al infinito abiertas,
> sangrando anhelo.
> Quiero la cruda luz, la que sacude
> los hijos del crepúsculo
> mortales sueños;
> dame los fuertes; a la luz radiante
> del lleno mediodía
> soñar despierto.
> ¿Música? ¡No! No quiero los fantasmas
> flotantes e indecisos,
> sin esqueleto;
> los que proyectan sombra y que mi mano
> sus huesos crujir haga
> son los que quiero...

En otro poema, un solo verso nos lo resume todo: "algo que no es música es la poesía" *(P.,* 10). No puede ser más clara la postura del agonista, ni más contraria a la actitud del Unamuno que aquí venimos estudiando.[45] Hemos visto hasta ahora —o hemos creído ver— cómo todo momento culminante de una revelación de ciertos personajes de Unamuno, o de Unamuno mismo, encuentra su expresión última en imágenes musicales: *musical, silencio, armonía, sinfonía del espíritu,* etc. Hemos visto también —y lo veremos aún en mayor detalle en nuestro capítulo VIII— cómo estos momentos se dan, generalmente, lejos de la luz, en la penumbra: en la cama a la cual llega alguna luz filtrada, en el monte al atardecer, cuando la luz difusa borra

[45] Si a este poema añadimos los titulados "Credo poético" y "Denso, denso" (en *Poesías),* no quedará ya lugar a dudas.

contornos, o en la idea del seno materno cuya paz recogida envuelve al hombre lejos de "la luz y de la historia". Y he aquí que, en uno de sus poemas más conocidos, rechaza Unamuno la música y exige para su conciencia la "cruda luz" del "lleno mediodía"[46] así como los conceptos con bulto y "esqueleto". No sólo rechaza aquí Unamuno la realidad que necesitan y buscan (y encuentran) Apolodoro, Pachico, Ignacio, o Augusto Pérez y Josefa Ignacia y Marina, sino la realidad que, según nos ha dicho innumerables veces, necesitaba y buscaba él mismo: además de los fragmentos de poesía y prosa citados hasta aquí, recuérdese, por ejemplo, algún otro poema suyo como "Sin sentido" *(P.,* 305-308), en el que nos dice su anhelo de alcanzar una expresión que sea melodía sin letra, como "ese zumbar que deja la campana/muriéndose en el ámbito sereno/de blanca tarde" (¡y qué cerca está esta idea, no sólo de las necesidades de Apolodoro, sino de la Rima I del "neblinoso" Bécquer!):

> Quisiera no saber lo que dijese,
> nada decir, hablar, hablar tan sólo,
> con palabras uncidas sin sentido
> verter el alma.
> Qué os importa el sentido de las cosas
> si su música oís. . .

El Unamuno que ha escrito este poema —y no el agonista— es el único que pudo concebir las tendencias más abismáticas de Apolodoro.

¿Estamos, pues, ante una contradicción radical, un simple sinsentido? Nos parece evidente que las ideas aquí expuestas como de Unamuno no tendrán, en efecto, ningún sentido si no sospechamos siquiera la existencia de un Unamuno interior y distinto del de la leyenda. No se explican como ideas del agonista, puesto que le contradicen; necesariamente, pues, deben llevarnos a una faceta distinta de su personalidad. Por lo que respecta a este problema concreto de dos actitudes contrarias frente a la música podemos plantear la solución de la siguiente manera: el agonista que *necesita* inmortalizarse fenoménicamente quiere, por *voluntad,* aferrarse a la conciencia; rechaza, por lo tanto, todo lo que pueda sumergirle en la inconsciencia, por ejemplo, la música símbolo de lo inconsciente y del subconsciente. El otro

[46] En nuestro Cap. VIII veremos cómo el concepto de paz armónica depende, para su plena comprensión, de la idea que tenía Unamuno de la "difusa luz" en relación con la música.

Unamuno, el contemplativo, a pesar de la voluntad del agonista, oponiéndose a ella sin esfuerzo, saboteándola por instinto, busca el mundo de la paz inconsciente; de ahí su interés por la música, la atracción que por ella siente y la necesidad interna que le lleva, con tanta insistencia, a resumir metafóricamente su pensamiento por referencia a ella.

Que esta atracción es instintiva y, a su manera, superior a las fuerzas de la voluntad, lo vemos en el mismo poema "Música" citado en parte arriba. Tras el enfático y brusco rechazo que llena los primeros 18 versos, la segunda mitad del poema (exactamente otros 18 versos) es una explicación de por qué, *desde su conciencia,* se ve Unamuno obligado (necesidad-voluntad) a rechazar la música. La razón es bien simple: la música le atrae demasiado, le lleva con demasiada facilidad al mundo de lo inconsciente que, naturalmente, su conciencia aborrece. Leamos estos otros 18 versos:

> Ese mar de sonidos me adormece
> con su cadencia de olas
> el pensamiento,
> y le quiero piafando aquí en su establo
> con las nerviosas alas,
> Pegaso preso.
> La música me canta, ¡sí, sí!, me susurra
> y en ese sí perdido
> mi rumbo pierdo;
> dame lo que al decirme ¡no! azuce
> mi voluntad, volviéndome
> todo mi esfuerzo.
> La música es reposo y es olvido,
> todo en ella se funde
> fuera del tiempo;
> toda finalidad se ahoga en ella,
> la voluntad se duerme
> falta de peso.

Así como en el poema "Hermosura", arriba comentado (pp. 138-139), tras haberse entregado a la visión de la idea del reposo en el sueño, irrumpía el Unamuno de la conciencia despierta para poner en duda su intuición del descanso en la belleza eterna, también en este poema, en forma inversa, encontramos a los dos Unamuno alternantes: el rechazo de la música de la primera parte es la necesidad del agonista; la "explicación" de la segunda parte nos dice qué tendencia interior suya y alternante de la agonía le obliga, desde la conciencia, a rechazar una parte de sí mismo. La sección de *Poesías* en que aparece este poema lleva por título "Reflexiones, amonestaciones y votos": reflexión sobre sí mismo, amonestación a sí mismo y voto de su conciencia es este poema. Nótese que dice Unamuno que la música le adormece a él *(me adormece),* no a aquellos que no saben ser conscientes: no es ésta una generalización, sino la explicación de su caso particular.

Notemos, por otra parte, que la "reflexión" sobre sí mismo no podía ser más precisa en su expresión conceptual: si la música le lleva al mundo de los "fantasmas flotantes e indecisos" (y recordemos aquello de "mis nebulosidades es lo que más amo", cf. *supra,* p. 86), si es lo que dilata el espíritu liberándolo de sus límites, frente a ella quiere el Unamuno agonista el pensamiento encerrado ("en su establo"), "Pegaso preso" piafando y luchando contra sí mismo para *sentirse* en su agonía. Una vez más, frente al "volar por las regiones nebulosas del pensamiento protoplásmico" (cf. *supra,* p. 86), la limitación de la conciencia en lucha sin cuartel contra sí misma. Frente al "espíritu inconcreto" que se sentía ser el Unamuno contemplativo, aquí el "peso". Así como el Unamuno contemplativo, según hemos visto, quiere olvidar la voluntad y el esfuerzo, aquí, como siempre que se expresa el agonista, domina la voluntad de quedarse en el "esfuerzo". No debe ya sorprendernos esta precisión conceptual y simbólica de Unamuno. Según vaya el lector siguiendo el hilo de las metáforas y símbolos que en las páginas que siguen trato de presentar en algún orden, verá que la precisión de este poema va más lejos aún: *luz cruda, esqueleto* y *bulto* son símbolos de la limitación que necesita la voluntad del agonista, así como, según veremos en todo detalle, *música, mar, penumbra* son símbolos del reino de lo inconsciente a que se entrega el contemplativo ya desde *En torno al casticismo.* Si miramos bien, resultará evidente que todos los símbolos, metáforas y conceptos que en este libro estudiamos como propios del Unamuno contemplativo se funden en este poema para ser rechazados por el agonista cuyo ataque, por esta vez, se centra en la idea de la música.

La unidad sustancial de este Unamuno no agonista queda, pues, indicada. Se hará más y más patente a lo largo de nuestro trabajo. Queda también subrayada, no la contradicción del pensamiento de Unamuno —en el sentido más superficial y obvio de la palabra *contradicción—,* sino la división interna, por alternancia, de su personalidad en dos facetas opuestas: por una parte su voluntad de conciencia, y, por otra, su inclinación

—espontánea y subconsciente— a dejarse perder del tiempo y de sí mismo.

Insistencia en los mismos símbolos

Tan insistente es en Unamuno esta oposición inconsciencia-conciencia, sueño de dormir-ensueños de la voluntad, música-letra, tradición (fondo, Materia)-Historia (superficie, Forma), y tan directa su relación con la infancia y con la importancia de la madre, que, todavía al final de su vida, en 1931, en uno de los poemas del *Cancionero* (p. 430), aparecen otra vez todos estos conceptos fundidos en un canto a Bilbao. Volvamos a un poema citado ya fragmentariamente *(supra,* p. 100):

> Tú no, tú no, Bilbao, me cuentas
> historias;
> tú con labios de madre, lentas
> memorias
> que hablan de eternidad;
> de eternidad de antes de niño,
> de la antecuna
> que arrebujado a tu cariño
> dormitaba mi fortuna;
> tuya, Bilbao, mi humanidad...
> Tú no, tú no, Bilbao, fantasmas
> de tinta,
> menguadas cataplasmas
> que a la razón encinta
> le calma los antojos de la fe;
> tú alboreadas brumas,
> rocío de oro,
> mortal rocío,
> donde en divinas plumas,
> final tesoro,
> sin albedrío,
> libre de todo ensueño, me dormiré.

"Tú no me cuentas historias", le agradece Unamuno a Bilbao, como a una madre, porque las historias —la Historia, por oposición a la intrahistórica Bilbao de *Paz en la guerra*— ocurren en el Tiempo, "la posibilidad de los espantos" *(OC.,* IV, 937), y este Unamuno necesita abandonar el tiempo y sus cuidados para encontrarse —o perderse— plenamente. Las *historias* tienen letra *(cataplasmas de tinta)* y significados concretos y, por lo tanto, guerra de la inteligencia, es decir, agonía. Son lo contrario de esa música que "es lo menos ligado a empobrecedoras creaciones" *(OC.,* V, 441). Las historias no permiten, puesto que su letra clasifica, distrae y provoca la guerra, dejarse cunar en la idea del regazo de Dios, o en el canto silencioso de la Humanidad simbolizado por el *calorcito* del sueño prenatal en cuya inconsciencia anidan, desde siempre y para siempre, las melodías sin letra que le canta la madre al niño.

En su vejez, pues, como en sus primeros años, Bilbao sigue siendo el centro de esta manera de vivir la vida sin agonía: el Bilbao de este poema es "aquel Bilbao" en el cual "soñaba" –hundida en la intrahistoria, desde luego– Josefa Ignacia, la madre de *Paz en la guerra,* "aquel Bilbao, nido de oscuras costumbres de inconciente amor, cuna de su hijo" *(OC.,* II, 171). A casi cuarenta años de distancia, su primera y más honda concepción del mundo y su último meditar sobre ella se dan la mano a través de los mismos símbolos.

Y es que en *Paz en la guerra* se enuncia por primera vez el tema del hombre-hijo que vive en el recuerdo subconsciente de la melodía materna interior. Recordemos, por ejemplo, el momento de la muerte de Josefa Ignacia:

> Cuando le llevaron el viático, quedóse Pedro Antonio rezando, de hinojos, junto a la cama, mirando a ratos las llamas dulces de las hachas, que oscilaban en la recogida penumbra, recreándose en el lento arrastrarse de los *ora pro nobis* de la letanía. La enferma se dejaba adormecer por las preces, como un niño por el canto de cuna con que le traen el sueño reparador *(OC.,* II, 318).

La metáfora en que culmina esta descripción es, una vez más y ya en 1897, la que aquí nos viene ocupando. Y ésta es la misma Josefa Ignacia que rezaba con su hijo y le cantaba canciones de cuna cuya letra *no dice* nada; este Pedro Antonio es el mismo que, en Navidad, cantaba villancicos tradicionales –intrahistóricos– mientras su mujer –intrahistoria ella misma– le escuchaba perdida en su recogimiento habitual, junto al hijo en cuyo subconsciente, sin duda, iban a quedar para siempre los cantos:

> Esta noche es Nochebuena,
> y mañana Navidad. . .
>
> repetía Pedro Antonio, no sabiendo más de la canción. Después evocaba viejos cantares vascos, de lenta melodía monótona, oídos con recogimiento por su hijo, su mujer y el cura *(OC.,* II, 108).

Cantares para los que no importa la letra precisa –por eso se *evocan*–, cantares, como los de cuna, cuya virtud fundamental está en su lentitud y monotonía, que sugieren antigüedad; melodías imprecisas cuya importancia simbólica radica en que surgen, inconscientemente, del mundo de las memorias *(loc. cit.)* y van, a su vez, a anidar en el mundo interior que serán las memorias del hombre-hijo.

Muy del fondo de su memoria debían surgirle también las canciones infantiles a Pachico ya que, a pesar de ser huérfano, le llegan sus ecos cuando en el monte, frente al mar, siente la plenitud de la eternidad en la naturaleza:

> En momentos de inesperado sobresalto, de sobresalto que parecía brotarle del misterio de las tinieblas de su ser, rezaba sus oraciones de la niñez, sintiendo a su perfume dulce y difuso aquietársele el alma y evocársele el mundo neblinoso que vive en las oscuras entrañas de inconciencia, en los hondos senos a donde no llega el rumor del oleaje de las ideas, sus ondas superficiales *(OC.,* II, 274).

Ya hemos visto cómo las *oraciones de la niñez* son una forma más de "música materna"; y vemos una vez más que todo ello es un *mar* en cuyo *seno* –dulce y difuso– las ideas –la letra paterna o de la Historia– son apenas ondas superficiales, ruido, accidente que no influye en la continuidad intrahistórica de lo eterno.

En otro momento importante de la novela, cuando va Josefa Ignacia a la iglesia para consolarse de la muerte de su hijo, vuelve Unamuno a requerir como apoyo de su expresión la imagen de la música; según le ocurría a él mismo,[47] esta madre resignada encuentra de nuevo su fe en la inmortalidad al dejarse mecer en la pura música monótona de las oraciones, sintiendo, más que su letra, el espíritu misterioso y difuso que late bajo ellas:

> A Josefa Ignacia se le cicatrizó pronto la herida del alma, derramándosele el dolor por toda ella, y aletargándola. Rezaba sus devociones con mayor intención, con más recogimiento los padres nuestros, pero, como siempre, sin meditar sus palabras, ni paladearlas, por máquina, sin detenerse siquiera en el "hágase tu voluntad". Y así, las oraciones, puras de su letra, eran el cuerpo libre en que encarnaban sin traba sus anhelos y sentires, eran la música sutil que enlazaba sus efusiones lentas *(OC.,* II, 264).

[47] Cf. nuestro Cap. VIII.

Vemos muy bien otra vez en este pasaje, por un momento, al doble Unamuno dividido: de un lado, al agonista racionalista que repudiaba la fe del carbonero, al filólogo que dedicó su vida a desentrañar la lengua deteniéndose en la meditación cuidadosa de las palabras y, en particular, de las palabras de los Evangelios: durante un breve instante parece este Unamuno molestarse con la actitud de su Josefa Ignacia que rezaba "por máquina". Pero, en seguida, más allá y por dentro de su racionalismo, surge el Unamuno capaz de comprender la manera de rezar de Josefa Ignacia porque en esta manera palpita, como dentro de él mismo muchas veces, una entrega total a la música "pura", sin letra, de todo rezo.

Varios otros son los personajes de Unamuno que viven su vida más honda guiados por la música de las canciones de cuna. Hasta Raquel, la viuda estéril de *Dos madres,* tan distinta de Marina y de Josefa Ignacia, cuando logra "su" hijo, en ese momento de máxima plenitud de su vida, lo primero que hace es cantarle, "en una lengua desconocida", "canciones de cuna que parecían venir de un mundo lejano" *(OC.,* II, 1011).[48] Y cuando Berta, la verdadera madre, le pregunta qué es eso que le canta al niño, Raquel contesta: "¡Oh, recuerdos de mi infancia!" *(OC.,* II, 1012).

Otra madre frustrada, la tía Tula, le habla a Ramiro, su hombre-hijo, con tal ternura que sus palabras le parecen a éste canciones de cuna:

> Le hablaba ella del mar, y eran sus palabras, que le llegaban a él envueltas en el rumor lejano de las olas, como la letra vaga de un canto de cuna para el alma *(OC.,* II, 1124).

En dos narraciones breves de Unamuno *(El sencillo don Rafael,* y *Ramón Nonato, suicida)* son también parte fundamental las canciones de cuna, "eternamente nueva poesía" en que se dejan hundir sus personajes centrales (cf. *OC.,* II, 529 y 533); como es fundamental en el tono y significado de *San Manuel Bueno* el que su voz melodiosa tenga mayor importancia que las palabras que esa voz dice o reza en la iglesia.[49]

[48] Dos veces más en esta novela se nos habla de canciones que alguien canta "en lengua desconocida", "en lengua extraña" *(OC.,* II, 1012).

[49] Cf. por ejemplo, *OC.,* II, 1199, 1197, 1200, donde, entre otras cosas, leemos lo siguiente: "...era tal la acción de su presencia, de sus miradas, y tal sobre todo la dulcísima autoridad de sus palabras y sobre todo de su voz —¡qué milagro de voz!—, que consiguió curaciones sorprendentes"; y antes: "¡Qué cosas nos decía! Eran cosas, no palabras"; y más adelante:

Se podrían multiplicar los ejemplos. Bástenos ya sólo afirmar que el tema de la madre y el sueño de dormir, la idea del desnacer y de la función básica de los cantos de cuna sin letra —de todo canto sin letra—, así como los verbos *cunar, acunar, mecer, brizar* y *brezar,* íntimamente ligados a estos temas, recorren toda la obra no agónica de Unamuno. En su poesía, por ejemplo, recordemos que una sección de *Poesías* se titula "Brizadoras" y la componen tres canciones de cuna en las que se repiten los temas aquí recogidos *(P.,* 133-140); que en la sección "Incidentes afectivos" del mismo libro, en el poema "A sus ojos", leemos:

> Brizará aquel recio día
> mi agonía
> de tu mirada el cantar,
> llevándome silencioso
> al reposo
> del sueño sin despertar *(P.,* 252-253).

En la sección de "Incidentes domésticos" describe Unamuno el sueño de un hijo suyo mientras, a lo lejos, como meciéndole, se oyen en forma difusa los rezos de su mujer, su madre y su hermana *(P.,* 278-280). En la sección "Cosas de niños", en el primer poema ("Mi niño") vemos a Unamuno *cunando* a un hijo suyo con un canto maternal (como cuna el sencillo don Rafael al niño que recoge, en la narración del mismo título): y ahí se encuentra también, junto con el verbo *cunar,*[50] el verbo mágico, salvador de la angustia de la muerte: *desnacer (P.,* 116-117). En el *Rosario de sonetos líricos* se repite la misma idea varias veces, así como en *El Cristo de Velázquez* y en *Rimas de dentro,* donde se encuentra, por ejemplo, el poema ya citado sobre ese sueño del niño que es "la más alta verdad" en que se descubre la

"Su maravilla era la voz, una voz divina, que hacía llorar" (nótese que, como hemos indicado ya en el Cap. IV, y como veremos en nuestro Cap. VIII, lo divino hace llorar; pero, como se deduce de la tesis de *San Manuel,* no es éste un llanto de tristeza y desesperación, como no lo es de alegría: está más allá de estas dos emociones humanas, en la revelación misma de lo divino).

[50] Los verbos *cunar* y *brizar* (así como *acunar* y *brezar)* aparecen por toda la obra de Unamuno y no vale la pena hacer un recuento exhaustivo. Daré aquí, simplemente, algunas referencias que tengo a mano y que indiquen la persistencia de este vocabulario a lo largo de los años: en *Poesías,* cf. pp. 78, 137, 154; en *El Cristo de Velázquez,* entre muchísimos casos, cf. p. 133; en *Teresa,* cf. pp. 77 y 82; en el *Romancero del destierro,* cf., por ejemplo, p. 36; y en el *Cancionero,* entre los casi cientos de ejemplos, cf. pp. 147, 227 y 449.

"hermandad del universo todo". En el *Cancionero* el tema es ya casi obsesivo: ahí, precisamente, encontramos un momento en que el hombre racional, el agonista, se rebela contra la nebulosidad y el sinsentido lógico del canto materno y exige el conocimiento de su "letra". Exclama el hombre angustiado:

—¿Qué dice el cantar, mi madre, qué dice el cantar aquél?

A lo que, desde su sueño, atrayéndole hacia el seno de la inconsciencia, la madre contesta:

—No dice, hijo mío, reza palabras de miel;
reza palabras de ensueño que nada dicen sin él *(C.,* p. 22)

Con lo que se abre la vía para desnacer hacia el mundo en que no existe la agonía de los "rotulitos" que encienden las luchas temporales.

Es interesante que sea en *Teresa,* largo poema en el cual se narra la historia de un amor que pretende salvarse de la muerte en la inconsciencia, donde encontramos la concentración más ceñida de todos estos símbolos, conceptos y metáforas que han venido ocupando nuestra atención. De una de las varias explicaciones en prosa que acompañan a los poemas leamos lo siguiente:

> En mi vida podré olvidar la escena que presencié el día de San Bernardo, de hace dos años, de 1921... en la iglesia de la Trapa de Dueñas... Cantaban los trapenses gimiendo y llorando... El canto, el lloroso gemido más bien, de los trapenses, henchía el templo y se alzaba como para dar más vuelos a la Virgen. Era a la vez un canto de cuna, un canto de brizamiento para el sueño de la vida eterna que sentían aquellos hombres. Era como si desearan aniñarse, remontar el curso de la vida hacia su fuente, volver a la niñez y desnacer, entrando en el vientre de la Virgen Madre para dormir en él, y en la paz de la inconciencia, la eternidad... Y entonces comprendí todo el poético sentido que encierra la expresión *des-nacer* aplicada al morir... *(T.,* 160).

Es muy posible que entonces —1923— lo comprendiera plenamente por primera vez;[51] pero ya hemos visto que en el Una-

[51] Por lo que se refiere concretamente a esta idea del *desnacer,* nos parece que Unamuno ya la andaba rondando, aunque no dedujera entonces todas sus consecuencias, en *Nicodemo el fariseo* (1899), donde, según hemos visto *supra,* p. 79, Nicodemo le pregunta a Cristo: "¿Cómo puede nacer el hombre siendo viejo? ¿Es que puede volver a entrar en el vientre de su madre y nacer?" *(OC.,* IV, 21).

muno contemplativo la idea recorre y penetra toda su obra, toda su vida.

Y no insistamos: queda de sobra claro que las expresiones *claustro materno, regazo, sueño de dormir, canto de cuna sin letra, brizar, desnacer, perderse,* y otras que hasta aquí hemos venido recogiendo, son metáforas y conceptos que, así los emplee Unamuno en forma positiva o negativa, encierran una tendencia suya, una dimensión de su personalidad, que no comprenderemos jamás si sólo vemos en él al agonista para quien el mayor horror se encontraba en la sola idea de la posible pérdida de su conciencia.

VI

LA NATURALEZA

> He nacido y me he criado en una villa de no mucho vecindario. . . y puedo asegurar que en la incubación de mi espíritu, tanto o más que cuanto allá pude leer o aprender del trato con mis amigos, entraron mis frecuentes paseos por aquellos contornos, mis subidas a Archanda o al Pagazarri o aquellos internamientos en la espesura de Buya, entre las robustas y sosegadas hayas (*OC.,* III, 329).

No exagera aquí Unamuno: si desde niño es fundamental la vida hogareña para el desarrollo de la manera de ser y de las formas de su pensamiento que aquí venimos estudiando, si la presencia de la madre y de la esposa son realidades de su vida que llegan a alcanzar valor simbólico innegable, es en la contemplación de la naturaleza, entregado a su armonía, donde se "incuba" y llega a su más honda plenitud el espíritu de aquel "niño calladito" y joven melancólico que fue en sus años bilbaínos. La sola insistencia en describir la naturaleza en sí y en su relación con el hombre, tanto en sus novelas y cuentos como en sus ensayos y poesía, desde antes de 1895 hasta sus últimos años, bastaría para comprobarlo: es la naturaleza para Unamuno, como hemos visto al comentar *Paz en la guerra* y veremos aún, el símbolo más puro de la continuidad y paz de lo eterno.

Pero los datos autobiográficos que tenemos sobre los orígenes de su comunión con la naturaleza son, por lo general, externos: descripciones las más veces frías y algo superficiales de cómo de niño y de joven iba en Bilbao a los Caños, a los prados que bordeaban la Ría, a la huerta de algún caserío vecino, o al monte.[1] La prueba más íntima de la importancia que tuvo la naturaleza en la incubación del espíritu de Unamuno debemos buscarla, pues, no sólo en las afirmaciones que, aquí y allá en sus ensayos, hace sobre su niñez y mocedad, sino, además, en

[1] Cf. *supra,* Cap. III, p. 103.

sus creaciones literarias, muy especialmente en *Paz en la guerra,* novela en que revive el mundo de su infancia y, en todos sentidos, obra básica para la comprensión de su tendencia contemplativa. Como ya hemos indicado,[2] en esta novela intrahistórica y plenamente subjetiva que cuenta las vidas grises de algunos hombres y mujeres *naturales,* es la naturaleza el elemento fundamental a cuyo contacto "incuba" el espíritu de cada personaje y del pueblo todo que, como la naturaleza misma, vive por debajo de la Historia. Y no sólo es que los personajes de *Paz en la guerra* vivan plenamente compenetrados con la naturaleza —y veremos, sean ellos mismos naturaleza—,[3] sino que toda revelación decisiva,[4] todo momento culminante de la novela, se resuelve frente al paisaje[5] en forma de divagaciones poético-metafísicas sobre su significado oculto, hasta el grado de que las situaciones dramáticas y trágicas se diluyen y desaparecen[6] en esas divagaciones que, sea quien sea el personaje (Ignacio o Pachico, Pedro Antonio o todo un cuerpo de ejército carlista), son siempre iguales a sí mismas, como corresponde a las vidas de unos hombres y mujeres todos iguales entre sí en su aleja-

[2] Cf. *supra,* p. 76.

[3] Más detalles sobre esta idea y sus consecuencias en el apartado 2 de este mismo capítulo.

[4] Y, en verdad, la novela la componen una serie de *revelaciones* con las que los personajes encuentran su sitio en el mundo.

[5] Tres momentos importantes de la novela se resuelven no ya en la contemplación de un paisaje, sino en la meditación difusa en el interior de una iglesia: cf. los rezos de Josefa Ignacia por tener un hijo *(OC.,* II, 21), cuando Josefa Ignacia reza para consolarse por la muerte de Ignacio y encuentra el consuelo y la resignación que dan sentido a todo lo ocurrido en la Historia *(ibid.,* 309-310) y, también, los rezos de Pedro Antonio, con los cuales pretende superar el dolor provocado por la muerte de su hijo y de su esposa: en la iglesia, como en sus divagaciones frente al paisaje, encuentra la serenidad y el sentido último de la realidad vivida *(ibid.,* 311-312). Para la importancia que tiene en el ambiente de las iglesias la *luz difusa,* cf. nuestro Cap. VIII.

[6] Fundamental es que así sea para la "tesis" de la novela: el dolor provocado por los acontecimientos de la Historia se diluye en el fondo de la eternidad en que se funden todos los contrarios, Vida y Muerte, dolor y alegría. Todo lo histórico acaba por sedimentarse en el transcurrir quieto que es la eternidad de la vida intrahistórica. Como lo intrahistórico, según dice bien Meyer *(op. cit.,* 35-36), es en efecto lo "indeterminado" (y veremos más adelante de qué manera es esto así), en su profundidad pierden sus perfiles las realidades aparentes todas, guerras o dolores concretos. Es necesario tener aquí en cuenta la importancia que Unamuno asignaba a ciertos verbos como "diluirse", "derretirse", etc., y a ciertos conceptos como el de "difusa luz" y el "nimbo", de los que hablaremos en nuestro Cap. VIII.

miento de la historia.[7] Difícil será encontrar otra novela "realista histórica" española en que el paisaje y la actitud contemplativa de los personajes ante él desempeñe un papel más importante y homogéneo. Y es que *Paz en la guerra* no es una novela *histórica;* no una novela realista, sino impresionista, lírica, totalmente subjetiva; una novela en la cual vierte Unamuno lo mejor del espíritu de esa niñez y mocedad[8] que *incubó* y siguió soñando en la contemplación de la naturaleza y de los que viven en el seno de ella, los hombres y mujeres *naturales* del campo vascongado.

Si damos a *Paz en la guerra* este valor de autobiografía espiritual en el que ya hemos insistido, no podemos menos que aceptar la verdad de la afirmación de Unamuno que encabeza estas páginas; debemos aceptar que, en efecto, "aquellos paisajes... fueron la primera leche de nuestra alma", y que "aquellas montañas, valles o llanuras en que se amamantó nuestro espíritu cuando aún no hablaba, todo eso nos acompaña hasta la muerte y forma como el meollo, el tuétano de los huesos del alma misma" *(OC.,* I, 546), como las "ideas madres", ayudando a conformarlas. En su infancia y juventud, el campo, los bosques de hayas y los montes frente al mar, ayudan a conformar el espíritu de Unamuno como el de sus personajes de *Paz en la guerra;* en su madurez, el recuerdo ayuda a recrear el espíritu de aquella infancia.

Pero además, todos sabemos que la convivencia de Unamuno con la naturaleza no se expresa sólo en *Paz en la guerra* y no termina con su entrada en la madurez y su ida a Castilla: lo que nace en el País Vasco continúa latiendo en el fondo de su vida castellana. No sólo porque la naturaleza descubierta en los primeros años "nos acompaña hasta la muerte", sino porque, según sabemos, salía Unamuno constantemente de su doble guerra —consigo mismo y con España— a la paz eterna que, veremos, simbolizaba para él la naturaleza, para irse de ella "nutriendo" en su retiro *(OC.,* I, 543) o para encontrar un eco de su infancia tendida hacia los absolutos de la contemplación sin guerra. "¡Oh felices días! ¿Dónde volveremos a encontrarnos sino en el nativo campo?" *(OC.,* I, 551), preguntaba en 1911. Quien dice "nativo campo" dice naturaleza en general. Y, juntando pasado y presente, exclama en otro lugar:

[7] Son todos iguales entre sí (indeterminados), precisamente, como veremos, porque son todos Naturaleza.

[8] Así lo dice él mismo, Prólogo a la segunda edición *(OC.,* II, 15).

> Yo *vivo,* más que nada, de la enorme provisión de montaña que *hice* en mi país de los veinte a los veintiséis años sobre todo; llevo el alma vestida de hayas, robles, castaños y nogales y tapizada de árgoma, helecho y brezo. *Mañana* a estas horas *estaré* bajo una encina... *(E.,* II, LIV).

Bosques de hayas de Bilbao o encinares de Castilla, la naturaleza en que *incubó* el espíritu de Unamuno sigue viviendo en él como elemento sustancial de la continuidad de su ser contemplativo. Por algo en su famoso ensayo *¡Adentro!* aconsejaba: "chapúzate en Naturaleza" *(OC.,* III, 215) y, en otro lugar, decía que "para renovarse hay que acudir a la luz de la naturaleza, no de la historia" *(OC.,* V, 166), porque, en perfecto acuerdo con la tesis de *Paz en la guerra, naturaleza,* según veremos, se opone a *Historia,* a todo lo que signifique conciencia temporal.

En efecto, el Unamuno que venimos estudiando no existiría tal vez —a pesar de la importancia que para él tenían el hogar y el recuerdo del regazo de la madre— sin la íntima experiencia infantil y juvenil del paisaje, renovada constantemente a lo largo de su vida. Y es en su relación con la naturaleza donde vamos a encontrar su mejor y más continuada expresión. Será la naturaleza el catalizador que saca a flote sus más vagorosas honduras contemplativas y produce en su espíritu, más libres, más puros —de manera, quizá, menos "patológica"—, más hondos, los mismos estados del alma, la misma paz espiritual, la misma tendencia a "fundirse" con el Universo que, según hemos visto, le producía el recuerdo del regazo de la madre.

Antes de entrar en detalle, digamos solamente que son varios los tipos de paisaje a que acudirá Unamuno en busca de, como él decía, sus otros "yos" *(OC.,* I, 538): en alguna parte indica que "el genuino paisaje es de pequeños rincones" *(ibid.,* 739);[9] en otro lugar, tras encendido elogio de la montaña, dice: "Hermosa, hermosísima, sublime, la montaña, pero dígame amigo, y la llanada ¿no es toda ella cima?" *(ibid.,* 515). Montaña y llanura que, con su "única nota" "solemne y llena como la de un órgano", prefiere Unamuno muchas veces a la "sonata de flauta" del rincón de campo verde *(ibid.,* 511). Pero, en un poema,

[9] En otra parte habla de un "dulce valle" vasco "donde siendo casi un niño lloré las primeras lágrimas de congoja impersonal", "místicas lágrimas" *(OC.,* I, 775). Se trata, digamos de pasada, del mismo llanto que ya hemos comentado y que aún veremos. Aquí nos dice que era un llanto de *congoja;* podría ser de alegría ante la revelación de la eternidad (como veremos algún caso). Lo importante es que se trata de un llanto *impersonal,* es decir, no ligado a los dolores del Tiempo.

sueña con casar estos dos aspectos –el vasco y el castellano– de la naturaleza:

> Es Vizcaya en Castilla mi consuelo
> y añoro en mi Vizcaya mi Castilla.
> ¡Oh, si el verdor casara de mi suelo
> y el mar que canta en su riscosa orilla
> con el redondo páramo en que el cielo
> ante un sol se abre que desnudo brilla! *(RSL.,* 55).

Naturaleza en su conjunto y variedad –campo, monte y, según veremos, mar– atrae siempre al espíritu contemplativo de Unamuno.

1. Soledad y silencio de la naturaleza

Decir campo, llanura o monte es para Unamuno, ante todo, decir soledad y silencio, alejamiento del ruido de la historia. La "monotonía" de la naturaleza es el "seno del silencio" *(OC.,* I, 536), la más pura soledad en la que se refugia el hombre cansado de la guerra. Es en esta soledad donde, como a Sénancour,[10] como a su Pachico, parece dársele a Unamuno con más limpieza la revelación de la inmutabilidad y eternidad de todas las cosas. En un artículo de *Andanzas y visiones españolas* acerca de la Peña de Francia nos dice que "es de silencio sobre todo de lo que allí se goza" *(OC.,* I, 606); y al principio de otro artículo del mismo libro leemos lo siguiente:

> Unos días en la cumbre silenciosa, en el santuario de Nuestra Señora de la Peña de Francia, teniendo a un lado, al norte, la llanada de Salamanca, como un mar de cálidos matices sembrados de islas de verduras, los manchones de los encinares, y de otro lado, al sur, las abruptas sierras de las Hurdes, y detrás la sábana de Extremadura. Y al pie los pueblecillos de la Sierra de Francia, agazapados entre castañares, enviando su vida recogida. Y allá arriba, en la soledad de la cumbre, entre los enhiestos y duros peñascos, un silencio divino, un silencio recreador. Silencio sobre todo *(OC.,* I, 536).

Silencio sobre todo, en la soledad de la cumbre. Bien ha querido el intelecto, ajeno al silencio mismo, entrometerse en la pura contemplación adjetivándolo al final del párrafo: "silen-

[10] Cf. Meyer, *op. cit.,* pp. 119-121. Con lo que ahí cita Meyer de Sénancour no puede ni dudarse de su influencia en Unamuno, sobre todo por lo que se refiere a su manera de sentir la Naturaleza.

cio divino", "silencio recreador"; pero con la última frase, "silencio sobre todo", vuelve Unamuno a la sencilla pasividad en que, calladamente, se enumera lo que aparece ante los ojos: *al norte, al sur, al pie*... Para el Unamuno capaz de estarse "horas y más horas bebiendo el encanto" de la naturaleza *(OC.,* I, 512), la pasividad contemplativa impide todo lo que no sea nombrar sin voz con los ojos que recorren el paisaje. A tal grado llega su manera pasiva de "beber" en silencio el espectáculo natural, que a la hora de transcribir al papel sus impresiones la enumeración se hace sin la ayuda de verbo alguno principal, en puras oraciones nominales de las cuales, lógicamente, está ausente toda acción. El activismo agónico de Unamuno y su expresión violenta y retorcida desaparecen en el sencillo y ordenado enumerar silencioso del solitario; y vemos en su forma más elemental —y tal vez más pura, más vacía de significados y, por lo tanto, de posibilidades de guerra— al Unamuno contemplativo.

Es tan importante en Unamuno este goce del silencio, este placer que siente en retirarse periódicamente del mundo de la guerra al de la soledad de la contemplación pasiva, que llega incluso, a veces, a poner en entredicho toda su vida ajena al "silencio de la cima":

> Allí, a solas con la montaña, volvía mi vista espiritual de las cumbres de aquéllas a las cumbres de mi alma y de las llanuras a nuestros pies a las llanuras de mi espíritu. Y era forzosamente un examen de conciencia... ¿Por qué no había yo de callar una temporada, una larga temporada? ¿Por qué no había de interrumpir mi comunicación con el público hasta que un largo, muy largo silencio me retemplara...? ¿Por qué este hablar —o escribir, que es lo mismo— continuo y precipitado? *(OC.,* I, 537-538).

He aquí, en alternancia con el agonista, un Unamuno dispuesto a abandonar, en el silencio, la propagación de su leyenda. Y no, como podría quizás creerse, para volver con más fuerza a ella, no para salir del silencio con mayor ruido, sino para encontrarse en él como era antes de su agonía y, aún durante su agonía, por debajo de ella:

> Recogerse una temporada, sí, y callar, callar, envolviéndose como en mortaja de resurrección en el silencio, pero no por mezquinos móviles de defensa y ataque, no, sino a busca de alguno de nuestros otros yos, de alguno de aquellos que he ido dejando en las encrucijadas del camino de la vida *(ibid.,* 538).

No es este silencio para el ruido (como se suele hablar erradamente, según hemos indicado en el Cap. II, de paz *para* la guerra), sino silencio en sí y para sí, mundo al que se entrega sin reservas el Unamuno que tendía a alejarse de la Historia en busca de lo eterno.[11] Soledad y silencio de la naturaleza: primer regusto de la eternidad.

2. La naturaleza "inmoble"; la eternidad revelada en el paisaje

> "Visiones que están fuera del tiempo" *(OC.,* I, 409).
> "Le mece ensueño eterno al poeta" *(C.,* p. 300).

Silencio y quietud van juntos; naturaleza silenciosa y naturaleza inmóvil son lo mismo para el Unamuno pasivo, quieto, que en *Paz en la guerra* nos habla del "monte tan sereno, tan inmutable y tan silencioso" *(OC.,* II, 111). Cada vez que, lejos de la Historia, contempla Unamuno la Naturaleza, todo le parece a su espíritu detenerse en una especie de visión de eternidad presente. Así, por ejemplo, cuando en algunos de aquellos paseos en que iba en busca de sus otros *yos* contempla los "solemnes encinares, henchidos de reposo" *(OC.,* I, 501) que tanto le deleitaban y que, a distancia, desde una altura, son como un mar inmóvil que

[11] Entrega que coincide a perfección no sólo con lo que ya hemos visto referente al "musical silencio" y a la "música sin letra", sino con su romántica teoría de la comunión en el silencio. Esta teoría la podemos resumir en dos puntos:

1) La imposibilidad de "comunión de dos almas cuando las rodea el eco del mar humano" *(OC.,* I, 537), es decir, la Historia;

y el hecho de que

2) "Los hombres sólo se sienten de veras hermanos cuando se oyen unos a otros en el silencio de las cosas a través de la soledad" *(OC.,* III, "Soledad").

El lector interesado en ver este concepto tratado de manera viva puede acudir a las páginas del ensayo-cuento "Intelectualidad y espiritualidad" *(OC.,* III), donde, apropiándose con gran sensibilidad del concepto romántico de "espíritu", cuenta Unamuno cómo se comunicaban en silencio el alma de un hombre con la de la naturaleza y la de otra persona. En sus artículos sobre la Peña de Francia *(OC.,* I, 536 y sigs. y 606 y sigs.) viene a decir lo mismo. Cf. también nuestro *Unamuno, teórico del lenguaje,* pp. 96-102 y p. 109, nota 39.

> Aguarda el día del supremo abrazo
> con un respiro poderoso y quieto *(P.,* 28).

Así cuando contempla en la lejanía a Salamanca ("remanso de quietud") como parte de un paisaje todo inmoble:

> La ciudad en el cielo pintada
> con luz inmoble;
> inmoble se halla todo,
> en el agua inmoble,
> inmóviles los álamos,
> quietas las torres en el cielo quieto *(P.,* 52-53).

En la soledad del silencio todo paisaje contemplado a lo lejos aparece inmutable para este Unamuno buscador de absolutos sin Historia. No sólo está quieto el mar de encinas en la distancia, sino que el follaje mismo de cada encina es, como los edificios de Salamanca, "inmoble": "El follaje de estas pardas encinas de Castilla, de estos árboles solemnes... es inmoble al viento... y denso, inmoble y perenne es también el follaje de estos viejos monumentos salmantinos" *(OC.,* I, 543-544). Ya en verso, le dice a Salamanca:

> Miras a un lado, allende el Tormes lento,
> de las encinas el follaje pardo
> cual el follaje de tu piedra, inmoble,
> denso y perenne *(P.,* 29).

En otro poema ha hablado de los "mansos montes" y del "viento inmoble" (García Blanco, *op. cit.,* 405-406). *Inmoble* luz, *inmoble* viento, *lento* río, llanura *inmoble, inmobles* piedras: "Y sube de la tierra una gran serenidad a juntarse con la serenidad grandísima que baja del cielo" *(OC.,* I, 557). Todo paisaje absorbido en soledad y silencio es para Unamuno una "visión" que está "fuera del tiempo" *(OC.,* I, 409), una "visión" que guía su espíritu, envuelto ya en "serenidad", hacia la idea de lo eterno.

En efecto, la naturaleza inmóvil le revela a Unamuno "que hay otro mundo por dentro del que vemos, un mundo... todo cielo" *(P.,* 155).[12] Es éste el mundo de lo eterno, del "alma de

[12] Revelación contraria, pues, ésta, a la que Sánchez Barbudo propone como única de los silencios de Unamuno (Cf. *Ínsula,* art. cit.): *Detrás* de lo aparente, sí hay algo en este caso: nada menos que un mundo todo cielo. Claro que no debemos perder nunca de vista la faceta contraria de estas

las cosas" que en la soledad y silencio de la cima, frente al mar, se le había ya revelado a Pachico en *Paz en la guerra:*

> Lo he sentido, lo he sentido así en la cima de la Peña de Francia, en el reino del silencio; he sentido la inmovilidad en medio de las mudanzas, la eternidad debajo del tiempo, he tocado el fondo del mar de la vida *(OC.,* I, 542).

Por debajo del tiempo, dentro de él: lejos de las "tormentas de la Historia" *(P.,* 26). De ahí que Unamuno se deleite en hablar de "un rincón junto al convento e iglesia de las Úrsulas, entre los álamos, que allá en la primavera... nos da la sensación de que el tiempo se detiene y remansa en la eternidad" *(OC.,* I, 632); o de un Mediterráneo que "cuaja, mística y aun misteriosamente, en una visión de quietud y plenitud..., atalaya de la eternidad", momento contemplativo éste en que "siempre es ahora", "una eternidad parada" *(CI.,* 110-112); o de Ledesma, en donde, un cierto día, pasó "horas enteras de duración pura, horas de eternidad y de silencio" *(OC.,* I, 428);[13] o de una tarde "en que desde uno de los torreones de las murallas de Ávila contemplaba la catedral y la basílica de San Vicente, y... sentía entonces henchida mi alma de aliento de eternidad; de jugo permanente de la Historia" *(ibid,* 425). En efecto, para este contemplativo, en la naturaleza (o en los viejos edificios) "el tiempo se recoge" y "desarrolla lo eterno sus en-

intuiciones de Unamuno; he aquí un ejemplo: "¿No te has asomado nunca, lector amigo, a la sima del eterno mañana, del mañana que es mañana siempre? ¿No has tocado con la cantera de tu ánimo en el fondo inmóvil del tiempo, en el lecho sobre que va la corriente? ¿No has probado el sabor del tiempo vacío?" *(OC.,* V, 831). Lo que debemos tener siempre presente a lo largo de este libro es que la realidad que Unamuno descubre desde su ser contemplativo puede tener, de manera alternante, dos contrarios "sabores": de vacío o de plenitud. Estos sabores, como veremos en nuestro Epílogo, corresponden a un nombrar racional, no al hecho propio de la tendencia y de la entrega a lo ajeno a sí mismo. Este hecho es lo único que aquí nos interesa.

[13] Escribe Unamuno lo de la *duración* interior, precisamente después de haber citado a Bergson unas páginas antes *(ibid.,* 165). Este ensayo es de 1909 y debemos por tanto ver en estas palabras, no la influencia directa de Bergson, sino cómo el pensamiento de Bergson le ayuda a conformar, comprobar y creer de la manera más positiva ciertas realidades que, como venimos viendo, él ya había intuido desde antes de 1895, desde que empezó a pensar en la concepción de *Paz en la guerra.* Bergson viene a ser así, para su ideal contemplativo, un *hermano,* como lo fue Kierkegaard con respecto a su agonía. Los dos significan, en los polos contrarios de su pensamiento, la objetivación de intuiciones propias.

trañas" *(P., 53)*. Frente al paisaje, "oscuros pensamientos de eternidad parecen brotar de la tierra" *(OC., I, 718)*, nos dice. Leyendo la prosa de paisajes de Unamuno o su poesía, tal parece, como indica él mismo en un prólogo, que "lo eterno es acaso del orden natural...", que "en la naturaleza no hay actualidad" *(RD., 7)*.

La paradoja de los ríos. Heráclito al revés

De tal manera es dominante en Unamuno su fijación por lo "inmoble" de la naturaleza, que hasta en los ríos cuyo indiscutible fluir contempla descubre la quietud: le hemos ya oído hablar del "Tormes lento"[14] y, extremando la imagen, de su "agua inmoble". En otro lugar habla del "fluido cimiento" que es el mismo Tormes *(P., 52)*: *fluido,* sí, porque es inevitable reconocer que el río corre, pero *cimiento,* lo inmutable eterno. Y es que para el Unamuno que busca la quietud bajo todo movimiento los ríos significan, precisamente, la posibilidad de sentir y comprender la "inmovilidad en medio de las mudanzas": a lo largo de toda su obra los ríos simbolizan la armonía de los contrarios –que tanto angustian al agonista– tiempo y eternidad, cambio y permanencia, y, en última instancia, simbolizan su constante busca de lo eterno absoluto y quieto por oposición al vivir plenamente entregado a lo temporal que predica cuando pone su conciencia "al potro".[15]

[14] Aparte del poema citado arriba, cf. también "Al Tormes", *RSL.*, 74-75.

[15] Digamos en seguida, para no volver ya a ello, que, en su sentido más elemental y tradicional, los ríos significan también para Unamuno el correr de la vida hacia la muerte. Haciéndose claro eco de Manrique (y en un tono no poco machadiano) dice, por ejemplo: "los ríos a la mar... es la costumbre/ y con ella pasamos" *(RD., 37)*; y también: "Un hilo de agua es camino" *(C., p. 20)*; otro poema termina así: "Ya sé quién fui... ya despierto/ ¡Tarde es para despertar!/ Sólo una cosa hay de cierto,/ los ríos van a la mar..." *(C., p. 166)* (Digamos entre paréntesis: veremos en este mismo Cap. que en el pasar de los ríos hay también *otra* cosa de cierto: que *su pasar es su quedar)*. Tan insistente es el tema, que Unamuno llega hasta el extremo de representar su biografía en términos de los ríos junto a los cuales vivió sus momentos más importantes: Bilbao=Nervión, Salamanca=Tormes, Hendaya=Bidasoa:

> Nervión, Tormes, Bidasoa,
> venas de sangre de Peña
> donde mi nave la proa
> puso a la mar con que sueña... *(C., p. 240)*.

Uno de los ensayos más característicos del Unamuno no agonista, *El perfecto pescador de caña* (1906), ya comentado en términos generales en nuestro capítulo II, empieza como una simple glosa al libro en que Walton describe los secretos goces espirituales que encierra un tranquilo día de pesca en el río y deriva, imperceptiblemente, hacia una refutación del pensamiento de Heráclito que tanto obsesionaba al Unamuno de la guerra. Tras el elogio del estilo de Walton, confiesa en seguida Unamuno no haber sido nunca pescador: ello le obliga a comentar muy brevemente los aspectos técnicos del arte de la pesca en que tanto se detiene Walton, y a la vez le permite improvisar sobre el meollo de *The Compleat Angler,* que es, naturalmente, una idea muy cara para el autor de *Paz en la guerra:* el íntimo deleite, la paz, la mansedumbre que, en primavera o en verano, siente el hombre contemplativo al sentarse junto a un río de tranquilo curso, o al pasear a lo largo de sus márgenes, lejos del ruido de la Historia. Pero, profesor de griego al fin, y filósofo preocupado por el paso del hombre en el Tiempo hacia su muerte, no tarda Unamuno en llegar a la meditación clásica sobre el fluir de los ríos que, desde el principio, esperaba el lector conocedor de sus preocupaciones: a las pocas páginas, en una de esas tangentes peculiares de este tipo de ensayo "a lo que salga", aparece el recuerdo de Heráclito y leemos lo siguiente:

> "No bañas dos veces tu pie en las mismas aguas al entrarlo en un río", dijo Heráclito, y en esas aguas, sin embargo, siempre distintas y la misma agua siempre, en esas aguas se reflejan temblorosos los álamos marginales, fijos al terruño en que nacieron *(OC.,* III, 517).

Esta primera mención de Heráclito en un ensayo dedicado a describir la importancia de los ríos en la vida del hombre nos da ya la pauta de cómo se plantea el problema de la inmutabilidad, de la eternidad y el tiempo el Unamuno contemplativo a quien, desde niño, y en su obra, desde *Paz en la guerra* y *En torno al casticismo,* el mundo se le revela quieto y eterno por debajo de sus mudanzas. Como en estas dos obras, acepta Unamuno aquí la indiscutible verdad de que el tiempo y la historia, al igual que los ríos, *pasan* con su ruido y estruendo, pero, como en *Paz en la guerra* y *En torno al casticismo,* fija su atención en la quietud que, según su teoría de la intrahistoria, sustenta todo movimiento. Sólo que aquí afirma su pensamiento con mucha mayor timidez, con mucha menos fuerza: frente a la verdad irrefutable de la observación de Heráclito, indica, simplemente, que aunque el río fluye se reflejan en él, *como si estuviese quieto,* "temblorosos" los árboles milenarios.[16] A una verdad indiscutible opone, pues, otra verdad también indiscutible (que el río *parece* espejo; que los árboles se reflejan en él siempre), pero escamotea la terrible realidad del paso del tiempo hacia la muerte; de ahí su falta de fuerza en la afirmación al enfrentarse concretamente a la observación de Heráclito.

Sin embargo, el primer paso imaginativo está ya dado en este ensayo para que de ahí, sacando fuerzas de su pensamiento de contemplativo ya desarrollado en sus primeras obras, pueda Unamuno acabar por oponerse plenamente a Heráclito: casi a continuación leemos:

> Tendido junto a un río, dejándose adormecer por las aguas, se llega a algo que es como paladear la vida misma, la vida desnuda; se llega a un gozar de rítmicas palpitaciones de las entrañas, del incesante fluir del río de sangre en nuestras venas. Mientras descansa la inteligencia adormecida sentimos el nutrido concierto de las energías de nuestro organismo, y entonces es cuando se percibe algo de lo que podríamos llamar la música del cuerpo, con tanta razón como los pitagóricos llamaban música de las esferas al concierto de los astros. La contemplación del quieto fluir del río nos lava de la sucia costra de los cotidianos afanes, y limpia y monda el alma, respira a sus anchas, por sus poros todos, la serenidad augusta de la Naturaleza. Libertados de la obsesión de la vida, gozamos de ésta como sus dueños *(OC.,* III, 518-519).

Frente a la verdad objetiva y racional del movimiento y el cambio afirma, pues, Unamuno, como años antes Pachico, la verdad subjetiva de esos momentos en que el curso de la vida parece detenerse en plenitud participando en un punto inefable de la quietud y armonía de lo eterno. Verdad subjetiva, nacida de la voluntad inconsciente de absolutos de su ser contemplativo, a la que Unamuno, como los místicos, llega por *via remotionis: dejándose adormecer, desnudándose* de la vida agónica. Como en *Paz en la guerra,* se funden el fuera y el dentro del hombre (fluir del río, fluir de la sangre), *y entonces, adormecida la inteligencia,* enajenado ya el contemplativo *—lavado* de sí mismo: de su historia e intelecto, de su conciencia—,

[16] Cf., en *Poesías,* "Hermosura": estos mismos árboles son los que en el poema llama "eternos".

se revelan con serenidad augusta la unidad, la armonía y la quietud sustancial del Universo. Y, como a Pachico, le queda a Unamuno el espíritu abierto —limpio, a sus anchas— para resolver en paradoja mística la paradoja heraclitea que, cuando el hombre tiene la conciencia despierta, le encierra en la guerra, en toda su limitación temporal: el fluir del río es ya, resueltamente, un *quieto fluir*.

De aquí en adelante, le queda ya abierto a Unamuno el camino para oponerse radicalmente a Heráclito:

> Fluye la líquida masa tan compacta y unida que semeja titilante cristal inmóvil. Contemplándola discurrir así, apréndese la quietud que sustenta el curso de la vida, por agitado que éste sea, y el solemne reposo que del concierto de las carreras de todos los seres surge *(OC.,* III, 517).

La revelación subjetiva ha escamoteado ya, firmemente, la verdad objetiva y racional de Heráclito, ineludible quizá para la conciencia: del fluir del río, que *semeja* "cristal inmóvil", *"apréndese* la quietud que sustenta el curso de la vida". Guiado por su instinto contemplativo y por la imaginación poética, da Unamuno, como su Pachico, el salto racionalmente imposible, el salto con que escapa del Tiempo a la plenitud de lo eterno: bajo el movimiento, la quietud; bajo la guerra, el concierto. La revelación subjetiva es ya lección objetiva.

Y de aquí en adelante se permite Unamuno en *El perfecto pescador de caña* jugar con el pensamiento de Heráclito que, al principio del ensayo, parecía entorpecer sus comentarios a las tranquilas meditaciones de Walton:

> . . . como a la par que nos sentimos arrastrados nos damos cuenta de nuestra quietud, sentimos la esencia del dicho aquel del pensador que más adentro buceó en las aguas de la razón humana, del más grande pescador de ideas, el que dijo: "Sólo es siempre estable la inestabilidad" *(ibid.,* 518).

La cita es exacta, pero la intención es completamente contraria a la del "pescador aquel": se aprovecha aquí Unamuno del pensamiento de Heráclito para interpretarlo al revés. Es simplemente una cuestión de enfoque (de temperamento agónico contra temperamento contemplativo): donde Heráclito nos advierte que lo que parece quieto —eso que *semeja* cristal inmóvil— se mueve, y que lo único verdaderamente "estable" —real— es la inestabilidad, el Unamuno contemplativo piensa que todo lo que se mueve está en el fondo —en realidad— quieto y que *hasta* la inestabilidad es estable. Entre las dos aparentes paradojas, entre las dos perspectivas, se abre el abismo de dos intenciones contrarias: Heráclito, como el Unamuno agonista, quería despertar al hombre (y en particular a los filósofos) al movimiento continuo y a la conciencia de la guerra; el Unamuno contemplativo que aquí venimos viendo huye de su ser de agonista para, como un nuevo Parménides, buscar, frente a Heráclito, la paz y el reposo último de todo lo que se mueve. Frente al despertar de la conciencia "encerrada", el dormir de la conciencia "a sus anchas". Mucho ha hablado Unamuno de Heráclito en toda su obra, y la "eterna doctrina" *(C.*, p. 168) del efesio late en el fondo de toda su teoría agónica: vemos que también la tiene en cuenta, para rechazarla, en su obra de contemplativo.

Porque para este Unamuno que no quiere vivir en la agonía de su propia limitación, sino en el sueño subjetivo-poético de las realidades absolutas, lo verdaderamente real es lo "inmoble"; es falso y aparente lo que se mueve: "El mundo en que todo fluye es el de las apariencias" *(OC.*, IV, 22), decía ya en *Nicodemo el fariseo* (1899). Esto mismo lo habían sentido antes Pachico y otros personajes de *Paz en la guerra,* y Unamuno mismo en *En torno al casticismo* y en los poemas citados arriba (todos de años distintos). Lo mismo viene a decir muchos años después en el Prólogo a sus *Tres novelas ejemplares* (1920).[17] Y lo mismo, veremos en seguida, dice a lo largo de toda su obra. Por ello, en otro ensayo en que entreteje esta idea antiheraclitea con la tradicional metáfora de Jorge Manrique, llega a decir que "cuanto se mueve hacia lo inmoble tiende" *(OC.*, I, 750).[18] Así como el Unamuno agonista necesita aumentar su desesperación en el movimiento, el Unamuno contemplativo entrega su fe de niño quieto a lo inmutable eterno.

> "¡Ay, ay, huideros, Póstumo, Póstumo, se escurren los años!", cantó Horacio. Y Lucano cantó: "¡Hasta las ruinas perecerán!". Pero es al contemplar las ruinas, en que muerden los siglos, cuando se nos antoja que los años, lejos de huir escurriéndose, quédanse y se fijan, pues nada como una ruina robusta da la sensación de permanencia *(OC.*, I, 1035),

[17] Cf. *OC.*, II, 981-984, y mi art. ya citado, "Interioridad..."

[18] En su sentido más negativo esto es, a veces, ir hacia la Nada. Leemos en el *Romancero del destierro* (p. 86): "∞ y 0/ ¡la fuente y la mar!" En su sentido más positivo ya vemos que lo "inmoble" es la eternidad plena y, veremos, hasta Dios mismo.

decía todavía en 1933. Ese *pero* —nacido de su manera interior de ser, de la contemplación de los ríos, de los montes y valles, de los edificios de Salamanca y, en este caso concreto, de las ruinas de Mérida— nos abre el abismo entre los dos Unamunos que don Miguel llevaba dentro de sí en alternancia: el que aceptaba la doctrina irrefutable de Heráclito y los lamentos de Horacio, de Lucano, de Quevedo, de su propia angustia temporal, y el que había sido un niño quieto, el buscador de regazos y de inconsciencia, el que entregaba gustoso su inteligencia agónica a la contemplación de la realidad poética de lo inmudable. "Inmudable es el mundo cuando muda", puede así responder directamente a Heráclito en un poema de 1927 (*RD.*, 89). Y, comentando el famoso soneto de Du Bellay y Quevedo, afirma en 1933: "Permanece y dura lo fugitivo, lo huidero; se queda lo que pasa". Lo que fluye como un río, "se asienta" (*OC.*, I, 1039).

A tantos años de distancia de *Paz en la guerra* y de *En torno al casticismo* persiste, pues, la misma idea aunque, aquí, como ya en *El perfecto pescador de caña* de 1906, vestida engañosamente de paradoja heraclitea con la que se pretende armonizar los contrarios que el dualismo de Unamuno no logró nunca, en rigor, fundir. Todo el esfuerzo de Occidente hacia la unidad de lo inmutable, toda la polémica de Parménides contra Heráclito, todo Platón y el cristianismo de las esencias eternas, se resumen en este escamoteo de Unamuno. No es extraño, pues, que parodiando a Spinoza escribiera en 1927 un poema titulado "Sub specie momenti" (*RD.*, 23): momento en que para el contemplativo enajenado, abierto sin límites a la armonía del Universo, se concentra el tiempo todo que pasa; momento, pues, *que no pasa;* punto en que palpita quieta la eternidad toda. En efecto, "le mece ensueño eterno al poeta" (*C.*, p. 300).

El mar y la quietud total

Apenas en verano o en algunos días de otoño, y ello sólo mirando bien a la distancia, se nos aparece quieto el Mar Cantábrico, el primer mar de Unamuno. Es ya historia y es leyenda el peligro de ese "mar verdoso del Norte, siempre agitado por inmensas olas, siempre fosco, murmurador y erizado de espuma".[19] Difícil era que Unamuno, nacido en Bilbao —no muy

[19] Pío Baroja, *Vidas sombrías,* Afrodisio Aguado, Madrid, 1955, p. 56.

lejos de Bermeo, pueblo pescador que más de una vez ha perdido su flota entera en unas horas de temporal de invierno— pudiese ver en el Cantábrico la calma y la quietud eternas que luego vería en la llanura castellana o en la Sierra de Gredos. En efecto, alguna vez nos ha hablado de "el mar del golfo de Vizcaya/ que una tragedia en cada ola encierra" *(RSL.,* 48) y lo ha llamado "mar bravío" *(P.,* 75) y "mar bramante" *(C.,* pp. 169, 257). Sin embargo, llevado de su afán de quietud, pocas son las veces que ante el mar o su recuerdo subraya Unamuno lo "bravío". Lo que en él había de contemplativo tendido hacia lo eterno, de buscador de interiores esencias inmutables, le hace ver, hasta en el mar, como en los ríos, la quietud en medio del movimiento. O mejor dicho: la inmutabilidad bajo el movimiento. "Sí, la mar tiene sus galernas", reconoce Unamuno en 1934, como acepta que el río fluye, "pero su fondo, sus honduras, siempre inmutables" *(OC.,* I, 1007). No es ésta, como pudiera tal vez creerse, una idea nacida de la contemplación del mar quieto de Fuerteventura en 1924.[20] Ya mucho

[20] Unamuno ha dejado dicho que *descubrió* la mar en Fuerteventura, en 1924, "y eso que nací y me crié muy cerca de ella" *(FP.,* 9). Es, desde luego, indudable que el último sentido místico de la "mar serena", del que hablaremos más adelante, y sobre el que tanto insiste Unamuno a partir de 1924, se le reveló a raíz de su estancia en Fuerteventura. Es indudable también que su mejor poesía marina la escribe a partir de aquellas horas de 1924 en que se dejaba llevar a la intuición de la eternidad frente al cálido y sereno mar de las Canarias. Hasta tal punto es importante en su obra (y en su vida) la experiencia del mar de Fuerteventura que, cuando después llega a París, lo que más echa de menos en la ciudad extraña es, junto con Gredos, la mar. Es importante que luego, en Hendaya, siga viendo el mar (el Cantábrico en este caso) con los ojos de sus largas horas de contemplación de Fuerteventura. Y desde 1924 hasta 1930 —desde Fuerteventura hasta el final de su exilio de Hendaya— son más numerosos que nunca sus poemas marinos. "Te has hecho ya, querida mar, costumbre", decía en Fuerteventura *(FP.,* 91); y luego, en Hendaya: "Cada día te descubro,/ mar nuestro de cada día" *(C.,* p. 29).

Pero quizá Unamuno mismo no se diera cuenta de la insistencia simbólica con que aparece el mar *(la* mar a veces, veremos) en sus obras anteriores al exilio; tal vez no se diera cuenta de que, desde mucho antes de 1924, era ya en él la mar "costumbre". No olvidemos, ante todo, que nació y se crió "muy cerca de ella" y que, de joven, gustaba de subir al monte y sentarse frente al mar, especialmente en verano, cuando el mar vasco puede parecerse más al de Fuerteventura. No olvidemos que, en parte, de esos paseos nació *Paz en la guerra,* cuyos personajes, como Unamuno mismo, gustan de contemplar el mar. No olvidemos, y esto es lo más importante, que, como indicamos aquí y tendremos oportunidad de ver en todo detalle en nuestro siguiente capítulo, al exponer su fundamental teoría de la intrahistoria en 1895, en *En torno al casticismo,* acudía ya a un concepto del mar como silencioso, quieto, eterno y continuo, para explicarse metafó-

antes, en 1895, había basado su teoría de la intrahistoria en la misma visión:

> Las olas de la Historia, con su rumor y su espuma que reverbera al sol, ruedan sobre su mar continuo, hondo, inmensamente más hondo que la capa que ondula sobre un mar silencioso y a cuyo último fondo nunca llega el sol... ; vida intrahistórica, silenciosa, y continua como el fondo mismo del mar... La Historia brota de la no Historia..., las olas son olas del mar quieto y eterno (*OC.*, III, 16).

Por los mismos años, en *Paz en la guerra,* escribía cómo a Pachico le gustaba "detenerse en sus correrías en un promontorio que dominaba el mar" para allí "sumirse" en "la visión de la inmensa llanura líquida" y llegar a la "intuición de la vida pura", "el extraño sentimiento de la inmovilización del fugitivo instante presente" (*OC.*, II, 273). Como en la contemplación del fluir del Tormes, la distancia y la altura aquietan todo movimiento, y así como le hemos visto darle la vuelta a la verdad irrefutable de Heráclito, Unamuno encuentra, hasta en el Cantábrico, la inmovilidad de lo eterno.

Este Unamuno buscador de instantes de quietud absoluta, el esencialista que quería —y no pocas veces lograba— desentenderse de lo fenoménico para entregarse a lo "numénico", era muy capaz de desentenderse de las olas del Cantábrico para ocuparse sólo del fondo quieto de donde esas olas nacen, porque "acaso la eternidad es la sustancia del tiempo, como el mar es la sustancia de las olas" (*OC.*, III, 969). Por ello, no es extraño que al hablar, por ejemplo, de Lord Byron y decir que el poeta inglés "sintió el mar como nadie", pase por alto aquello de "in Biscay's sleepless bay" (*Childe Harold,* Canto IV) para detenerse en los versos en que Byron subraya la quietud sustancial del movimiento:

ricamente. Y desde este libro, las alusiones al mar —siempre en el mismo sentido— y al agua en general, recorren toda su poesía y su prosa contemplativa, antes y después de 1924. Refiriéndose al País Vasco había dicho ya en 1907: "Tu hondo mar y tus montañas/ llevo yo en mí mismo" (*P.*, 75). Así es, en efecto. Y aunque es verdad que, en su último y más hondo sentido revelatorio, no *descubrió* Unamuno el mar hasta 1924, aunque con cierta justicia podía decir, lamentándose, en 1928, "¡Qué tarde nos amigamos, madre mar!" (*C.*, p. 70), es un hecho indiscutible, como veremos, que desde su infancia y desde sus primeras obras, sirviendo de fundamento metafórico a sus más importantes conceptos, el mar de que aquí venimos hablando lo llevaba ya Unamuno claramente intuido dentro de sí.

Unchangeable save to thy wild waves' play;
Time writes no wrinkle on thine azure brow (*OC.*, I, 514).

El tiempo no arruga la frente azul del mar porque el mar es lo eterno siempre igual a sí mismo: "siempre verde el mar, de lo divino/ nos es espejo", decía ya en *Poesías,* y a esta eternidad van los días, la Historia, rodando, para *quedar* en ella (*P.*, 27). Todo *queda* en el quieto mar eterno: "nada muere, todo baja del río del tiempo al mar de la eternidad y allí queda", dice, muchos años más tarde, en 1923, el personaje de uno de sus cuentos (*OC.*, V, 1024), como decía él mismo en un poema ("La cigarra": García Blanco, *op. cit.*, p. 369). El mar, su quietud interior, es lo eterno, y así como Dios sueña el mundo y la eternidad sueña el tiempo, las olas no pasan de ser el sueño del mar (*OC.*, III, 971): una vez más lo sustancial es lo nouménico y lo superficial sólo es fenómeno, accidente; como ya hemos visto, "el mundo en que todo fluye es el de las apariencias". El tiempo no arruga la frente azul del mar porque el tiempo todo, por dentro, está cuajado de eternidad.

Muchos años después de su primera intuición frente al mar, ya ante el quieto y cálido mar de Fuerteventura, escribe Unamuno los siguientes versos:

Horas dormidas de la mar serena;
se cierne el Tiempo en alas de la brisa;
cuaja en el cielo azul una sonrisa
y todo él de eternidad se llena (*FP.*, 100).

Las tormentas de la Historia, el Tiempo, son, otra vez, sólo brisa suspendida sobre el quieto mar eterno.

No nos sorprenda, pues, que Unamuno comparase siempre el mar con la llanura, "toda ella cima", insistiendo en que "la llanura, como el mar, es estática" (*OC.*, I, 705), idea ésta que recorre todo el libro de *Poesías* bien anterior a su ida a Fuerteventura; así como comparaba los encinares –esas "solemnes" encinas que, "como nada", nos dan "la impresión de perfectos monjes contemplativos" (*OC.*, V, 345)– con el mar, idea en que se basa, muy especialmente, su poema "El mar de encinas", que más adelante comentaremos. La Naturaleza toda –llanura y montes, encinares y mar– atrae siempre al Unamuno contemplativo, y la quietud que en ella descubre va insistentemente referida al mar que, como veremos, llega a adquirir valor de símbolo. Cuando, exiliado en París, en 1924, se encuentra rodeado por todas partes de tiempo histórico —"este París que está reventando historia"— llega la desesperación de Unamuno al máximo y, a la vez que va pensando *Cómo se hace una novela* y *La agonía del cristianismo,* exclama: aquí, en París, "ni montaña, ni desierto, ni mar, ni siquiera río! ¡Y por todas partes historia, historia! ["Historia, colmo de histeria", ha dicho en otra parte] ¡Y luego, almacenada en museos, arqueología! ... Y uno busca con los ojos del alma la cumbre del Almanzor, en Gredos; el páramo palentino, la mar que se ha olvidado de las carabelas de Colón". A lo que añade: "cierro los ojos para ver. Y allí está, allí está ... ", allí están, sí, guardadas en el fondo de su alma, donde de niño anidaran, las hayas, castaños y nogales y la Sierra de Gredos, y el Tormes, y el mar, "la mar eterna, la mar que vio nacer y verá morir la historia". La mar, quietud eterna, continuidad de vida verdadera sin tiempo *(OC.,* I, 905-908), símbolo último de lo que es para Unamuno la Naturaleza por oposición a la Historia.

La revelación de la Naturaleza aplicada a la Historia. Sobre el significado más extenso del concepto de intrahistoria

Volvamos mentalmente a las páginas de *En torno al casticismo,* ya citadas en nuestro capítulo II, en las que Unamuno desarrolla su teoría de la intrahistoria (cf. *supra,* pp. 49-50), y subrayemos algunas de las frases y palabras en que va tomando forma el concepto. Hemos leído, entre otras cosas, que la tradición eterna, la *intrahistoria,* es como el fondo de un "mar *silencioso";* que, inmersos en esa tradición *"silenciosa* y continua", "millones de *hombres sin Historia"* viven una "vida *silenciosa",* como *silenciosa* es la "humanidad" eterna de que forman parte. Ya para terminar esta fundamentación conceptual de su estudio, nos ha dicho Unamuno que "la Historia brota de la *no historia,* que las olas son olas del mar *quieto".* Algunos años después de *En torno al casticismo* (en "La crisis del patriotismo") vuelve Unamuno a la carga e insiste en que "debajo de esa historia de sucesos fugaces, historia bullanguera, hay otra profunda historia de hechos *permanentes",* "historia *silenciosa"* y *"lenta" (OC.,* III, 251). *Permanencia, lentitud, continuidad eterna* (y, en último extremo, lo veremos en detalle, *quietud)* van, pues, una vez más en el pensamiento de Unamuno, y desde el principio de su obra, referidos a su idea del *silencio,* cuando se trata de expresar su intuición de lo ajeno a la Historia al igual que cuando nos habla de la Naturaleza: no podemos menos que sospechar una relación íntima entre la idea que Unamuno tenía de la Naturaleza y su concepto de *intra-historia.* Esta sospecha se agudiza si recordamos que la metáfora en que se amplía y ahonda el concepto en las páginas de *En torno al casticismo* tiene su término de comparación único en una de las formas de la naturaleza, el agua principalmente; el agua en cuanto mar, de fondo silencioso y quieto, y, en parte, según su forma de río (que, aunque fluye –como el Tormes, por ejemplo–, es su fondo *sedimento* –o cimiento– eterno).

Hasta tal punto es, en efecto, esencial la relación entre la idea de la Naturaleza y el concepto de *intra-historia,* tanto ve Unamuno la continuidad del pueblo con el mismo espíritu con que contempla el monte o el mar a lo lejos que, como acabamos de indicar, cuando en París, muchos años más tarde, en 1924, se queja, al igual que en las páginas de *En torno al casticismo,* de que los "sucesos" de la Historia se petrifican (o se hielan) en "libros y registros", inmediatamente su pensamiento deriva hacia la idea de la Naturaleza que en París falta y que, por oposición a la Historia de que París está sobresaturado, es *eterna* y *silenciosa,* como Gredos, o el mar que en ese instante añora. Si así divaga en 1924 ello se debe a que, en las páginas de *En torno al casticismo,* 29 años antes, nos había dicho que los que viven en la tradición eterna son "hombres sin Historia", y, resumiendo, que "la Historia brota de la no Historia". La conclusión es evidente: Unamuno, sin hacer nunca explícito su pensamiento, recurrió insistentemente a la idea tradicional de que lo contrario de la Historia es la Naturaleza; idea especialmente importante en el pensamiento idealista y que, todavía después de Unamuno, adquiere expresión bien definida en Ortega.[21]

Ya en *Paz en la guerra* tenemos clarísima prueba de que Unamuno ve la vida intrahistórica como contempla la Naturaleza cuando leemos, por ejemplo, que los "silenciosos, la sal de la tierra, los que no gritan en la Historia", "viviendo en trato

[21] La oposición entre Naturaleza e Historia siempre se ha hecho en la ontología (especialmente desde Hegel) y, desde mediados del XIX, por lo menos, también en la epistemología (recuérdese que cuando Dilthey opone las ciencias humanas a las naturales nace la Ciencia Histórica, o la filosofía como Historia).

íntimo y cotidiano con la Naturaleza, no comprendían la revolución..., vivían *estancados* por resignación..., con marcha vital tan *lenta* como el crecimiento de un *árbol,* que se refleja inmóvil en aguas que, no siendo nunca las mismas, parecen muerto espejo sin embargo" *(OC.,* II, 90). Lo que aquí es apenas comparación (vida lenta *como* el crecimiento de un árbol) llegará, andando los años, a convertirse en realidad absoluta: refiriéndose en 1913 a estos hombres y mujeres silenciosos, decía ya en un cuento: "Aquellas gentes eran Naturaleza" *(OC.,* II, 655): "los naturales", pues, por oposición a los intelectuales y a los espirituales *(OC.,* III, 552-569). Bien claro dijo después, en 1934, que hay que saber "contemplar al pueblo como se contempla al campo y a la mar" *(OC.,* I, 1008). Y en el mismo artículo: "Sí, la mar tiene sus galernas; pero su fondo, sus honduras, siempre inmutables... Y así el pueblo" *(ibid.,* 1007). Pueblo: mar; pueblo: naturaleza, ni más ni menos. Con razón decía que para encontrar lo eterno "hay que acudir a la luz de la Naturaleza, no de la Historia" *(OC.,* V, 166) porque, como hemos leído, "lo eterno es acaso del orden natural..., en la Naturaleza no hay actualidad"; por algo al describir en *La tía Tula* a Rosa *(figura vulgar,* es decir, intrahistórica), nos dice que "tenía algo de planta", y lo repite dos veces *(OC.,* II, 1107), y que Marina, la madre "natural" de *Amor y pedagogía* era un "dulce espíritu material".

"Algo de planta", en efecto, tienen para Unamuno los hombres y mujeres que no viven en la historia "bullanguera", esos "hombres de cada día", para quienes "toda su vida es un solo día", "el verdadero día", "el día eterno" *(CH.,* 112). Ello es evidente ya en las páginas de *En torno al casticismo* cuando, al dejar las metáforas para expresar la idea escueta, declara que la intrahistoria es la inconsciencia:

> Ésta es la manera de concebirla [la tradición] en vivo, como la sustancia de la Historia, como su sedimento, como la revelación de lo intra-histórico, de lo inconsciente en la Historia *(OC.,* III, 16).

Cuando más adelante en el mismo libro *(ibid.,* 18) viene a declarar que lo intrahistórico es lo *inorgánico* (y lo subraya), no cabe ya duda sobre el hecho de que, llevada esta idea al extremo, la vida intrahistórica es vida sin tiempo, sin humanidad concreta, ni conciencia. No es casualidad que, en *Paz en la guerra,* haya Unamuno escrito que en cada uno de los rincones de la chocolatería de Pedro Antonio "dormía el eco vaguísimo" de momentos vividos inconscientemente *(OC.,* II, 21). Igual inconsciencia debemos entender en la vida pasiva de la madre de Ignacio quien, mientras los hombres hablaban de las cosas del tiempo,

> hacía entretanto media contando los puntos, equivocándose a menudo, oyendo cosas que iban a encerrarse en su espíritu sin que ella se enterase. Cuando algo detenía su atención distraída, suspensa la labor, sonreía mirando al que hablaba *(OC.,* II, 23).[22]

En otro lugar, hablando de "los aldeanos de cualquier olvidado rincón" exclama: "¡Saben tantas cosas que no saben!" *(OC.,* III, 201). No cabe duda: "los abismos de la vida que palpitan gigantescamente debajo de la Historia" *(OC.,* III, 157), palpitan sin saberlo, sumidos en la inconsciencia del buen sueño de dormir, Naturaleza pura a cuyo fondo van a caer, ya sin ruido, los sucesos de la Historia externa.

Tan inorgánica le llega a parecer a Unamuno esta vida "natural" del pueblo intrahistórico, que en ella hasta el dolor (fuente de la agonía, esto es, de la vida según *Del sentimiento trágico)* desaparece, como se le borraba a Josefa Ignacia, quien, ya muerto su hijo,

> iba difundiendo poco a poco su pena en los actos todos de su vida, en los más humildes sucesos de ella; íbala diluyendo con la labor en los puntos de la calceta; la iba dejando reposar en la visión de los domésticos utensilios; íbasele convirtiendo en dulce idea fija que tiñese sus ideas todas *(OC.,* II, 277).

Idea fija, concentración del vivir sin tiempo. Falta en esta imagen de Josefa Ignacia el grito de dolor que le hemos visto dar cuando su marido le dice que olvide la muerte de Ignacio (cf. *supra,* p. 126); y faltará cada vez más según Unamuno, olvidando que el mar tiene, a la vez que fondo, olas, va fijando su atención exclusivamente en la quietud de ese fondo.

[22] Este "tejer" es en *Paz en la guerra* símbolo insistente del transcurrir monótono y cotidiano de lo inconsciente eterno. En *OC.,* II, 177, leemos: "Seguía en tanto la vida ordinaria, tejiendo en su lento telar su infinita trama"; en las pp. 179-180: "...mientras la vida profunda tejía en su lento telar la infinita trama de los sucesos que caen al olvido"; en la p. 184: "amorío tranquilo y oscuro, que se entretejía en la infinita trama del tejido de la profunda vida ordinaria"; en la p. 186: "...el símbolo vivo de la paz que tejía su infinita tela, bajo el superficial enredo de la guerra"; etc....

Entendidas así las vidas de todos estos hombres y mujeres inconscientes, son, pues, siempre iguales entre sí, sin nombre ni tiempo: sin carácter ni individualidad *(OC.,* III, 201). Por eso, cuando en uno de los poemas más importantes de Unamuno habla la Catedral de Barcelona, no nos extraña leer que dice lo siguiente:

> Pasan por mí las gentes, y su masa
> siempre es la misma, es vena permanente,
> y si cambiar parece allá en el mundo
> es que cambian las márgenes y el lecho
> sobre que corre en curso de combates *(P.,* 65).

Muchos años después de estas palabras, al contemplar desde lejos una casucha de techo rojo en mitad del campo, escribía Unamuno lo siguiente:

> Casa con tejado rojo — a la que abraza la yedra,
> el humo, como el aliento — de algún manso buey se eleva.
> ....
> En el silencio del verde — se oye las horas que llegan
> con su paso de palomas — marchando sobre la tierra.
> Las raíces de los árboles — con agua del suelo sueñan
> y como árboles los hombres — por el campo se pasean *(C.,* p. 31).

¿Qué hombres son estos que, "como árboles", se pasean por el campo? Lo mismo da para el contemplativo que ve al pueblo con los ojos que ve la Naturaleza: perdidos en la inconsciencia de la vida intrahistórica todos los hombres son el mismo si observados desde lejos, desde la idea de lo eterno.[23] No es extraño, pues, que cuando Unamuno ve —de lejos— unos pastores por tierras de Palencia, diga que "son los mismos pastores a que dirigió su eterno discurso nuestro señor don Quijote" *(OC.,* I, 501); o que, en una visita al monasterio de Silos, escriba lo siguiente:

> Hacía más de diecinueve años, en la Semana Santa de 1914, que había visitado Silos en busca de reposo. El mismo claustro, con el mismo ciprés que busca por sobre las arcadas luz del cielo; la misma cigüeña, los mismos monjes *(OC.,* I, 990).

Para el buscador de quietud que era este Unamuno, el tiempo

[23] Esto es lo *indeterminado* de la intrahistoria, como bien lo llama Meyer *(loc. cit.).*

no pasa, sino que queda, y todos los hombres "sin Historia" son iguales, eternamente e inconscientemente.

En un momento de *Del sentimiento trágico* parece Unamuno entrever la distorsión de la realidad que esta visión implica cuando, reflexionando desde la agonía, nos dice que "también viven los que no piensan", a lo que, en seguida, añade: "aunque ese vivir no sea un vivir verdadero" *(OC.,* IV, 489): he aquí, percibido ya claramente desde la realidad de la agonía (el *también* se refiere a los intrahistóricos por oposición a los agonistas), el dilema que nace de adoptar una extrema actitud contemplativa a partir de la cual es perfectamente sencillo llevar a la intuición de la vida humana un concepto revelado y profundizado en la contemplación de la Naturaleza. Si en verdad estos hombres y mujeres *son* Naturaleza, materia inconsciente de la Historia, y si conciencia es pensamiento en agonía, sólo cabe deducir que no piensan. Por lo tanto, no viven. El Unamuno contemplativo se sentía llevado por profundas inclinaciones a ver en el pueblo Naturaleza; mas para el agonista que sentía la vida concreta y consciente como suprema realidad, este concepto implica, necesariamente, una mutilación. Volviendo al revés las palabras citadas arriba, podemos decir que, para el agonista, los que no piensan no viven; pero la verdad es que *también* viven.

Desde luego, el novelista que con tanta ternura y complejidad ha descrito vidas intrahistóricas en *Paz en la guerra,* en *Niebla,* en *El espejo de la muerte,* en *Amor y pedagogía,* en *San Manuel Bueno, mártir,* etc., sabía de sobra que "también viven" los que no meten ruido en la Historia. Ello es evidente en las páginas citadas de *En torno al casticismo* donde, recordará el lector, al describir la vida intrahistórica, no evita Unamuno decir (cf. *supra,* p. 50) que es vida de hombres y mujeres que "se levantan a una orden del sol" y que transcurre "a todas horas del día": en el tiempo, pues, inexorablemente. Y en el mismo libro, unas páginas más adelante, como para no dejar lugar a dudas, se nos dice que los que viven en la intrahistoria son, como los demás, "hombres de carne y hueso" *(OC.,* III, 21); es decir, hombres que nacen, viven y gozan, y sufren y mueren. ¿Cómo conciliar la realidad temporal concreta de estas vidas, realidad que implica conciencia y, por lo tanto, *Historia,* con el hecho de que, en verdad, no meten estos hombres *ruido* en la Historia bullanguera, de lo cual, llevado de su inclinación a ver la eternidad fuera del tiempo, deduce Unamuno que son hombres "*sin* Historia"?

Planteado así el dilema, no es de fácil solución racional para el hombre que insistía a veces en distinguir radicalmente entre "vivir en la Historia" y "vivir en la Eternidad" *(OC.,* III, 214). Es éste, en el fondo, el problema de la "personalidad" que preocupó a Unamuno toda su vida y, si nos tocara aquí examinar todas sus facetas, entenderíamos cómo en él, por ejemplo, estriba la falta de precisión teórica de *En torno al casticismo.*[24] Pero no podemos seguir aquí esta idea en todas sus derivaciones. Veamos solamente cómo Unamuno presintió siempre el conflicto real que presentaba su teoría de la intrahistoria y cómo pretendió resolverlo en un concepto sintético de apariencia paradójica; y cómo, en última instancia, al sentir que su concepto no resolvía nada, acabó por destruir las posibilidades agónicas y/o armónicas de la paradoja haciendo que uno de sus términos anulara al otro.

Casi en cualquier momento de *En torno al casticismo,* tanto en el desarrollo de las ideas centrales como en las digresiones, podemos encontrar el dilema presentado insistentemente en forma de solución. Por ejemplo, en las siguientes palabras del segundo ensayo:

> Penetrad en uno de esos lugares o en una de las viejas ciudades amodorradas en la llanura, donde la vida parece discurrir calmosa y lenta en la monotonía de las horas, y allí dentro hay almas vivas, con fondo transitorio y fondo eterno y una intrahistoria castellana *(OC.,* III, 40).

Subraya aquí Unamuno, claramente, lo vivo de esas almas, su temporalidad; sin embargo, puesto que son almas intrahistóricas, nos recuerda que su fondo es eterno. El dilema humano más angustioso queda así presentado como solución. Conoce bien Unamuno los contrarios y conoce bien la agonía, pero llevado aquí de su temperamento contemplativo, pretende fundirlos en un solo concepto en que la armonía de los contrarios se forje al subrayar en su pensamiento y en el del lector la

[24] Como hemos visto, parece unas veces decirnos Unamuno en este libro que la eternidad de un pueblo sólo se puede descubrir a partir de su realidad histórica, y otras que esta eternidad es absolutamente independiente de la Historia. Estas dos maneras contrarias de ver las Historias son ya, en 1895, las dos maneras que Unamuno tenía de verse a sí mismo, o como hombre de apariencia y realidad histórica, o como contemplativo ajeno totalmente a la Historia. El esfuerzo por conciliar estas dos maneras contrarias de entender la Historia viene a ser una dimensión tangencial de su esfuerzo por conciliar las dos facetas de su personalidad. Cf. *supra,* Cap. II.

idea de lo eterno. Pero que esta armonía de contrarios es sólo aparente lo vemos claro en ciertas frases oraculares que, aquí y allá, recurren en sus artículos; frases como "labor cotidiana y eterna", "vivir al día en la eternidad", etc., en las que, lo que en rigor es conflicto, lucha en el hombre de los contrarios Eternidad y Tiempo, se nos ofrece como solución. Cuando Unamuno nos dice, por ejemplo, que "El presente cotidiano es la realidad eterna, la substancia de la Historia" *(OC.,* I, 448), fácil es entender la idea desde dentro de su pensamiento de contemplativo: nos basta recordar que la tradición vive en el fondo del presente, que es su sustancia; y puesto que esta tradición es lo eterno, el presente cotidiano es la realidad eterna. Surgen las dudas sobre la claridad de esta sencilla proposición cuando, fuera ya del pensamiento contemplativo de Unamuno, comprendemos que si este "presente" es "substancia de la Historia" en el sentido que acabamos de ver, no participa de su "ruido" porque es inconsciente; pero si es inconsciente no es vivo. Un verdadero presente, auténticamente cotidiano, para ser consciente no puede ser, pues, "el fondo" de la Historia, sino la Historia misma.[25] Postura "agónica" ésta que obliga a las alternativas sin solución frente a las cuales toda pretensión de armonizar los contrarios es apenas un "buen sueño" ideal del contemplativo.

Con estas frases que pretenden expresar un concierto de contrarios da, pues, Unamuno una pirueta que, al mismo tiempo, salva su anhelo de quietud y eternidad de contemplativo y parece salvar su objetividad racional. Se trata del mismo escamoteo sentimental que hemos comentado en el caso de los ríos: Unamuno admite sin discusión el hecho evidente de que los ríos fluyen pero, llevado de su tendencia a encontrar la quietud eterna y ayudado en su imaginación por el hecho de que ciertos ríos fluyen lentamente, resuelve el problema que la evidencia de lo temporal le plantea encontrando, paradójicamente, en el *pasar* del río su *quedar;* cuando para expresar su intuición nos habla, pues, del *quieto fluir* entendemos que, al mismo tiempo que en esta frase se mantienen las apariencias de la lógica y

[25] Idea ésta que Unamuno se vio obligado a aceptar en sus últimos años cuando las circunstancias políticas (cf. adelante) le obligaban a escoger entre sus dos maneras de entender la realidad. En *Cómo se hace una novela* vemos cómo alterna entre la afirmación de que la vida interior es independiente de la Historia y la idea de que la vida interior es lo externo, el hombre su circunstancia, la intrahistoria la Historia. (Cf. *OC.,* IV, por ej. 941, y cf. nuestro Epílogo).

del realismo objetivo, en rigor queda de tal manera subrayado el primer término de la frase que el segundo se anula. El procedimiento que lleva a Unamuno a su concepto de "intrahistoria" (como se recordará por nuestro análisis de *Paz en la guerra)* nace de la misma tendencia sentimental y se desarrolla del ser al parecer y del parecer al ser con la misma apariencia de racionalidad objetiva y con igual falta de rigor lógico: lo primero que observamos en la Historia, lo más aparente y obvio, es el ruido de ciertos acontecimientos cuya importancia se pierde, tarde o temprano, en el río turbulento y ruidoso del tiempo. Frente a este hecho de doble vertiente, en el polo radicalmente contrario, el contemplativo que sube al monte descubre, desde la lejanía, una vida *al parecer* silenciosa e inmóvil y que, además, *se sabe* rigurosamente, no entra personalizada –con nombres concretos, espacio y tiempo– en los libros en que se amontonan los acontecimientos muertos que en algún tiempo llamaron la atención con su estruendo. Al Unamuno buscador de realidades eternas le basta con esto: la Historia es ruido y temporalidad y, en última instancia, muerte, *ergo,* esto que percibo como silencio y quietud desde la lejanía, tiene que ser, necesariamente, su contrario: lo vivo eterno. Pero como es indiscutible hasta para el contemplativo que esa vida eterna que ha descubierto "se desenvuelve en el tiempo", según dirá todavía varios años después de *En torno al casticismo (OC.,* III, 221), hay que buscar la solución al dilema de los dos términos fundiéndolos en un solo concepto *(lo cotidiano eterno)* en el que Unamuno salva la idea de eternidad haciendo que a la sombra de ese "eterno", y sin que la razón lo note, vaya desapareciendo la intuición de la temporalidad.[26]

De que lo sustancial de la Historia sea su inconsciencia eterna resulta, pues, la paradoja salvadora de que la quietud se da incluso dentro de lo que *parece* moverse. Las realidades quedan ya invertidas. Lo subjetivo es la realidad objetiva y viceversa: "el mundo en que todo fluye es el de las apariencias". La eternidad está en el interior mismo del tiempo, la quietud en su más cotidiano fluir: "no intuimos lo eterno por buscarlo en el tiempo [cabe preguntar: ¿no es *tiempo* el de los intrahistóricos?], en la Historia, y no dentro de él" *(OC.,* III, 206).

[26] En mi art. cit. "Interioridad..." trato de explicar cómo Unamuno tendía a *escoger* siempre entre los dos polos contrarios de su concepto de la realidad: unas veces lo temporal, otras lo eterno. Y hasta cuando quiere armonizar la contradicción en un concepto sintético es evidente que subraya *uno* de los términos.

La dimensión verdadera de la Historia no es su superficie, sino su fondo. Al igual, pues, que en el caso de los ríos: he aquí algo que se mueve (río, vidas de hombres de todos los días) y, bajo ello, algo que parece quieto; la realidad está en esa apariencia de quietud; la apariencia en la mutabilidad que creemos real. Heráclito vuelto al revés de nuevo; el eterno dilema idealista y la misma viejísima pirueta que lo resuelve. Paradoja aparente ésta porque toda paradoja real –y bien lo sabía el agonista– es despertar y es agonía, y nosotros estamos aquí con un Unamuno no agonista que encuentra lo absoluto eterno, y hasta el sueño de dormir, bajo lo más temporal y doloroso.

Y es que la paradoja formal "lo que pasa es lo que queda", cuando aplicada a la Historia (personal o de un pueblo), tiene un sentido real ineludible, fundamento de todo el problema, que, alguna vez, cuando no soslayaba el conflicto, Unamuno expresó claramente:

> Eso que pasa, eso que se dice que pasa, es lo que suele quedar. *Por lo menos en la memoria de las generaciones (OC.,* V, 348).

He aquí, expresado también de manera oracular, el verdadero problema del *quedar* de la "tradición eterna" en la Historia: lo que queda, para ser operante –como presente eterno, si así quiere llamárselo– debe quedar de alguna manera en la memoria. Ahora bien, *memoria es historia.* Esta verdad que destruye el valor mítico del concepto de la intrahistoria como lo "cotidiano eterno", o sea lo "consciente inconsciente", corresponde en el plano de las meditaciones históricas de Unamuno al fluir indiscutible del río de sus visiones naturales: la barrera es infranqueable para el pensamiento lógico, y el Unamuno contemplativo la salva con un salto mortal, similar al que él imputaba a Kant,[27] convirtiendo la memoria en memoria inconsciente, en definitiva, en inconsciencia pura y total; es decir, desde el punto de vista *histórico* o *agónico,* en no vida.

Si así la intrahistoria, *el pueblo,* así "los pueblos" alejados de la Historia que Unamuno va descubriendo en sus "andanzas y visiones" y de cuya contemplación deriva su más extrema y, desde

[27] Cf. *Del sentimiento trágico,* Cap. I. Como bien se sabe, el "salto" se refiere a su "prueba" de la existencia de Dios en la *Crítica de la razón práctica* después que, en la *Crítica de la razón pura,* había probado hasta la saciedad la imposibilidad de demostrar la existencia o no existencia de Dios.

el punto de vista agónico, negativa interpretación de la Historia de España como eterna e inmutable.

> Hay que buscar el tiempo de dos y tres dimensiones –decía en 1913–, ancho y profundo a la vez que largo. Y esto se logra mejor *encerrándose* en estos retiros de las viejas y pequeñas ciudades que *parece* que no se mueven ni progresan *(OC.,* I, 595).

Se trata ya de *encerrarse* (en *En torno al casticismo* hablaba de *abrirse* a los vientos de Europa –Historia– y, a la vez, *anegarse* en pueblo –intrahistoria–: es ahora cuestión de protegerse de la Historia, de huir de ella, y de abrir por dentro, lejos de todo Tiempo, la imaginación extrahistórica que facilita el buen sueño) y, una vez más, el *parecer* es el punto de partida para su descubrimiento de que por los pueblos de España –como por su pueblo–, el tiempo, *en verdad,* no pasa; que en ellos palpita, encerrada en silencio, la eternidad quieta. Porque, no nos engañemos, ese "tiempo de dos y tres dimensiones" que, guiado certeramente por su anhelo de inmovilidad, encuentra Unamuno en los pueblos castellanos, es la eternidad, el no-tiempo. Nos lo dice claramente en palabras que ya hemos citado, en 1909, tratando de eludir la realidad con un concepto bergsoniano: "yo me he pasado, en Ledesma, horas enteras de duración pura, horas de eternidad y de silencio". De manera similar nos describe en 1934 sus impresiones de Sepúlveda *(OC.,* I, 1010-1013) y de un pueblo castellano *cualquiera,* "uno de esos que son como remansos de espacio, de tiempo y de pensamiento" *(ibid.,* 1014-1016); pueblos todos extraños al tiempo y, además, como sus habitantes, indiferenciados entre sí. Hasta en Madrid encuentra Unamuno que "se remansa y eterniza la Historia, no la que pasa, sino la que queda" *(ibid.,* 915), porque en este su alejamiento de todo ruido "las horas no dan, sino que se deslizan" *(ibid.,* 942), tan lentas, que *parecen* quedarse para siempre fuera del tiempo. También Salamanca pregona eternidad:

> Cuando puesto ya el sol, de tu seno
> rebotan tus piedras
> al toque de queda,
> me parecen los siglos mejerse,
> que el tiempo se anega,
> y vivir una vida celeste
> –¡quietud y visiones!–
> Salamanca *(OC.,* I, 765).

Lo que en una carta dice de Ledesma es sumamente esclarecedor:

> He salido unos días, pero no al campo precisamente.. sino a la villa de Ledesma, que es casi lo mismo... Antigua villa murada, álzase sobre el Tormes, entre peñascales perfumados de tomillo. He pasado unos días deliciosos, dejándome empapar en la sedante lentitud de aquella vida y saliendo de continuo al campo circundante. Todos viven allí despacio... Una noche, sentado en un banco de la plaza... me estuve contemplando el cielo. A mi izquierda brillaba Arturo sobre las casas; las tres estrellas de la lanza del carro (la Osa Mayor) iban abatiéndose poco a poco a la torre de Santa María; la polar estaba cubierta por su tejado, y a la derecha se alzaba poco a poco en el cielo la Silla de la Reina (Casiopea), parada en el camino de Santiago. Y vi girar la bóveda estrellada y tuve conciencia del ritmo de los mundos... Otra cosa que siempre me impresiona de esas viejas villas arrinconadas, de caserones solariegos, es ver en algún casón de piedra, de ancha puerta y escudo sobre ella, allí arriba, en el balcón de historiadas rejas, tras la vidriera, alguna muchacha leyendo un librote, un novelón sentimental, y soñando un mundo... Estas villas me atraen poderosamente; me parece estar en el siglo XIV de nuestras ciudades... *(E.,* II, LII).

Nótese, ante todo, que así como *pueblo* es Naturaleza, la villa de Ledesma es "casi lo mismo" que el campo. Nótese también que se trata de una villa "murada" (es cuestión de defenderse de la Historia) y, por último, que en su "sedante lentitud" se *empapa* el alma de visiones. Desde esta entrega a la belleza y la paz, fácil le es al Unamuno contemplativo descubrir —entre ecos de Fray Luis— la armonía eterna del Universo. Y ya desde esta visión, que "está fuera del tiempo", puede Unamuno bajar la vista, seguro de eternidad, a la pequeñez de la vida humana para contemplar "en *algún* casón" a *"alguna* muchacha leyendo un librote". Ante la revelación de lo eterno, la vida en el tiempo pierde su importancia concreta: esta muchacha de Ledesma, quizá como las indiferenciadas mujeres que llenan los libros de Azorín, puede ser cualquiera,[28] como esas "muchachas de

[28] Cf., por ejemplo, "Los molinos de viento", en *La ruta de don Quijote, (Obras completas,* ed. Aguilar, II, 1947, 289-294) y cómo para Azorín, vienen a ser lo mismo la Tránsito, Angustias y Visitación que recorren en la penumbra, que todo lo borra, la casa en que está de paso. Nótese también que estos tres nombres son de un castizo tal que podrían ser los de cualquier muchacha imaginada con nombre español ideal.

nuestros pueblos vascos, sumisas al destino, que van a las primeras misas" *(OC.,* I, 442) o como esas viejas, también todas iguales, de Azorín que recorren Castilla vestidas de negro, siempre las mismas, sin años, sin tiempo, sin Historia. En la inmutabilidad inconsciente que resulta ser la intrahistoria, siglo XV o siglo XX son lo mismo, y todo, sin nombre, es ya eterno.

> ...no queríamos pensar en tiempo; queríamos más bien olvidar el tiempo; íbamos a Ávila a olvidar el tiempo. ¡O mejor dicho a matarlo!... ¡esas plazuelas apacibles y sosegadas que se abren dentro del recinto conventual de una eterna —no ya vieja— ciudad castellana! ¡Esas plazuelas por las que han resbalado los siglos de instantaneidad cotidiana! ¡Lo cotidiano...! Nos acercábamos a Ávila y al día 25 de este mes de octubre de 1921. ¿Qué es esta fecha? Nada; una superstición *(OC.,* I, 732).

Una vez más: el anhelo subjetivo intuye en la apariencia la verdad; para lograrlo plenamente, convierte en apariencia la realidad objetiva: el 25 de octubre de 1921, tiempo concreto de un hombre concreto, es ya *superstición.*

No he citado en vano el nombre de Azorín: según éste Unamuno se va entregando más y más al extremo *quietud* de la paradoja "quieto fluir", más se va pareciendo al miembro menos agonista de la generación del 98. En Azorín, como bien se ha dicho, el tiempo no pasa, y la Historia de España se hace una, eterna e inmutable; como en el Unamuno que nos ocupa. ¡Curiosa conjunción de dos espíritus, al parecer, tan contrarios! Cuando en otro artículo de su madurez nos habla Unamuno de "las tranquilas villas de reposado vivir" en que "los hombres de cada día" son zapateros, *o* maestros, *o* farmacéuticos, así indefinidamente, sin personalidad de bulto que los distinga ni distinga concretamente sus oficios, estamos de lleno en el mundo de fantasmagorías azorinianas en las que España toda es una procesión borrosa de hombres y mujeres sin vida temporal ni conciencia, cuando no un desfilar de piedras, árboles, conventos y casas solariegas, eternos quizá —ya que no viejos—, pero sin vida.[29] Este Unamuno, como casi todos los hombres de la genera-

[29] Para que el paralelo sea todavía más exacto, encontramos también en Unamuno el entusiasmo por lo pequeño insignificante de la naturaleza viva y la naturaleza muerta que es tan peculiar de Azorín. Todo lo que tiene para Unamuno relación con la Naturaleza y la intrahistoria (la "prosa de la vida", *OC.,* III, 49, nota) es "humildad" en la que se deleita (califica, por ejemplo, de "humilde" al Bidasoa, *C.,* p. 257), y así le complace hablar del caracol *(ibid.,* p. 233), de la "modesta violeta" *(ibid.,* p. 84), de los "zapa-

ción del 98 (excepto, tal vez, Machado) es, frente al "existencialista" de quien tanto se nos ha hablado, un esencialista soñador de la España eterna: "No, no, nada de vivir al día; hay que vivir a los siglos", exclamaba ya en 1914, olvidados los fundamentos de su teoría de la intrahistoria *(OC.,* II, 642). Y años más tarde, cuando ya su actitud contemplativa le había llevado al extremo que hemos visto como inevitable en su origen de paradoja aparente, escribe estas palabras:

> . . . quise coger en ensueño, contemplando al Urbión desnudo, no el *estado,* el *estar* de Castilla, sino su esencia, su *ser*. . . Si Castilla, si España es buena, nada se da que esté mala *(CH.,* 142-143).

Y ya estamos en el polo contrario de lo que era más vital en el concepto de intrahistoria: quien siga con cuidado los vericuetos metafóricos en que se apoyaba en 1895 este concepto, verá que la *eternidad* y la *quietud* (esencia) que Unamuno subrayó en él, según lo hemos explicado, forman sólo una cara de la moneda, la que el contemplativo necesitaba. Porque en el concepto de intrahistoria hay implícitas posibilidades dinámicas, conciencia de lo temporal. Es más, *En torno al casticismo,* en cuanto libro, se basa en este concepto dinámico de la Historia, en el hecho de que el *ser* de un pueblo hace su *estar* y viceversa: si ello no fuera así no tendría razón Unamuno para haber escrito el libro que, nos dice, es un "examen de conciencia" para la acción *histórica* hacia el descubrimiento de la intrahistoria. Como hemos indicado, el método de análisis que Unamuno emplea indica la misma relación entre *ser* y *estar.*

Desgraciadamente para el progreso de la historiografía española, ya hemos visto cómo esta posibilidad quedó anegada en el mar de la idea de lo eterno quieto. Ya aquí, 30 años más tarde, lo que podía haber habido de dinámico en el concepto de intrahistoria ha quedado olvidado: ya la relación entre el *ser* y el *estar,* o es accidental, o no existe y, por lo tanto, naturalmente, no importa. No habla Unamuno ahora de *intra-historia,* sino, bien a las claras, de *no historia.* Junto con la profundización en la actitud contemplativa parece haber habido un cambio en la teoría, pues si antes creía Unamuno que se llega al conoci-

teros" que flotan en el agua *(ibid.,* p. 114; *T.,* 46-47), de las "montañuelas de mi tierra" como "viejecitas encorvadas" *(C.,* p. 86), de la "humilde flor de brezo" *(ibid.,* p. 60), o de un "arroyuelo sin nombre ni historia" *(RD.,* 79).

miento de la intrahistoria por el estudio de la historia, a la vez que zambulléndose en el pueblo, ya en 1904 sólo esta segunda manera de conocimiento cuenta:

> No se conoce a uno sino por lo que dice y hace, y el alma de un pueblo sólo en su literatura y su historia cabe conocerla —tal es el común sentir [era el suyo en 1895]. Es hacedero, sin embargo, conocer a un pueblo por debajo de la historia, en su oscura vida diaria, y por debajo de toda literatura, en sus conversaciones *(OC.,* V, 439).

El clima espiritual de estas palabras puede parecer el mismo de *En torno al casticismo,* pero estamos ahora en una realidad contraria en la cual sólo uno de los aspectos del todo se subraya. Y aunque la idea de "vida diaria" y "conversaciones" del pueblo pueda parecer sumamente vital —habla aquí, sin duda, el novelista que, tan bien y con tanto amor, sintió y pintó ciertos aspectos de ese pueblo—, no es difícil comprender cómo de esta idea pudo Unamuno pasar a una "intuición" directa del *ser* del pueblo y de España para la cual ni falta hace ya que el pueblo diga o haga: basta imaginárselo desde una distancia poética eternizante leyendo un "librote" o paseando. Basta verlo como quien ve la Naturaleza.

Lo que fue búsqueda histórica —necesidad generacional y personal— se ha convertido ya en sueño de contemplativo que quiere vivir —y vive a veces— fuera del tiempo: "Y volví a soñar en seguir soñando una España eterna e infinita. . .", decía en 1931 *(OC.,* I, 915), cuando la Historia le exigía acción agónica, cuando más necesaria era la actividad histórica en comunión temporal con el pueblo eterno; cuando más necesario era, quizá, mantener viva la paradoja eterna de Heráclito. En estos años, Unamuno se dedica —como lo hizo Azorín, como supo no hacerlo Machado— "a ir *atesorando* visiones españolas" *(ibid.,* 982). Lo que él llamaba a veces su verdadero *yo*[30] se desembaraza así de las circunstancias apremiantes. Y escribe Unamuno sus hermosos pero parciales artículos sobre la "Castilla eterna" (cf. *ibid.,* 923 y sigs.) en los que, más que vivir en el presente verdadero —eternidad intrahistórica, según *En torno al casticismo*— trata de recoger el pasado, de *atesorarlo,* de estancarse y perderse en él. En estos años llega a decir que *"lo eterno no es el porvenir, lo eterno es el pasado":* sorprendentes palabras de pluma

[30] Cf. *Cómo se hace una novela, OC.,* IV, 941-956.

del autor de *En torno al casticismo;* palabras en las que salta a la vista la ausencia de la dimensión más urgente del tiempo: el presente. En el mismo ensayo encontramos la siguiente idea:

> Solamente lo que pasa queda... Sí, sí, uno se revuelve a las veces acrimonioso y sarcástico contra los alabadores del pasado, contra los tradicionalistas, contra los que se acongojan ante el diluvio, pero... *(OC.,* I, 775).

Al terminar este párrafo así, en puntos suspensivos, el círculo se ha cerrado: emplea aquí Unamuno la misma paradoja que empezó a escamotear en las páginas de *En torno al casticismo* ("solamente lo que pasa queda"), y habla incluso de aquellos mismos tradicionalistas "que se acongojan ante el diluvio" con las mismas palabras usadas en 1895, sólo que ya no se revuelve contra ellos, sino contra sí mismo. Era natural: siguiendo la vía abierta por su pirueta de *En torno al casticismo,* y empujado por ciertas circunstancias históricas que en seguida indicaremos, llega Unamuno ahora a defender la idea de que *lo eterno es el pasado,* los mismos "ecos y sonidos de sentimientos muertos" *(OC.,* III, 19) que condenó en las páginas de *En torno al casticismo* en 1895. No puede ser más clara la alternancia de dos Unamunos ni la manera como el contemplativo se sale fuera del tiempo.

Ahora bien, acabamos de hablar de circunstancias históricas: necesario es indicar que Unamuno no llega a este extremo de su pensamiento dejándose llevar del puro desarrollo interior de una idea. Aquí, como siempre en su obra, la experiencia personal precede al pensamiento. Su tendencia a lo inconsciente y la voluntad de huir del tiempo estaban en él, hemos visto, desde el principio, pero su manía contra lo que alguna vez llamó "nefasto culto a la actualidad" *(OC.,* III, 320-321) va en aumento según las circunstancias históricas van agudizándole el problema de la personalidad al ir adquiriendo su presencia pública mayor y más paradójica fama por fuera. Ya en 1898 le contaba a Ganivet de sus planes para una obra de teatro "que se llamará *Gloria* o *Paz,* o algo parecido" en la cual el protagonista, dividido "entre la atracción de la gloria, de vivir en la historia, de transmitir el nombre a la posteridad, y el encanto de la paz, del sosiego, de vivir en la eternidad", acaba por rechazar la historia para volver a su soledad interior.[31] No sabemos si esta obra se

[31] Cf. La edición de García Blanco del *Teatro* de Unamuno, Barcelona, 1954, pp. 7-8.

escribió, pero en 1909 se estrena en Las Palmas *La Esfinge*, de tema similar.[32] Y en 1921 escribe Unamuno *Soledad*,[33] obra en la que el personaje central, Agustín, político famoso y dramaturgo, acaba rechazando el llamado de la Historia para hundirse en los brazos de Soledad, su mujer-madre, que le abraza como a un niño. Lo que ha ocurrido entre *Paz en la guerra* y *Soledad* para acentuar esta tendencia interior de su otro *yo* es bien conocido: ha llegado Unamuno al rectorado de Salamanca, se le ha depuesto por razones políticas y ha comenzado su oposición abierta a Alfonso XIII que acabará por llevarle al exilio. Junto con estos acontecimientos, naturalmente, debemos considerar el aumento de su fama literaria. Pero esta fama —de pensador, de poeta, de novelista— empieza ya por estos años de agitación a confundirse en el espíritu de su público con la creciente importancia política que va adquiriendo su nombre. Con el exilio se acentúa este aspecto de su persona aparente. Y Unamuno entra en el juego provocado por su leyenda; planta su figura y su voz disidentes primero en Fuerteventura, luego en París, y por último en Hendaya, como se planta una bandera que pretenda representar a España toda. Empieza a hacerse a sí mismo como los demás lo ven. Y habla y escribe contra la dictadura; toma actitudes dramáticas, radicales e inconfundibles —y necesarias políticamente. En una palabra: da a la Historia los gestos que se esperan del héroe legendario. Pero no está Unamuno satisfecho por dentro; consulta con su conciencia y decide que está representando una farsa; se llama a sí mismo "hipócrita"; su verdadero ser no es el que el público ve, sino el contemplativo, se dice a sí mismo entre 1925 y 1930. Pero cada vez que piensa así, se recupera y añade que no, que su apariencia histórica es su realidad, su leyenda su historia, la única que tiene el hombre que vive en el tiempo: "El Unamuno de mi leyenda, de mi novela, este Unamuno me da vida y muerte, me crea y me destruye, me sostiene y me ahoga. Es mi agonía" (cf. *Cómo se hace una novela,* en *OC.*, IV, 941-956). Y vuelve a la carga histórica. Regresa a España en 1930 y, desde su primer discurso de Irún, se deja llevar y traer por los políticos que lo han tomado de instrumento. En el estruendo histórico que, por un momento, se concentra en su figura, la España entusiasta y nueva olvida —no podía, no debía tal vez

[32] *Ibid.*, p. 9. He podido consultar una copia a máquina de esta obra gracias a la cortesía de Felisa Unamuno y del profesor Manuel García Blanco.
[33] *Ibid.*, p. 20.

acordarse– que Unamuno, como todo hombre, es también persona privada. Pronto empiezan, a los ojos de los demás, los fracasos políticos y los errores de don Miguel. En el fondo de ellos, meditándolos a fondo, llega Unamuno a la postura que hemos descrito: reniega de su figura pública, reniega incluso de su ser mismo en cuanto que también era un hombre agónico[34] y, casi empujado a ello, reniega de la Historia.

Las palabras con que hemos visto a Unamuno cerrar el círculo iniciado en *En torno al casticismo* son todavía de 1922 –un año posteriores a su drama *Soledad*– y, a partir de ellas, Unamuno irá aún más lejos: llevado de su tendencia interior a la quietud y a la inconsciencia, y empujado por las circunstancias, llega Unamuno después de 1930 a refugiarse en el pasado absoluto y, en él, se abandona al olvido y a la incomprensión total de las *cotidianas* luchas históricas del "pueblo" al que tanto quiso. Léase, por ejemplo, el artículo "La gruta del amor" en el que, ¡en 1935!, deja don Miguel estallar su indignación porque la música que le llega desde un cercano salón de baile interrumpe sus meditaciones *(OC.,* I, 1017 y sigs.). El Unamuno que en este artículo confunde las necesidades de la masa anónima y viva de la España de nuestros días con el peor aspecto del baileteo más o menos necesario de un día de fiesta, es el mismo que rechaza la Historia por sus peores efectos. Es el que, huyendo del "aspecto repulsivo del ídolo Actualidad" *(OC.,* III, 320), se entrega al increíble extremo contrario de la contemplación del pasado muerto en ciudades dormidas en las que no viven ya, para él, hombres y mujeres de carne y hueso, sino fantasmas inmobles de "visiones que están fuera del tiempo".

En el colmo de esta postura llega Unamuno hasta a olvidar la realidad misma de las ciudades eternas para entusiasmarse ya con los puros nombres de ellas. "Y ¡qué nombres de lugares! –exclama en un artículo de 1934 sobre Castilla–. De los que se paladean" *(OC.,* I, 999). De este divagar por la idea de lo eterno le nace a veces a Unamuno gran poesía, poemas en que esos nombres de lugares castellanos suenan con toda su belleza (cf. por ej. "Madrigal de las Altas Torres", *C.,* 142-143); pero en ese divagar queda olvidada la lección realista de Quevedo que tanto había apasionado a los del 98, la lección del español que más dentro ha llevado en su carne, antes que Una-

[34] Cf. *San Manuel Bueno, mártir* donde Unamuno, contra lo dicho en *Del sentimiento* y tantas otras obras agónicas suyas, predica, no la cruzada para despertar al prójimo, sino la necesidad de darle "opio" para que viva tranquilo en su ignorancia.

muno mismo, el dolor del concepto heracliteo de la guerra en el tiempo; a saber: que "hay muchas cosas que, pareciendo que existen y tienen ser, ya no son sino un vocablo y una figura"; como algunos pueblos castellanos por sobre cuya miseria histórica real flota sólo el nombre, o algunos mitos y leyendas, o la comida del licenciado Cabra. Desrealización por el nombre ésta que Unamuno lleva a cabo al reducir la eternidad presente de lo intrahistórico a su pasado y, en última instancia, a la pura belleza de sonidos; desrealización, por desgracia para la *Historia* de España, de signo e intención contrarios a la de Quevedo.

Olvidada queda también la terrible lección histórica que, en *Doña Perfecta,* ofrece Galdós sobre Castilla y sobre España en general: tierra "que para la lengua es paraíso [nombres "de los que se paladean"] y para los ojos infierno".[35] Olvidada la lección de Machado, el único de su generación que, desde su escepticismo radical y verdadera fe humana, supo ver las dos caras de la moneda, la belleza eterna de Castilla y su realidad histórica en el siglo XX:

> Soria fría, Soria pura,
> cabeza de Extremadura...
>
> Castilla miserable, ayer dominadora...

Palabras estas últimas que en un tiempo usó don Miguel el agonista en un discurso histórico cuyo sentido se ha perdido ya para nuestro contemplativo.

Aquí, en verdad, nos encontramos frente al más hondo y triste sentido que tiene en Unamuno el concepto de intrahistoria derivado de su contemplación de la Naturaleza inconsciente. Si Unamuno era un hombre completo, "de infinitas piezas", como lo era, ello se debió a que sentía, en real alternancia de contrarios, la atracción por la guerra y por la paz, por el tiempo y por la eternidad, por la conciencia y la inconsciencia. Él era, por lo menos, doble en su alternancia y se veía a sí mismo como dos; pero al contemplar al pueblo desde la lejanía del monte en su aparente silencio no-histórico y reducirlo desde su *yo* contemplativo a colectividad inmoble e inconsciente, lo mutila como no se mutilaba a sí mismo; lo hace desaparecer como elemento real de la Historia de España. Al ver en el interior de los hombres y mujeres de la intrahistoria la "dulce idea fija",

[35] Galdós, *Doña Perfecta, Obras completas,* ed. Aguilar, IV, 1954, p. 409.

pretende detener el curso de la vida de los demás como nunca detuvo él la suya. La paradoja "quieto fluir" cuando se aplica al río puede ser un escamoteo, pero no destruye objetivamente nada, ya que el río, como la Naturaleza toda, no tiene conciencia alguna cuya mutilación importe. El caso del pueblo intrahistórico es muy otro, ya que el pueblo lo forman, como Unamuno mismo lo había dicho en 1895, personas de "carne y hueso" cuya conciencia no podía ser negada sin graves consecuencias por un hombre –y hasta por una generación– que tanto influyó en sus destinos *históricos.* He aquí, nacido de su tendencia a la contemplación y al sueño de dormir, el grave error histórico de Unamuno en su interpretación de España. El pueblo todo –cada hombre y cada mujer– era a veces para Unamuno como aquel amigo suyo de quien dice en 1922 que había "pasado por la vida silenciosamente *al parecer,* sin meter ruido..." *(OC.,* I, 811): *al parecer,* desde fuera y desde lejos de sus necesidades y sueños más auténticamente cotidianos.

Una vez más, lo que parece, es. Y Unamuno, tratando de salvar a ese pueblo suyo de lo que llamaba la "condenada historia de muerte" *(OC,* III, 207), decide que como parece ser debe seguir siendo: si parece estar dormido en su ignorancia y su inconsciencia, que así siga; con ello se evitará las dudas y agonías de los que, desgraciadamente, viven a la vez en la eternidad y en el tiempo:

> ¡Que lo dejen vivir en paz y en gracia de Dios, circundado de áurea sencillez, en su camisa de hombre feliz...! ¡Que no le viertan el veneno pagano de mundanas glorias en su cristiano bálsamo de consuelo! ¡Que le dejen dormir y soñar su sueño lento, oscuro, monótono, el sueño de su buena vida rutinaria! *(OC.,* III, 202).

A lo que más adelante añade:

> Retírese el don Quijote de la Regeneración y del Progreso a su escondida aldea a vivir oscuramente, sin molestar al pobre Sancho el bueno... *(ibid.,* 205);

tesis que ya Unamuno había sustentado antes –alternando con su quijotismo agónico– en "¡Muera don Quijote!", artículo escrito en el año crucial de 1898.[36] No se puede casi llegar más

[36] Sobre esto, cf. mi art. "Unamuno, don Quijote y España", *Cuadernos Americanos,* 1952, 6, pp. 204-216.

lejos por esta vía única. "¿No es una crueldad turbar la calma de los sencillos, y turbarla por una idea", decía en otra parte, sacrificar su eternidad inconsciente no individualizada para "darle carácter de individualidad?" *(OC.,* III, 201).

He aquí, pues, en su forma más extrema, frente al agonista que concebía su misión en la Historia como la de un profeta despertador de España, el Unamuno buscador de regazos y sueño de dormir que cree mejor dejar al pueblo en el sueño en que, según él lo imaginaba, vive. Es ésta, no lo habrá dejado de notar el lector, la misma tesis de *San Manuel Bueno, mártir,* una de las obras más hermosas, más tristes y, desde el punto de vista de su problema personal, más trágicas que escribió don Miguel; la novela en que se ve más claro el cansancio de la agonía, *uno* de los motivos de su tendencia a lo inconsciente. Don Manuel Bueno, se recordará, es el que "nos enseñó a vivir, a sentir la vida, a sentir el sentido de la vida, a sumergirnos en el alma de la montaña, en el alma del lago, en el alma del pueblo de la aldea, a perdernos en ellas para quedar en ellas"; y añade la narradora: "y no sentía yo más pasar las horas" *(OC.,* II, 1229): así, pues, una vez más, vida fuera del tiempo, como Naturaleza.

Esta *desconcientización* extrema de la vida no hubiese sido posible si no estuviese ya implícita en la teoría de la intrahistoria de *En torno al casticismo:* recordemos que en ese su primer libro llama a su teoría "doctrina mística" y que nos dice cómo, para entenderla, es necesario sentir la inclinación a "destruir el yo agonista..., a anegarse en Dios". Sólo partiendo, pues, del Unamuno contemplativo que desde su juventud entra en comunión con la Naturaleza, de este espíritu tendido hacia lo eterno inmoble como hacia un sueño de paz del regazo de la madre, nos es dable comprender orgánicamente el tan traído y llevado concepto de intrahistoria y la forma negativa en que se desarrolla en los últimos años de la vida de don Miguel. Y aunque es cierto que de 1900 en adelante se hace más evidente y llega a su madurez el Unamuno de la agonía, no es tan radical como se supone el "cambio de signo" de que se ha hablado a propósito, precisamente, del concepto de intrahistoria: ya hemos visto que lo que se expresa por primera vez al público en 1895 va desarrollándose a lo largo de su vida hasta llegar, en los últimos años, a su conclusión sentimentalmente más necesaria. Dos Unamunos contrarios y alternantes siempre. Dos porque, no lo olvidemos, aunque aquí no nos ocupemos de ello, al mismo tiempo que parece así huir de la Historia, Unamuno seguía en estos años razonando y viviendo en ella, actuando y pensando; vale decir, *haciendo* Historia.

3. La naturaleza, refugio de paz y descanso

En su dimensión más sencilla y práctica, esta entrega a la idea poética de la quietud y del silencio responde a un simple cansancio de la agonía. Y es que, según hemos visto, al Unamuno agonista le dolía la Historia a la que vivía entregado. "Cuánto me pesa la historia", decía al final de su vida *(C.,* p. 151). Y añade, también en el *Cancionero:*

> Historia, colmo de histeria,
> histeria, germen de historia;
> puro teatro y no más *(C.,* p. 191),[37]

a lo que, ya en plena desesperación racional, es decir, agónica, siguen estos versos contra su ser contemplativo:

> Mas la única seria,
> la sola gozable gloria,
> que en el mundo encontrarás *(loc. cit.).*

Porque en el vivir del Unamuno contemplativo, a quien van dirigidos estos versos, se entromete a veces, de repente, la cabeza, y surge entonces la agonía, desde la cual reniega de la vida contemplativa, de la paz absoluta, de la costumbre, de la intrahistoria, de todas sus tendencias a entregarse a lo inconsciente.

Y sin embargo, este hombre se cansa muchas veces de la historia y de la lucha en el tiempo, por lo cual se va al extremo de deleitarse en lo no histórico y la inconsciencia. Le sale a flote en estos momentos su querencia eternizante y exclama:

> ...harapos son la historia y su desastre,
> sólo el olvido es de la paz asilo *(RD.,* 21).

Y en un poema del *Cancionero:* "monotonía... redime la agonía" *(C.,* p. 464). Huye entonces de la historia a la naturaleza y a las viejas ciudades por las que, al parecer, no pasa el tiempo.

[37] Estos versos son de 1929, de los mismos años en que, en su peor agonía, en *Cómo se hace una novela* y otras obras, se acusa a sí mismo de hipócrita por haberse entregado a la Historia.

Y es que la naturaleza, como el regazo de la madre, no sólo es vía para que el alma contemplativa se lance espontáneamente y en pureza a la idea de lo eterno, sino, también —y tal vez primero en el cansancio del agonista—, refugio para las "almas enfermas de querer sin esperanza" (cf. *supra*, p. 37). Si la naturaleza es lo eterno, lo eterno "da calma". Bien claro nos lo ha dicho Unamuno en algunos de los fragmentos hasta aquí citados. Bien claro lo vemos en *Paz en la guerra* cuando nos cuenta cómo Pedro Antonio, después de la guerra y tras tanto dolor, iba "a pasearse por el vallecito nativo a cunar su espíritu en la contemplación del contorno", en "aquel sereno espectáculo" *(OC.*, II, 286); o cuando describe cómo Ignacio, al pasear fuera de la ciudad, sentía que le entraba en el alma, "dulce como la leche, el campo preñado de reposo" *(OC.*, II, 93). En realidad, todos los personajes de *Paz en la guerra* buscan en la naturaleza, como Unamuno mismo, "la paz del silencio" *(P.*, 277) y, frente a la naturaleza, sienten, como Unamuno, subir "de la tierra una gran serenidad a juntarse con la serenidad grandísima que baja del cielo". Bajo el "cielo inmortal, templo de calma" *(RSL.*, 23) que sirve de cúpula inmoble a la silenciosa e inmoble naturaleza,

> ...allí, en aquel repliegue que hacen las montañas, al pie de las enhiestas y desnudas villuercas, en aquel espeso castañar, ahora en candela, ¡qué bien se descansará, luego de haber merecido el descanso con una vida de combates esperando a una muerte dulce y natural en el seno de la Naturaleza! *(OC.*, I, 407-408).

Subraya aquí el agonista la importancia de la lucha, pero anhela una paz definitiva en una muerte "natural". ¡Qué lejos este Unamuno del agonista que pretendía no aceptar *jamás* la realidad de la paz y el descanso de la muerte! ¡Qué lejos del Unamuno de *Mi religión* y *Del sentimiento trágico* y del de aquel soneto en que declara ser su defensa su combate![38] Más lejos aún del agonista está el Unamuno que, ya sin llanuras ni montes, nos sorprende con su amor a la paz de un huerto cerrado:

> Huerto cerrado, reserva
> de paz, de trabajo oscuro,
> donde el pecho se conserva
> de aires de la plaza puro.

[38] Cf., en *RSL.*, 14-15, "La vida de la muerte".

Huerto cerrado, rendida
naturaleza a la mano
silenciosa y requerida,
rendimiento soberano *(C.,* p. 333).

Se diría que le llegaba aquí a don Miguel, una vez más, la voz de Fray Luis de León, aquel otro luchador de Salamanca que, como nadie, cantó la armonía, la paz y la calma en que se refleja lo eterno. Paz y guerra: realidades vitales que alternan en Unamuno –como en Fray Luis– a lo largo de su vida, bien como reacción de la una a la otra, bien surgiendo espontáneamente; que por algo es el hombre hijo del niño y Unamuno fue en su niñez y mocedad, antes de sus guerras, un contemplativo por temperamento.

No son sólo el monte, la llanura o un huerto cerrado los que engendran la paz en el alma de Unamuno: si la idea del regazo de la madre, si la contemplación desde la montaña le llenaban de amplia serenidad, el correr del agua dulce de los ríos cumple igual función: "el agua amansa", ha dicho en uno de sus mejores artículos *(OC.,* III, 519). El tema aparece también desde *Paz en la guerra:* ahí vemos cómo Pedro Antonio se dedicaba en sus paseos a contemplar durante largos ratos a los "zapateros" que corren por los remansos del agua; ahí nos cuenta Unamuno cómo "íbase Pedro Antonio con frecuencia de la huerta que habitaba, a un rinconcito al pie de un castaño, junto al arroyo, donde gozaba de íntima distracción viendo correr el agua, oyendo su cháchara sin sentido" *(OC.,* II, 278); cháchara sin sentido que, como el canto sin letra de la madre para el hijo, distrae el alma, la ayuda a descansar. En *El perfecto pescador de caña* leemos:

> A la orilla del río van invadiendo el alma dulcemente y gota a gota las profundas aguas, hasta que le bañan las espirituales entrañas, distendiéndoselas, la gana una laxitud deleitosa, y a cada uno de los ligeros movimientos con que se desperezan las potencias y sentidos, la confortable frescura despéjala del irritante cosquilleo de las inquietudes cotidianas. ¡Dulce ablución íntima! ¡Recogido lavatorio del alma! *(OC.,* III, 518).

El Unamuno que escribe así en 1904, recién leído el libro de Walton, ha vivido esta sensación antes, mucho antes, incluso antes de *Paz en la guerra:* ya en su infancia sin duda. Y casados el sentimiento personal y la lectura de este apacible ensayo, dan luz a esta sensibilidad tan alejada de la guerra: *laxitud deleitosa, ligeros movimientos con que se desperezan las potencias y sentidos, lavatorio del alma:* lenguaje, concepto, ritmo de la frase muy distintos de los del Unamuno de la guerra y afanes del tiempo. Paz, quietud, sosiego, dulzura de dejarse vivir en la sensación del agua que pasa lenta:

> ¡Recatada sabiduría la que por el filtro de sutil embebecimiento va posándose en el cauce del río de nuestra alma! En ella se templan las alegrías y se disipan las penas, poniéndose todo de acuerdo con la serenidad de la Naturaleza *(OC.,* III, 519).

Si el correr de los ríos da descanso y *laxitud* al alma, descanso y paz le da el mar contemplado bajo un cielo sereno. "Calma su espuma nuestros corazones", decía en los días agónicos de Fuerteventura *(FP.,* 58), porque sobre la mar quieta —"mar piadosa" *(FP.,* 39)— desciende simbólicamente la mano de Dios para traer la paz:

> ¡Oh mar salada, celestial dulzura
> que embalsamaste mi esperanza loca,
> me subes a los ojos y a la boca
> cuando revive en mí Fuerteventura!
> ....
> Colmo de libertad, frente al Oceano,
> donde la mar y el cielo se hacen uno,
> sobre mi frente Dios posó la mano *(FP.,* 117-118).

"¡Qué escuela de sosiego! ¡Qué sanatorio! ¡Qué fuente de calma!", dice en 1924 de la mar de Fuerteventura, "¿cómo puede ser tremendo un trueno aquí junto a esta mar, tan dulcemente arrulladora?" *(OC.,* I, 884-885). "Esta soledad del mar que por todas partes nos ciñe —dice en Tenerife— es un poderoso narcótico" *(OC.,* I, 490). Pero, contra lo que podría esperarse del Unamuno agonista, es éste un "narcótico" deseado por el hombre cansado de sus guerras; "narcótico" al que acudía para olvidar "la tierra envilecida" *(FP.,* 26-27).

> ...el mar... la cuna de la vida... qué dulce sería reposar por siempre en su seno tranquilo y silencioso —silencioso y tranquilo mientras su sobrehaz ruge y se agita—, reposar aquí mientras sus olas cantan nuestra vida *(OC.,* I, 490).

Y se juntan así el concepto de intrahistoria y el valor simbólico que tiene la idea de la madre y su canto sin letra con el que mece en su cuna al niño hacia un desnacer de inconsciencia. Hasta el mar vasco encuentra Unamuno que "briza el sueño" como una madre *(OC.,* V, 260). Y es que el mar, real o metafóricamente contemplado, es siempre para él "remanso de paz" *(OC.,* I, 636).

> Duerme la mar bajo la luna llena,
> duerme en su cuna;
> duerme la tierra que a la mar enferma,
> duerme la luna;
> se duerme en el abismo la esperanza,
> calma, bonanza... *(C.,* p. 325).

En la "mar que sana con su grave sonrisa más que humana" *(FP.,* 26) encuentra Unamuno la "paz sin tedio"; su canto es "canto de consuelo" *(RD.,* 37) porque "la mar calma dolores" *(OC.,* I, 1007).

Naturaleza toda es, pues, refugio de paz y consuelo para Unamuno:

> ¡*Sierra* de Ávila! ¡*Páramo* de Valencia! ¡*Mar* de Fuerteventura!
> ¡Aguas apaciguadoras del *Tormes* y del Carrión! *(OC.,* I, 908),

exclama en un artículo, asociando mentalmente todos sus elementos.

4. El silencio de la naturaleza, presencia de Dios

Silencio puro y enumeración elemental de lo contemplado, continuidad intrahistórica, paz y quietud, eternidad: no es esto todo lo que Unamuno encuentra en la naturaleza. Recreando una de las más viejas pruebas de la existencia de Dios, termina en 1928 un poema con estas palabras: "...creo que para que yo te vea / has hecho el mundo que veo" *(C.,* p. 36). Y en "Hermosura" *(P.,* pp. 52 y sigs.), muchos años antes:

> ¡Hermosura! ¡Hermosura!
> ....
> El reposo reposa en la hermosura
> del corazón de Dios que así nos abre
> tesoros de su gloria...

Damos aquí ya un paso importante hacia dentro en la actitud contemplativa de Unamuno: no es sólo que la naturaleza esté ahí para nombrarla o guardar en la memoria, o para encontrar en ella paz y eternidad sin contenido en su inmoble belleza; no dirá siempre Unamuno, como dice el agonista, que la hermosura que contempla en la naturaleza "es todo el mundo; / detrás no hay nada" *(P.,* 53); más de una vez, la contemplación del paisaje –monte, o río, o mar– lleva a Unamuno a la presencia de Dios, de un Dios puro y omnipotente al que nunca logró llegar en su torturado pensar y leer de solitario angustiado. No son pocos los personajes de sus narraciones que como Celestino –el tonto del pueblo: la conciencia intrahistórica por excelencia, el "que vivía dentro del mundo"– "vislumbran" a Dios en la naturaleza *(OC.,* II, 582). Unamuno mismo ha dicho que "una noche serena enseña astronomía, y es una verdad siempre la de que *coeli enarrant gloriam Dei" (OC.,* III, 149). Y en el *Cancionero,* ya cerca del final de su vida, escribe lo siguiente:

> El poniente un lago de oro;
> sombra del monte en el río;
> el cielo se hace sonoro;
> estás rezando, Dios mío *(C.,* p. 330).

Es notable en este poemita, ante todo, la ausencia de esas ideas puramente racionales que hacen rechinar su poesía agonista. Los cuatro versos que lo componen –breve exclamación puramente lírica– son cuatro leves brochazos ingenuamente descriptivos y totalmente independientes entre sí. El primer verso describe metafóricamente el instante de quietud iluminada en que al ponerse el sol todo parece detenerse en una fracción de tiempo que se antoja eterna; el segundo, con la mirada del poeta dirigida ya a otra parte del escenario natural, y ya sin apoyo metafórico, describe una realidad de la oscuridad reciente; en el tercero, gracias esta vez al apoyo de una metáfora tradicional, la belleza del cielo se transforma en música, y, de repente, sin antecedente ninguno que nos haya prevenido hacia dónde marchaba el breve poema, en el cuarto verso *reza Dios:* la visión puramente natural es ya revelación divina. La visión que podría no tener ningún sentido –detrás de la cual podría no haber "nada"– queda llena del máximo sentido de la presencia de Dios. Nada aquí es idea: "todo es visión, contemplativo oficio". *La presencia de Dios,* que podría ser, lógicamente, extraña al paisaje mismo, se da como revelación en la que el intelecto, provocador de la agonía, no desempeña papel alguno. Nada en los tres primeros versos lleva lógicamente al cuarto –como, en rigor, por ser independientes, nada lleva del primero al segundo o del segundo al tercero— y el nombre de Dios, su total presencia, se le da a Unamuno espontáneamente, sin esfuerzo agónico ninguno. Este Dios es, pues, una verdad intuida poéticamente por un espíritu contemplativo, no la consecuencia de una lucha del intelecto por llegar a ella. Y así, eliminada la poesía de ideas, entregada el alma en pureza a la contemplación —no por huída de la guerra, sino porque sí—, vemos al Unamuno más libre del Tiempo y sus trabas, al poeta para quien hasta la idea de Dios y su existencia es de increíble y clarísima sencillez.[39]

[39] No deja este poema de recordarnos, por su estructura y por la manera inesperada como se afirma la presencia de lo inefable, la famosa Rima X de Bécquer:

> Los invisibles átomos del aire
> en derredor palpitan y se inflaman;
> el cielo se deshace en rayos de oro;
> la tierra se estremece alborozada;
> oigo flotando en olas de armonía
> rumor de besos y batir de alas;
> mis párpados se cierran... ¿Qué sucede?
> —¡Es el amor que pasa!

Lo notable en esta Rima, como en el poema de Unamuno, es que las impresiones que recibe el poeta por los sentidos en pleno trance pasivo, no tienen por qué llevar, necesariamente, a la conclusión (revelación) del verso final. El estremecimiento de Bécquer puede ser tanto síntoma de que pasa el amor como de que pasa la poesía, o Dios—o nada. Lo que ocurre, desde el punto de vista lógico y ajeno a la revelación, es que, tanto en el poema de Unamuno como en la rima de Bécquer, la intuición se llena, para su expresión exacta, de un contenido racional anterior o posterior a ella, un contenido que le sea especialmente caro al poeta dentro de su manera de vivir el mundo: *amor* en el caso de Bécquer, *Dios* en el de Unamuno. La plenitud del nombre se ha dado, pues, por dentro de todo proceso lógico. Ahora bien, el parecido entre estos dos poemas nos lleva a formular una pregunta que va al centro mismo de nuestra manera de interpretar la obra de Unamuno: si ocurre que, creamos o no, como sí creía Bécquer, en la existencia eidética del *amor,* nadie ha discutido, que sepamos, el hecho de que ese amor, fundamento de su vida y de su poesía, existía realmente *para él,* ¿por qué, entonces, dejándonos llevar de las dudas del Unamuno agonista, no hemos atendido a estos especiales momentos de su receptividad en que, limpio su espíritu de la "losa del pensamiento", era *para él* verdadera e indudable la presencia de *Dios* (o de la Eternidad)? Por encima de todas las discusiones sobre la no fe o la fe de Unamuno, quedan estos momentos en que, precisamente por no ser lógicos (¡poesía sin ideas de don Miguel!), surge clara la dimensión más positiva de su ser contemplativo. Tan clara que, como se ve en este poema, y como diría Apolodoro, "no necesita demostrarse".

No son muchos, desde luego, los poemas en que Unamuno se entrega a la idea de Dios revelada en la contemplación de la naturaleza con tanta sencillez lírica. En el *Cancionero* mismo, sin embargo, encontramos otros ejemplos:

> Bajo la capa de estrellas – oigo el silencio de Dios...
> (*C.*, p. 43);

y también encontramos un poema en que Unamuno nos revela cómo de tanto contemplar en quietud la noche

> el alma se me hizo cielo – (y el cielo se me hizo alma);
> en medio de las estrellas – cantaban de Dios las alas (*C.*, p. 40).

Es interesante también, por su intención puramente enumerativa (aunque no muy bien lograda), el siguiente poema:

> Cruzan nubes rojas, blancas – negras por la inmensidad
> del azul del cielo puro, – azules de majestad.
> Bajo el azul duerme el aire, – silenciosa está la mar;
> la rendida tierra verde – sabe a sueño de pasar.
> Hundido en la compañía – de la tierna soledad
> oigo el silencio divino, – misterio de la verdad (*C.*, p. 49).

Se trata, otra vez, de la misma estructura: versos sueltos sin conexión necesaria entre sí, y una conclusión que no responde a ninguna razón lógica. De nuevo, un poema de Unamuno en que la lógica es sustituida por el puro nombre, y la agonía y tortuosidades del intelecto que tanto endurecen su verso y su vida, por una simple revelación lírica.[40]

[40] Es interesante otro poema (sin duda fallido también) en que Unamuno narra el descubrimiento, no ya del silencio de Dios en la Naturaleza, sino de su cuerpo:

> Vi la uña, rosa del ocaso
> del dedo gordo del pie
> de Dios, dalle que iba al paso
> dallando, y me arrebujé
> sobre la cumbre desnuda;
> la mies caía en el valle
> donde al verde el paso muda
> —va mellando al tiempo el dalle—
> y al caer el breve verde
> la uña de rosa teñía
> del pie de Dios que no pierde
> paso, y la luz caía (*C.*, pp. 334-335).

Es frente al mar, y muy especialmente frente al mar de Fuerteventura (el mar "que me ha enseñado otra cara de Dios", el mar frente al cual confiesa haber tenido "una experiencia religiosa –alguien diría que mística"–, *FP.*, 9 y 60, 109, 118), donde Unamuno descubre al Dios no agónico más puro y escribe sus mejores versos sobre el tema. Como ejemplo, para terminar estas páginas, repitamos un soneto citado en el capítulo II (cf. *supra*, pp. 91-92):

Horas dormidas de la mar serena;
se cierne el Tiempo en alas de la brisa;
cuaja en el cielo azul una sonrisa
y todo él de eternidad se llena.

Ábrese el Sol su más íntima vena,
corre su sangre sin retén ni sisa,
Naturaleza oficia en muda misa,
que es de la paz sin hombres santa cena.

Todo es visión, contemplativo oficio;
nada en el cielo ni en la mar padece;
es sin pena ni goce el sacrificio;

de ensueño el Universo se estremece,
y de la pura idea sobre el quicio
en el alma de Dios mi alma perece.

Ya hemos comentado este poema; añadamos ahora solamente que los temas que hemos venido recorriendo se funden todos en él (vida lejos de la historia, paz, Tiempo que cuaja en la Eternidad, etc.) y digamos unas palabras relacionadas directamente con el tema que aquí nos ocupa: en este soneto, como en los poemas citados arriba, la revelación de la presencia de Dios –revelación, como las otras que hemos visto, no necesariamente lógica– ha sido posible gracias, precisamente, al *silencio* de la naturaleza. En su *muda misa* encuentra Unamuno, con indecible sencillez, al Dios que tanto buscó en su agonía por los tortuosos caminos de la razón y *la letra.* Del silencio de la naturaleza salta fácilmente este hombre contemplativo al *rezar* de Dios, cuya presencia es, así, y una vez más en su obra, "musical silencio".

Y es que para este Unamuno –como para los místicos–, Cristo, Dios, y la palabra de Cristo, suelen ser, fundamentalmente, silencio puro. Por ello leemos en *El Cristo de Velázquez* que, al morir Cristo, "siguióse místico / silencio sin linderos"

(CV., 76-77). Todo lo que se refiere al misterio de Cristo, como al de Dios, encuentra su máxima expresión en el silencio:

> Silencio, desnudez, quietud y noche
> te revisten, Jesús, como los ángeles
> de tu muerte; se calla Dios desnudo
> y quieto en su tiniebla *(CV.,* 72).

En otra parte del mismo poema, nos dice cómo el cuerpo de Cristo es música silenciosa:

> . . . porque es música tu cuerpo
> divino, y ese cántico callado
> —música de los ojos su blancura—
> como arpa de David da refrigerio
> a nuestras almas. . .
> . . . .
> El canto eres sin fin y sin confines;
> eres, Señor, la soledad sonora,
> y del concierto que a los seres liga
> la epifanía. Cantan las esferas
> por tu cuerpo, que es arpa universal *(CV.,* 38-39).

Una vez más, la referencia a los místicos y a Fray Luis es evidente; y evidente es en ella, desde luego, la aceptación plena de la visión mística y de sus conceptos que tanto se esforzaba por eliminar de su pensamiento y su sensibilidad el Unamuno agónico.

Leemos todavía en el *Cancionero* que la "compañía de Dios" es "silencio santo" *(C.,* p. 323). Y, en el mismo libro,

> Dios decía la verdad:
> . . . su silencio
> era voz de eternidad *(C.,* p. 213).

Todo lo cual puede plantearnos un problema que, aunque es de sumo interés en sí, insisto en lo dicho en alguna nota, no debe ocuparnos más que tangencialmente. En pocas palabras y en dos preguntas: ¿Cómo sabe el hombre —y en este caso Unamuno— que quien *reza* en el silencio es Dios? Y, si se acepta que este silencio es, en efecto, la presencia de Dios, ¿qué Dios es éste que así se revela? ¿Es acaso el Dios católico que Unamuno necesitaba para obtener la inmortalidad "fenoménica" por la que clamaba su alma aterrorizada ante la idea de la nada?

A la primera pregunta ya hemos respondido, desde otro ángulo, en dos lugares distintos:[41] creer que Dios se revela en el silencio es tener fe en ello, y sobre un contenido de fe no podemos juzgar desde fuera. Ahora bien, debemos suponer que el Unamuno que dice haber sentido a Dios así, lo *cree así:* no somos nosotros quién para dudarlo, sobre todo cuando, en otros momentos, nada le ha impedido expresar la duda o la no fe. Y desde luego, no podemos decirle —como no podemos decírselo a San Juan— que se engaña, que no es Dios quien *reza* en el silencio; que el silencio es la nada.

La respuesta a la segunda pregunta es, desde nuestro punto de vista de lectores extraños a la revelación, igualmente sencilla: si es al Dios católico a quien Unamuno escucha en el silencio, ello nos demuestra que, en su ser contemplativo, encontraba a veces la fe que no lograba encontrar nunca en su agonía. Lo cual, para nosotros, es ahora simplemente una prueba más de la existencia real de su ser contemplativo, el cual, como ya hemos dicho, puede ser positivo o negativo. Ahora bien, Unamuno no ha definido nunca a este *Dios* de que aquí habla. Cabe por lo tanto suponer que *no* es el Dios católico: mayor prueba aún de que latía escondida en él una personalidad contraria a la del agonista, ya que el Unamuno que así se entrega a la idea de un Dios *puro,* sin cualidades antropomórficas, no puede ser el mismo que, contra su mejor razón, buscaba un Dios que le proporcionase una inmortalidad de carne y hueso, de guerra.

Por última vez: lo que nos importa en este estudio no es la tan debatida cuestión de la fe de Unamuno. El único propósito que aquí nos guía es probar, a través del estudio de varios temas, conceptos y símbolos, la existencia de una personalidad suya que, hasta ahora, quedaba hundida bajo el peso de la leyenda de su agonía. Que dentro de sus más íntimas tendencias no agónicas Unamuno encontraba unas veces la fe —fe en la Eternidad y la continuidad y la unión de la vida y la muerte; en Dios— y otras la nada, nos parece ya evidente. De las dos vertientes de su ser contemplativo hemos tenido, aquí y allá, ejemplos suficientes.

5. La naturaleza, "regazo" para perder la conciencia

La naturaleza callada e "inmoble" es, también, como el regazo de la madre, vía para escapar de la guerra hacia los abis-

[41] Cf. *supra,* p. 139, nota 31, y p. 209, nota 39.

mos de la inconsciencia en cuyo fondo Unamuno entrega su personalidad a "lo otro", al Todo sin nombre específico, o a Dios o a la Nada. Es la naturaleza "abismo místico" en el cual, más de una vez, dejó Unamuno hundirse su voluntad y su conciencia:

> Verde puro, sin azul,
> sin amarillo,
> sin cielo ni tierra, sólo
> verde nativo,
> verde de yerba que sueña,
> verde sencillo,
> verde de conciencia humana,
> sobre camino,
> sin suelo, orilla ni término,
> verde vacío,
> verde de verdor que pasa,
> de roble altivo,
> para mis ojos sedientos
> abismo místico! *(C.,* p. 116).

Aquí la apariencia más externa del paisaje —su "verde"— es el "abismo". Este abismo es ya insondable *—sin orilla—* cuando, frente al campo, percibe Unamuno la unidad de la que participan todos sus elementos, la manera como los unos penetran en los otros, *derritiéndose* en ellos y acabando por fundirse con ellos. Ante este espectáculo que ofrece la naturaleza encuentra Unamuno que él mismo va dejando de ser quien es, comulgando con lo aparentemente extraño a su persona. Así, en otro poema del *Cancionero* leemos cómo tanto las "sombras" del paisaje como los "recuerdos" del que contempla, van "derritiéndose", dejando de ser lo que son, perdida ya en ellos la voluntad de perseverar en su esencia *(C.,* p. 72). Idea que viene de lejos en el Unamuno contemplativo, ya que la hemos encontrado en *Paz en la guerra,* cuando Pachico, tras observar la fusión y derretimiento de los varios elementos de la naturaleza —cielo, mar; día, noche; etc.— parece derretirse él mismo, abandonarse y entrar en comunión con lo otro. Junto a los verbos *dilatar, hincharse, hendirse,* etc. . . . , que aparecen insistentemente en la obra del Unamuno contemplativo, ocupa un lugar fundamental este *derretirse* que indica cómo a "las cosas" y al hombre *se les va el alma* —según decía de Apolodoro— hasta que llegan a la fusión con lo ajeno a sí mismos. Lo encontramos, por ejemplo, en *Poesías,* cuando al describir el huerto de un convento ("libre de tiempo") nos sorprende Unamuno con estas palabras que nunca brotarían de su persona agónica:

> Aquí el morir un derretirse dulce
> en reposo infinito debe ser...

Y pasa luego a hablar de cómo en la naturaleza recogida "se anega el alma" y retorna "a la fuente del ser" *(P.,* 56), igual que en el desnacer que imaginaba con la idea del regazo de la madre. *Derretirse,* dejar morir la conciencia, *fundirse* con la naturaleza, *hundirse* en ella, idea cara a este Unamuno:

> Hundirse en la paramera,
> enjuta cama del cielo;
> ....
> hundirse en la ancha llanura
> que el aire ciñe y corona... *(C.,* p. 411).

Así sueña, sobre todo en sus últimos años. La naturaleza es, paramera toda cielo, el refugio más amplio posible para liberarse del *yo* limitado al tiempo.

Es quizá en la contemplación del mar donde siente Unamuno con mayor plenitud esta tendencia suya. En otro poema del *Cancionero,* frente al mar de Hendaya, escribe lo siguiente:

> Frente a tu frente, Dios mío, – en la frontera del cielo,
> lindando con tus orillas – que me latigan de anhelo,
> deslíndame la conciencia, – hazme tuyo, todo entero *(C.,* p. 36).

Es aquí la voluntad de entregarse a lo otro mucho más positiva que la del primer poema arriba citado, pues se trata ahora de perderse, no en el "abismo místico" del verde puro sin contenido, sino en Dios mismo, cuya presencia se le ha revelado en la naturaleza, frente al mar. Es éste el Unamuno a quien hemos visto dejar "perecer" su alma en el alma de Dios; el mismo que, en otro poema, exclama alborozado:

> Y me pierdo en mi Dios, justo y clemente *(RD.,* 32).

El mismo Unamuno que escribía: "¿Quién se siente envanecido y pagado de sí a la orilla del mar, frente a la inmensa sábana ondulante?" *(OC.,* I, 548), y entregaba su yo egoísta a la inconsciencia de la contemplación enajenada.

> El canto de la mar es silencioso;
> ....
> "Sueña —me dice—, sueña...
> derrítete en el sueño...
> olvídate... olvídate... el sueño enseña
> la última lección...
> sueñe en la mano de su eterno dueño,
> en la mano de Dios tu corazón..."
> La mar me llena el pecho.
> Y en él se duerme Dios como en su lecho *(RD.,* 33-34).

Notemos que el mar —una de las formas de la naturaleza— le canta a Unamuno lo mismo que Marina le cantaba —sin letra— a Apolodoro: "Sueña —me dice—, sueña... / derrítete en el sueño..." Y es que el mar, más aún que el campo o que el monte, es, en su abismo y en su voz, como el seno de la madre. En 1928, de nuevo frente al Cantábrico, escribía Unamuno estos versos:

> En torno la campiña sueña absorta
> la mar que sus verduras amamanta;
> la mar no sueña, duérmese y dormida
> hace soñar la vida que no acaba *(C.,* p. 34).

Se trata de la misma idea, y casi de las mismas palabras con que en 1932 describía a la madre dormida que en una plaza tranquila de Madrid hacía dormir a su hijo brizándole en "la vida que no acaba". Y es que para el Unamuno contemplativo, la madre y el mar *(la* mar) son los dos símbolos básicos que se entrecruzan constantemente y se funden en sus significados.

Hasta 1923 casi siempre que Unamuno recurre al símbolo *mar* lo nombra en masculino: *el mar.* Es muy significativo que sea en *Teresa* (1923) donde por primera vez nos habla con cierta regularidad de *la mar,* en femenino. Coincide a perfección el cambio de género con el tema de este largo poema de amor que gira alrededor de los símbolos complejos y entrecruzados *amada, virgen-madre, amor-cuna, amada muerta-vida de paz en el seno de la madre, muerte-desnacer-vida de trascuna;* serie de conceptos que podrían tal vez resumirse en el de *amada-madre-mar.* En este libro no aparece aún claramente la asociación directa *mar-madre.* No cabe duda, sin embargo, dado su tema, que de aquí nace el fuerte impulso subconsciente que, en adelante, va a cuajar en la asociación constante de los dos símbolos. Es, desde luego, un hecho que después de *Teresa* se entrecruzan insistentemente.

Algunos años más tarde, en el *Romancero del destierro* (1928), por ejemplo, leemos lo siguiente: "la mar, la mar, la mar... la vida en cuna" *(RD.,* 32). Años antes (en 1911) había dicho que "el agua hace de cuna / de la más alta y más honda doctrina" *(RSL.,* 150), y en el *Cancionero* habla de "la mar lisa en que se acuesta el alma" *(C.,* p. 152). En el mismo libro, como en varias otras partes, habla también del *regazo* de la mar. *Mar-cuna-regazo:*

> la mar me cuna,
> y en sus olas la cuita se deslíe,

dice en 1928 *(RD.,* 23). Unos años antes, había escrito en un soneto:

> Recio materno corazón desnudo,
> mar que nos meces con latido lento *(FP.,* 82-83).

Dejándose mecer en la idea de la mar, como en la de la madre, se olvida "la cuita" y se entrega el alma al sueño de dormir, como cuenta Unamuno que Magdalena, al mirarse en el agua, "se olvida de sí" para pensar en la dulce vida de la muerte. A lo que añade este comentario "¡Santo bautismo!" *(C.,* p. 66). En el agua, en efecto, para deleite del contemplativo "se ahoga el albedrío" *(T.,* 52). En uno de los más emocionantes poemas del *Cancionero* la asociación entre los dos símbolos, que ya venía intuida de lejos, es definitiva: "¡Qué tarde nos amigamos, – madre Mar, hondón del alma... !" *(C.,* p. 70). Pero ya desde el principio era la mar madre en el pensamiento de Unamuno y como ella, "aunque a las veces nos riña, / riña es de madre, serena" *(C.,* p. 460).

Y como la madre, la mar canta también su melodía sin sentido concreto: "Es música la mar", dice en el *Romancero del destierro (RD.,* 41), "literatura, / letra la tierra". A lo que añade:

> El canto de la mar es monodía
> en donde el brillo
> del cielo de la noche se extasía
> y se pierde al confín...
> ....
> La mar briza a la tierra y la adormece
> para el ensueño *(RD.,* 42).

Por algo al pobre Apolodoro "el mar le había atraído siempre como una gran madre consoladora...; el canto brezador de las olas era el arrullo de la cuna" *(OC.*, II, 533). En el canto del mar se deja brizar el alma como en cuna *(OC.*, V, 441) hasta llegar a su derretimiento.

A esta "monodía" adormecedora de la mar la llama Unamuno algunas veces silencio,[42] lo que viene a ser lo mismo que "música sin letra", es decir, sin significado en palabras que obligan a la agonía: el cuento que la mar cuenta es su cantar mismo, sin sentido:

> Brilla tu canto, sirena,
> en las cabrillas; la mar
> cuenta el rosario de arena;
> es tu cuento tu cantar *(C.*, p. 233).

Algunas veces, tentado por el intelecto en que se origina la agonía, tratando de no abandonarse del todo a la inconsciencia de la vida musical pura, se olvida Unamuno de aquel "silencio, sobre todo silencio" que buscaba y encontraba en la naturaleza y le pregunta a la mar –como le preguntaba a la madre– por el sentido exacto de su canto: "¡Dime qué dices, mar, qué dices, dime"! *(FP.*, 84), exclama un día de 1925. En seguida, sin embargo, añade, como cuando alguna vez se atrevió a preguntar por el sentido del canto sin letra de la madre: "Pero no me lo digas" *(loc. cit.).* Mejor dejar el susurro de la mar, como el canto de la madre, en lo que tiene de insinuación de lo eterno; mejor no traer al mundo de la contemplación los problemas del intelecto que pretende descifrar en palabras el secreto de la esfinge, porque

> . . .si su música a soñar ayuda
> ¿a qué buscarle letra y argumento?
> Como las pobres letras muda el viento,
> pero no el canto cuando el viento muda *(ibid.*, 83-84).

Otra vez, la idea de la inmutabilidad en medio de las mudanzas, de lo eterno, ahora en el sueño bueno que produce la música del mar. Muy lejos estamos del Unamuno agonista que rechazaba la música porque duerme a la conciencia. La monodía del mar se basta a sí misma y es lo único que el alma necesita para entregarse, enajenarse o derretirse en la idea indefinida de lo eterno:

[42] Cf. por ejemplo, *RD.*, 33, o *C.*, p. 391.

En tu oración sin fin, canto sublime,
me traes, trayendo fe, las horas lentas... *(FP.,* 48).

Toda eras sangre, mar, sangre sonora,
no hay en ti carne de los huesos presa,
sangre eres, mar, y sangre redentora,
sangre que es vino en la celeste mesa;
los siglos son en ti una misma hora
y es esta hora de los siglos huesa *(FP.,* 84).

Visiones de eternidad, fuera del tiempo, lejos de la historia y la carne más doliente. Frente al mar, más que ante ninguna otra forma de la naturaleza, todo el pensamiento de Unamuno culmina así en la necesidad de olvidarse de sí mismo, de fundirse, anegarse, enajenarse.

No nos sorprenda, pues, que nos hable de la mar constantemente en términos de fusión. Leamos un poema en que describe cómo el mar y la noche se abrazan, fundiéndose en el abrazo, y cómo su alma se funde con ellos:

La mar ciñe a la noche en su regazo
y la noche a la mar; la luna, ausente;
se besan en los ojos y en la frente;
los besos dejan misterioso trazo.

Derrítense después en un abrazo,
tiritan las estrellas con ardiente
pasión de mero amor, y el alma siente
que noche y mar la enredan en su lazo.

Y se baña en la oscura lejanía
de su germen eterno, de su origen,
cuando con ella Dios amanecía... *(FP.,* 62-63).

Ya en 1907 había hablado del "mar de encinas" en los mismos términos:

Y no palpita, guarda en un respiro
de la bóveda toda el fuerte beso
a que el cielo y la tierra se confundan
en lazo eterno *(P.,* 28).

En efecto, el último significado que para Unamuno tiene el "divino océano sin haz ni fondo y sin orillas" de que habla en *El Cristo de Velázquez* (p. 43) es el de ser regazo para abandonarse y desnacer hacia el olvido en que se funden la vida y la muerte.

> Ya como a esposa al fin te abrazo,
> ¡oh mar desnuda, corazón del mundo,
> y en tu eterna visión todo me hundo!... *(FP.,* 59-60).

Y en los momentos de gran fe, este perder la conciencia de sí culmina incluso en la fusión con Dios:

> Este cielo una palma de tu mano,
> Señor, que me protege de la muerte
> del alma, y la otra palma este de Fuerte
> ventura sosegado y fiel oceano.
>
> Pues es aquí, Señor, donde me gano
> contigo y logro la más alta suerte
> que es no ya conocerte, sino serte... *(FP.,* 41-42).

El Unamuno que escribe estos versos es el mismo que criticaba a Pereda "lo poco panteístico de su sentimiento", porque, decía, el montañés "no comulgaba con el campo, permanecía frente a él... viéndolo muy bien, con perfecto realismo, pero sin confundirse con él" *(OC.,* I, 514). Crítica ésta que se ha citado más de una vez y que no tiene ningún sentido dentro del pensamiento del agonista cuyo mayor horror era confundirse con lo ajeno a su *yo;* palabras que sólo adquieren su pleno significado dentro de la manera de vivir del campo y el monte y el mar este Unamuno capaz de enajenarse; este Unamuno que más allá o más adentro de su agonía y su voluntad de conciencia sentía el impulso a dejarse perder, a derretirse, a, como diría alguna vez, *desconcientizarse.*

VII

LA FUNCIÓN SIMBÓLICA DEL AGUA

"No busques luz, mi corazón,
sino agua" *(P.,* 189).

"Soy aún el mismo
gracias al agua" *(C.,* p. 452).

Acabamos de ver, bajo diferentes aspectos, el papel fundamental que para Unamuno desempeña el agua en la naturaleza y, por consiguiente, en su visión contemplativa de la realidad: la quietud interna que intuye en los ríos y el mar es la base imaginativa en que se apoya su propio quietismo; y el mar es, además, según hemos visto en las páginas finales del capítulo anterior, el elemento natural cuya contemplación le permite el más fácil abandono de sí mismo. Hemos incluso indicado que el agua tiene una función simbólica en su pensamiento. Poco vamos a decir ya de lo que signifique para Unamuno el agua: nos interesa ahora: para comprender el pleno sentido de ciertas formas expresivas de su ser contemplativo, y no sólo sus temas centrales, ver *cómo* llega el agua a adquirir valor simbólico en su obra, es decir, entender su función en cuanto símbolo. Para nuestro propósito quizá convenga empezar por la estadística.

Como habrá podido ya observar el lector, son constantes en la obra de Unamuno las alusiones, directas o indirectas, al agua y sus diversas formas. Sólo en los fragmentos de poesía y de prosa citados hasta ahora en este libro –sin contar la sección sobre los ríos– el agua en alguno de sus aspectos aparece en más del 50%. En sus libros de poesía, más quizá que en sus otras obras, abundan estas referencias. En *Poesías,* por ejemplo, (1907), encontramos mención del agua en un 56% de los poemas. En el *Rosario de sonetos líricos* (1911), el nombrar, directo o indirecto, de formas del agua, o la expresión de una relación verbal entre el hombre y el agua, se encuentra en 28 de los 128 poemas (21.8%), aunque en este porcentaje no tomo en cuenta que en varios de los poemas hay más de una referencia y que algunos de ellos están totalmente organizados alrededor de un símbolo marino sin el cual el poema pierde su más hondo significado. En *Teresa* (1924), la proporción es de 26%, y, además, Unamuno nos habla del agua en la "Presentación", en las "Notas" y en la "Despedida". En efecto, en este poema de amor y de entrega del yo a la muerte "sin orillas" en la amada, es el agua uno de los elementos orgánicos centrales (el otro es, naturalmente, "el claustro maternal"). En *De Fuerteventura a París* (1925), 36 de los 103 sonetos llevan referencias al agua, muy especialmente, claro, al mar. Es éste, tal vez, el libro en que se encuentra la mejor poesía marina de Unamuno, y, quizá, su mejor poesía contemplativa en general. Y ello, curiosamente, entre algunos de los poemas más violentos y puramente circunstanciales (históricos y políticos) que jamás haya escrito don Miguel: una vez más, la alternancia. En el *Romancero del destierro* (1928) encontramos una situación en cierto modo similar a la de *De Fuerteventura a París* e igualmente significativa: el libro puede dividirse en dos partes perfectamente alternantes; una, la segunda, de romances puramente circunstanciales, de guerra política, generalmente de poca altura espiritual y de un más que quevedesco malhumor y estilo, en los que Unamuno ataca en lo personal a Alfonso XIII, a Primo de Rivera y a varios representantes de la España de la represión; frente a esta parte violenta y "agónica" se destaca la primera, compuesta de poemas subjetivos e íntimos, nobles de inteligencia e intención, en los que, indudablemente, pesan el exilio y la situación política, pero encauzados hacia la meditación contemplativa. Lo notable aquí es que de los 18 romances de guerra política sólo en dos alude Unamuno al agua en el sentido que hemos visto tiene para él en su obra de contemplativo; en la primera parte, las alusiones ocurren en 14 de los 37 poemas.

Por lo que respecta a la prosa es inútil intentar un recuento; hagamos memoria solamente de algunos de sus libros o ensayos principales en que se encuentran menciones del agua: *En torno al casticismo* (que, veremos en seguida, depende para su tesis del valor simbólico que le da Unamuno al mar), *Paz en la guerra, San Manuel Bueno* (recuérdese la presencia del lago), varios cuentos de *El espejo de la muerte,* ciertos ensayos claves como *Nicodemo el fariseo, Intelectualidad y espiritualidad, Los naturales y los espirituales, ¡Adentro!,* etc., y, desde luego, muchísimos de sus ensayos sobre paisajes.

Este insistente nombrar del agua va desde la mención directa —descriptiva o simbólica— del sustantivo común *agua* o de alguna de sus formas *(mar, río, lago, lluvia, gota, fuente,* etc. . . .) hasta el empleo de algunos sustantivos más o menos directamente relacionados con el agua *(orillas, manaderos, ojos* —ojos *como* mar, *como* lago—, *baño, fluido,* etc.) y el empleo continuo de verbos como *bañarse, anegar, anegarse, fluir, zambullirse, hundirse, sumergirse,* etc. . . . , empleados unos metafóricamente, otros en sus sentidos más cotidianos. (Es de especial interés en *Teresa* el neologismo *alagarse* que comentaremos adelante).

Muchas veces, el nombrar es tan evidentemente descriptivo que no trasciende más allá de la descripción misma, es decir, parece obligado por ella y, por lo tanto, ajeno a cualquier intención de Unamuno. Así, por ejemplo, cuando Pachico, en *Paz en la guerra,* se tiende en el monte y ve que a lo lejos "se dibuja la línea de alta mar cual un matiz de cielo" *(OC.,* II, 323), o cuando Unamuno se refiere de pasada al "mar que canta" en la "riscosa orilla" de Vizcaya *(RSL.,* 55), o al agua "inmoble" del Tormes *(P.,* 52), o a la "mar serena" de Fuerteventura *(FP.,* 64). Las más veces, sin embargo, el agua y sus formas, y los versos por medio de los cuales el hombre se relaciona con ellas, aparecen en la obra no agónica de Unamuno de manera metafórica, y, en última instancia, como símbolos en los cuales se centra y resuelve el sentido interior último de un pasaje en prosa o de un poema. En términos generales, podemos adelantar que el agua, de ser al principio —y luego aún muchas veces— un nombrar directo y descriptivo, pasa a ser metáfora y acaba por adquirir valor de símbolo hasta el grado de que, en los años de madurez de Unamuno, pierde casi todo su valor puramente objetivo-descriptivo y llega a simbolizar, junto con la idea de la madre, el anhelo de quietud eterna y de paz inconsciente. Veamos algunos ejemplos que nos indicarán cómo llega Unamuno a este símbolo, una de las claves de su obra no agónica.

1. El mar

Necesitamos volver, aunque sea mentalmente, a las páginas de *En torno al casticismo* en que Unamuno se esfuerza por definir el concepto de *tradición* y/o *intrahistoria.*[1] Lo que esta

[1] "*Tradición,* de *tradere,* equivale a «entrega», es lo que pasa de uno a otro, *trans,* un concepto hermano de los de *transmisión, traslado, traspaso.* Pero lo que pasa queda, porque hay algo que sirve de sustento al perpetuo flujo de las cosas. . .

Es fácil que el lector tenga olvidado de puro sabido que mientras pasan sistemas, escuelas y teorías va formándose el sedimento de las verdades eternas de la eterna esencia; que los ríos que van a perderse en el mar arrastran detritus de las montañas y forman con él terrenos de aluvión. . .

vez nos importa de esas páginas es que en ellas, como se recordará, para expresar su tesis, Unamuno recurre a la metáfora *intrahistoria como el fondo del mar* por medio de la cual penetra imaginativamente en la realidad última y difusa —espíritu del pueblo— que quiere apresar para el análisis.[2] Tras unas primeras páginas de recorrido sinuoso, y ya sumamente metafórico —aproximaciones y asedios, en rigor, secundarios al tema que le ocupa—, durante las cuales ha ido primero insinuando y luego afirmando la idea de que hay que buscar el interior de los fenómenos porque en él se encuentra la realidad eterna de la cual las apariencias de las cosas son apenas su reflejo en el tiempo, llega por fin Unamuno, en el apartado III, al tema anunciado en el título del ensayo: *La tradición eterna,* nos dice, no se encuentra en la historia, sino en la *intra-historia,* en ese

---

Hay una tradición eterna, legado de los siglos, la de la ciencia y el arte universales y eternos; he aquí una verdad que hemos dejado morir en nosotros repitiéndola como el padrenuestro.

Hay una tradición eterna, como hay una tradición del pasado y del presente. Y aquí nos sale al paso otra frase de lugar común, que siendo viva se repite también como cosa muerta, y es la frase de «el presente momento histórico». ¿Ha pensado en ello el lector? Porque al hablar de un momento presente *histórico* se dice que hay otro que no lo es, y así es en verdad. Pero si hay un presente histórico, es por haber una tradición del presente, porque la tradición es la sustancia de la Historia. Ésta es la manera de concebirla en vivo, como la sustancia de la Historia, como su sedimento, como la revelación de lo intra-histórico, de lo inconsciente en la Historia. Merece esto que nos detengamos en ello. Las olas de la Historia, con su rumor y su espuma que reverbera al sol, ruedan sobre un mar continuo, hondo, inmensamente más hondo que la capa que ondula sobre un mar silencioso y a cuyo último fondo nunca llega el sol. Todo lo que cuentan a diario los periódicos, la historia toda del «presente momento histórico», no es sino la superficie del mar, una superficie que se hiela y cristaliza en los libros y registros, y una vez cristalizada así, una capa dura, no mayor con respecto a la vida intrahistórica que esta pobre corteza con relación al inmenso foco ardiente que lleva dentro. Los periódicos nada dicen de la vida silenciosa de los millones de hombres sin historia que a todas horas del día y en todos los países del globo se levantan a una orden del sol y van a sus campos a proseguir la oscura y silenciosa labor cotidiana y eterna, esa labor que como la de las madréporas suboceánicas echa las bases sobre que se alzan los islotes de la Historia. Sobre el silencio augusto, decía, se apoya y vive el sonido; sobre la inmensa Humanidad silenciosa se levantan los que meten bulla en la Historia. Esa vida intra-histórica, silenciosa y continua como el fondo mismo del mar, es la sustancia del progreso, la verdadera tradición, la tradición eterna, no la tradición mentira que se suele ir a buscar al pasado enterrado en libros y papeles y monumentos y piedras".

[2] Realidad ésta tan difusa, en verdad, que Unamuno mismo siente la dificultad de llegar a ella. Ya al final del segundo ensayo de *En torno al casticismo* exclama: "¡Cosa honda y difícil ésta de conocer el *hecho* vivo!" *(OC.,*

mundo interior inconsciente que, *como en el fondo del mar* quieto y continuo que palpita *bajo* las olas, subsiste ahora y aquí, dentro del ruido de la Historia pasada, presente y por hacer. Ésta es la primera de las tres grandes metáforas del libro[3] y se basa en la distinción que siempre hizo Unamuno entre lo profundo o auténtico de la realidad y lo cortical de ella.[4] Se basa también, como hemos visto, en una revelación o intuición de la realidad puramente personal. Hay que notar, ante todo, que esta metáfora en la cual, por derivaciones y asociaciones se va afirmando y ahondando la idea, es en su origen un puro lugar común: casi podemos escuchar aún la voz de cualquier político finisecular —o incluso de algún Torquemada galdosiano— acercándose majestuosamente a la cima de un discurso por la fuerza del impulso sonoro de esas "olas de la Historia" que, con "su rumor y espuma que reverbera al sol", le han impedido detenerse antes en algún concepto menos grandioso y espectacular, si más concreto. La retórica romántica, bien mostrenco ya en nuestro fin de siglo de tablado, foro, café y periódico, parece evidente en este principio. Pero, en verdad, como siempre que maneja una metáfora de propiedad común —y que, por lo tanto, ha perdido ya su significado original y más hondo—, Unamuno se ha apropiado de ésta y, al hacerla suya, le ha dado nueva vida, su penetración primera o, quizá, una penetración que sólo estaba latente en ella. El procedimiento de que se vale Unamuno para lograr esta difícil originalidad —y siempre dijo que las metáforas "eternas" son las más originales, si nos tomamos la molestia de repensarlas— es, en apariencia, simple: ha

---

III, 45), a lo que añade al principio del quinto y último de los ensayos: "Conforme he ido metiéndome en mis errabundas pesquisas en torno al casticismo, se me ha ido poniendo cada vez más en claro lo descabellado del empeño de discernir en un pueblo o en una cultura, en formación siempre, lo nativo de lo adventicio" *(ibid.,* 97); ya cerca del final escribe: "Me siento impotente para expresar cual quisiera esta idea que flota en mi mente sin contornos definidos, *renuncio a amontonar metáforas...*" *(ibid.,* 110-111). Y en un ensayo posterior ("Civilización y cultura"), al tratar de nuevo de la interdependencia de lo interior y lo externo (en este caso por lo que se refiere a la persona), escribe: "Da vértigo fecundo al hundirse en este inmenso campo de acciones, reacciones, mutualidades, sonidos, ecos que los refuerzan y con ellos se armonizan..." *(ibid.,* 266).

[3] Las otras dos metáforas básicas son la de la luz difusa *(nimbo)* y la de la música *(armonía)*. Estudiaremos la primera en el Cap. VIII y veremos su relación con la segunda, según lo que ya hemos dicho de la *música* en nuestro Cap V. Las dos, claro, tratan de penetrar en el concepto de *continuidad* interior y de expresarlo.

[4] Cf. mi art. ya cit. "Interioridad y exterioridad...".

repensado –en rigor, veremos, se trata de reintuir– lo olvidado de puro sabido. Aquello que nos dice que debemos hacer, y que él hace, con la frase "el presente momento histórico" –olvidada de puro repetida– lo ha hecho ahora con la metáfora *las olas de la Historia* ya que, aunque lo hayamos olvidado, o aunque no lo percibamos en seguida, el hablar de *las olas de la Historia* implica, casi necesariamente, la idea de que esas olas son el ruido, el movimiento (y hasta la apariencia) de un *fondo* del mar sobre cuya esencia se sustenta el flujo y reflujo de la superficie. Así, al no resbalar por encima de la metáfora como quien resbala por el padrenuestro (para seguir con su propio ejemplo), al evitar repetirla sin crear, Unamuno recaptura, o revela por primera vez, las más hondas dimensiones latentes en ella.

Ahora bien, debemos añadir en seguida que el desentrañamiento[5] de la metáfora manida no es en este caso sólo producto de haberle dado más y más vueltas a sus palabras y significados: tras la originalidad de la concepción de Unamuno, en su fuente, se esconde una intuición o revelación personal. Si alguna ventaja tenemos para interpretar este texto sobre los que en 1895 lo leyeron, es ella que hemos leído la obra posterior de Unamuno: por lo pronto, hemos leído *Paz en la guerra,* y en *Paz en la guerra* (publicada en 1897 pero, no olvidemos, concebida a lo largo de, por lo menos, diez años) hemos asistido a la revelación que tuvo Pachico en un atardecer de verano mientras contemplaba, desde un monte, el Cantábrico a lo lejos. El contenido de esa revelación, como se recordará, aunque más amplio que el de esta metáfora, es, esencialmente, el mismo: la vida (Historia e intrahistoria, tiempo y eternidad, guerra y paz) es como el mar que Pachico ve a lo lejos; como el mar, tiene sus olas y su ruido; como en el mar, estas olas se sustentan sobre un fondo silencioso y eterno en el cual se funden la vida y la muerte, el ayer y el mañana, bajo el hoy de apariencias estridentes. Esta revelación directa y estrictamente personal (es decir, original, por más que se haya dado en muchos) es la que lleva a Unamuno al uso de su metáfora; es la que la conforma y, por lo tanto, le da su originalidad.

A partir, pues, de una intuición personal Unamuno revela la dimensión más profunda de una metáfora ya retórica en su tiempo –estirándola, además, según veremos, hasta que ella

[5] En cuestiones de lenguaje y de ideas, como bien se sabe, *desentrañar* es, para Unamuno, sacar a luz lo olvidado de puro sabido.

misma va creando sus propios derivados y asociaciones como un organismo vivo—, con lo cual se la apropia y nos lleva donde quería: no a las olas ésas que podemos imaginar meciendo un discurso de Castelar, sino a su difuso y sustancial fondo quieto y eterno cuya presencia seguimos percibiendo, entre ecos y reminiscencias, a lo largo, no sólo de *En torno al casticismo,* sino de la obra toda del Unamuno contemplativo. Porque, así como la razón primera de la originalidad de esta metáfora se encuentra en la intuición de Pachico-Unamuno, su originalidad última es evidente en el enriquecimiento y ahondamiento que sufre al presentarse insistentemente como expresión radical de una visión del mundo que, por todos sus ángulos, apunta siempre al mismo centro: el anhelo que, frente a la presión cortical de la conciencia del Tiempo, siente el Unamuno contemplativo por lo hondo quieto inconsciente que imagina ser lo eterno.

Y aquí conviene que nos detengamos a considerar, por un momento, los significados (lógicos y expresivos) de esta metáfora que, según se desarrolla desde dentro de sí misma, veremos, va adquiriendo la independencia del símbolo. Para entender estos significados en todas sus derivaciones posibles podemos también, como no podían los lectores de 1895, recurrir a obras posteriores de Unamuno. Después de todo, como bien ha dicho Spitzer, leer es, siempre, haber leído,[6] y muy especialmente en el caso de un autor como Unamuno cuyo pensamiento no fue nunca sistemático —ni pretendió serlo—, sino, como él gustaba decir, "orgánico". Esta asistemática "organicidad" hace que ni las ideas ni los sentimientos que expresaba Unamuno estuviesen nunca ordenados y clasificados de antemano para un desarrollo en que cada concepto se apoya en uno anterior, sino que las ideas y los sentimientos se desarrollan en su obra por impulsos e intuiciones, en tangentes muchas veces, dejando indicado aquí lo que en otra parte, y desde otro ángulo, penetraba a fondo. Se crea con ello en su obra un constante ir y venir de ideas, temas, emociones y sugerencias que, porque no se desarrollan plenamente en ningún momento específico, nos obligan a tener siempre presente toda la obra como organismo vivo. El lector de Unamuno habrá observado cómo lo que en un ensayo queda explicado a fondo —o casi a fondo— con la mayoría de sus derivaciones sentimentales y conceptuales, queda en otro ensayo apenas reducido a una palabra, referencia, o metáfora, que encierra el eco de lo que en el primer ensayo quedó plenamente

[6] L. Spitzer, *Lingüística e historia literaria,* Madrid, 1955, p. 61.

elaborado; pero sólo el eco, porque tal vez en este ensayo es otro el tema que persigue Unamuno. Y lo que aquí es sólo eco o vaga referencia ya se ha desarrollado en otra parte, o va a desarrollarse más tarde. Éste es, precisamente, el caso de la metáfora que nos ocupa. Por ello podemos (y debemos) traer para su comprensión otros desarrollos y derivaciones y alusiones de la misma idea. Carguemos, pues, estas palabras de Unamuno de significados y asociaciones que ahora recordamos como no podía hacerlo el lector de 1895. De significados y asociaciones que, como podemos sospechar según lo que hasta ahora hemos venido estudiando, están aún aquí latentes, pero que, sabemos, fue Unamuno profundizando por innumerables y fragmentarios asedios a la misma realidad a lo largo de su vida.

Por lo pronto, podemos partir de lo que se nos dice en estas páginas mismas de *En torno al casticismo:* la intra-historia que es como el fondo del mar, es lo *inconsciente* de la Historia. Inmediatamente asociamos esto con las vidas monótonas e inconscientes que, perdidos en la costumbre, llevan sus personajes de *Paz en la guerra.* Esta idea, más la de la revelación de Pachico, nos amplían el significado metafórico de ese mar cuando recordamos que en su fondo se adunan la Vida y la Muerte; la fusión de estos dos contrarios nos lleva en seguida a la idea de la paz con que termina la visión culminante de Pachico: "Paz canta el mar; paz dice calladamente la tierra..." La idea de la paz, asociada así a la presencia del mar, puede llevarnos, dentro otra vez de *En torno al casticismo,* a su capítulo IV, en el que Unamuno hace el elogio de Fray Luis de León y de su concepto pacífico de la realidad; idea que en Fray Luis va asociada a la de la armonía del Universo y la música que, en silencio, cantan las esferas. Por esta derivación del primer significado podemos ahora recordar a la madre de *Amor y pedagogía* que cantaba en silencio, dormida en la paz inconsciente mientras en sus entrañas brotaba, dulce, su ternura *húmeda.* Además, recordamos, estas canciones que cantaba eran la tradición sin letra (sin Historia: intrahistoria) que de los abuelos ya muertos pasa a los nietos aún nonatos; tradición eterna en que la vida se aúna con la muerte. Los niños reciben así la vida de lo inconsciente desde el subconsciente de la madre *(intraconsciente,* como prefiere decir Unamuno en otra parte de *En torno al casticismo);* esta tradición pasa a su subconsciente donde *queda* —y recordamos el río— para sólo aflorar (como esos *islotes* que surgen de las *madréporas suboceánicas)* en los momentos de crisis de sus diversas historias. Trátese, pues, de un estudio sobre el casticismo o de la narración de diversas vidas individuales, Unamuno concentra sus más caros conceptos y sentimientos en las innumerables posibilidades imaginativas de esta metáfora al parecer tan simple: como un mar con sus olas superficiales y su quietud inconsciente eterna (paz y dulzura, calor y sueño, etc.) es la vida; o como un río, que fluye, sí (historia, progreso, ensueños), pero con su base firme y quieta (no olvidemos —y Unamuno lo recuerda en la *primera* metáfora de *En torno al casticismo*— que, en español, el río tiene su *madre* y, naturalmente, su *lecho*).[7] *Mar,* pues, en estas páginas de *En torno al casticismo,* significa todos estos conceptos; además, expresa todos los oscuros sentimientos y anhelos que, hemos visto, dominan en el Unamuno contemplativo.

La ampliación de los significados de esta metáfora y sus más difusas resonancias va así unida a la insistencia en su empleo y a las derivaciones de ella; vale decir: este ahondamiento y expansión de la metáfora inicial es, en última instancia, su originalidad. La originalidad es evidente, no ya fuera de las páginas de *En torno al casticismo,* sino en ellas mismas, donde la metáfora crece y se recrea orgánicamente y, quizá ahí mismo, alcanza la altura del símbolo. Veámoslo en algún detalle.

Por lo pronto, es necesario indicar que no termina en los párrafos citados la elaboración y crecimiento de la metáfora: en los dos o tres párrafos que siguen continúa Unamuno desarrollándola y casi jugando ya con ella, haciéndola servir de apoyo a nuevas variaciones sobre el tema de la oposición existente entre el ruido de la Historia y el silencio de la intrahistoria. Leemos, por ejemplo:

> Los que viven en el mundo, en la Historia, atados al "presente momento histórico", peloteados por las olas en la superficie del mar donde se agitan náufragos, éstos no creen más que en las tempestades y los cataclismos seguidos de calmas, éstos creen que puede interrumpirse y reanudarse la vida. Se ha hablado mucho de una reanudación de la *historia* de España, y lo que la reanudó en parte fue que la Historia brota de la no Historia, que las olas son olas del mar quieto y eterno. No fue la restauración de 1875 lo que reanudó la historia de España; fueron

[7] "Elévanse a diario en España amargas quejas porque la cultura extraña nos invade, y va zapando poco a poco, según dicen los quejosos, nuestra personalidad nacional. *El río, jamás extinto, de la invasión europea en nuestra patria, aumenta de día en día su caudal y su curso, y al presente está de crecida, fuera de madre,* con dolor de los molineros a quienes ha sobrepasado las presas y tal vez mojado la harina" *(OC.,* III, 5).

> los millones de hombres que siguieron haciendo lo mismo que antes, aquellos millones para los cuales fue el mismo el sol después que el de antes del 29 de septiembre de 1868, las mismas sus labores, los mismos los cantares con que siguieron el surco de la arada. Y no reanudaron en realidad nada, porque no se había roto nada. Una ola no es otra agua que otra, es la misma ondulación que corre por el mismo mar. ¡Grande enseñanza la del 68! Los que viven en la Historia se hacen sordos al silencio. Vamos a ver, ¿cuántos gritaron el 68? ¿A cuántos les renovó la vida aquel "destruir en medio del estruendo de lo existente", como decía Prim? Lo repitió más de una vez: "*¡Destruir en medio del estruendo los obstáculos!*" Aquel bullanguero llevaba en el alma el amor al ruido de la Historia; pero si se oyó el ruido es porque callaba la inmensa mayoría de los españoles, se oyó el *estruendo* de aquella tempestad de verano sobre el silencio augusto del mar eterno.

Y vuelve a la carga con la idea original:

> En este mundo de los silenciosos, en este fondo del mar, debajo de la Historia, es donde vive la verdadera tradición, la eterna, en el presente, no en el pasado muerto para siempre y enterrado en cosas muertas. En el fondo del presente hay que buscar la tradición eterna, en las entrañas del mar, no en los témpanos del pasado, que al querer darles vida se derriten, revirtiendo sus aguas al mar *(OC.,* III, 16-17).

Notamos desde luego que, a pesar de las derivaciones que la metáfora misma se ha ido creando (el ruido *–estruendo–,* por ejemplo, no es ya como las *olas,* sino "tempestad de verano sobre el silencio augusto del mar eterno"), a pesar, incluso, de que ha nacido de ella otra metáfora que, entre otras cosas, nos revierte al concepto del río ("témpano del pasado, que al querer darles vida se derriten, revirtiendo sus aguas al mar" — tradición muerta) y a pesar de que se ha extendido, de manera independiente, en una nueva conceptualización de sí misma ("una ola no es otra agua que otra, es la misma ondulación que corre por el mismo mar"), no ha ido Unamuno todavía más allá del nivel puramente comparativo (el más elemental) de la metáfora: seguimos con que la intrahistoria es *como* el fondo del mar, la historia *como* su superficie. Está la metáfora todavía demasiado cerca de su primera expresión –muy elaborada además– y le pesa aún excesivamente la necesidad de referir su segundo término al primero, todavía conceptualmente necesario. Sin embargo, en el segundo párrafo citado arriba, especialmente cuando

Unamuno nos dice que "en el fondo del presente hay que buscar la tradición eterna, en las entrañas del mar", empezamos a sospechar la posibilidad de que el segundo término se independice del concepto que lo limita al guiarlo rigurosamente: nótese que ya aquí no se nos dice que "el fondo del presente" es *como* "las entrañas del mar", sino que ya lo uno *es* lo otro. Dado este paso, sólo falta que el concepto original baje al fondo subconsciente –o intra-consciente– del pensamiento de Unamuno y se diluya ahí hasta penetrar todos los temas que ese pensamiento desarrolle (y no sólo el de la Historia), para que el término de comparación adquiera su libertad absoluta y pueda llegar a sustituir, al mismo tiempo, a la realidad conceptual de que surgió y a todas sus asociaciones (conceptuales y expresivas). Logrado esto, el mar tendrá ya en la obra de Unamuno función simbólica.

Cuando más adelante *(OC.,* III, 19), en un paréntesis sobre la cultura española, leemos que "lo olvidado no muere, sino que baja al mar silencioso del alma, a lo eterno de ésta", parece ya que la sustitución se ha llevado a cabo plenamente. Cierto que Unamuno se siente todavía obligado a explicar que *el mar silencioso del alma* es *lo eterno de ésta,* pero esta explicación no invalida el hecho de que el término *mar* ha quedado ya disociado de su relación, hasta ahora única, con la Historia y la intrahistoria: en primer lugar, hablamos ahora del alma individual, no del espíritu de un pueblo, y, en segundo lugar, no se trata ya de que ese fondo eterno, de la Historia o del individuo (inconsciencia, eternidad, continuidad, etc.), sea *como* el mar, sino que el mar mismo va ya cargado de las resonancias que poseía el concepto de intrahistoria y él mismo las significa y las expresa ahora; es decir, el mar es la inconsciencia, la eternidad, la continuidad, el anhelo del silencio, etc. . . No actúa ya, pues, como término de comparación, como punto de apoyo que, en sí, es en rigor cosa distinta del concepto y vibraciones sentimentales que se quieren expresar, sino que el mar es ya *la cosa misma* con todas sus asociaciones.

De aquí en adelante, según avanzamos en la lectura de *En torno al casticismo,* cuanto más lejos va quedando la básica metáfora primera, siguen resonando los ecos de estas asociaciones, sin referencia ya a su origen, y el agua, en particular el mar y ciertos verbos y frases claves, empiezan a funcionar como símbolos expresivos mucho más hondos y complejos que el concepto primero de *Historia como el mar.*

Tres páginas después de los párrafos citados, por ejemplo,

nos encontramos con el verbo *anegar,* tan común en español en sus sentidos directo y metafórico. Viene Unamuno insistiendo en que el individuo debe buscar dentro de sí, no lo castizo nacional, sino la humanidad *eterna.* Leemos entonces:

> Volviendo el alma con pureza a sí, llega a matar la ilusión, madre del pecado, a destruir el yo egoísta, a purificarse de sí misma, de su pasado, a anegarse en Dios. Esta doctrina mística tan llena de verdad viva en su simbolismo es aplicable a los pueblos como a los individuos. Volviendo a sí, haciendo examen de conciencia, estudiándose y buscando en su historia la raíz de los males que sufren, se purifican a sí mismos, se anegan en la humanidad eterna. Por el examen de su conciencia histórica penetran en su intra-historia y se hallan de veras *(OC.,* III, 22).

Estamos todavía en el capítulo I del libro y demasiado cerca, por lo tanto, de su concepto original: de ahí que se sienta Unamuno obligado a devolvernos, con esa última oración explicativa, a la forma primera del tema que va desarrollando. Sin embargo, en esta justificación de su estudio —tan contraria, por lo demás, al pensamiento egoísta del agonista— se nos aclara algo que ya veníamos sospechando: tras el concepto de intrahistoria y el lenguaje con que Unamuno lo expresa, gravitan, no sólo la intuición personal de su juventud, sino los conceptos y lenguaje de los místicos (como, por otra parte, vimos en nuestro capítulo II al analizar la revelación de Pachico). Además, ya por estos años piensa Unamuno —más hegeliano de lo que se sospecha— que la historia es el desarrollo del pensamiento de Dios (cuando no su "sueño"), de lo cual resulta que el verbo *anegar* no aparece aquí como un simple traslado de una expresión perteneciente en exclusividad a los místicos o, incluso, a la lengua española más común, sino que, participando del significado que tiene en la mística y de su más elemental significado como expresión cotidiana, nos lleva a la vez al particular valor que tiene ya para Unamuno el agua y, en especial, el mar (más adelante veremos cómo, en efecto, estos significados se funden cuando Unamuno llama a Dios *mar).* Buscarse en sí mismo, pues, requiere, sabemos ya, buscarse *dentro* de sí mismo, en la Historia o en la persona; como el dentro, del individuo o de la persona, es *mar,* este entrar en su interior (que es eterno e inconsciente) resulta ser, necesariamente, *anegarse.*

Antes y después de este pasaje, el mar ha seguido sirviendo

de término de comparación en varias otras metáforas.[8] Alguna vez, incluso ha funcionado con plena libertad como sustituto del término implícitamente comparado. Ya cerca del final del segundo de los ensayos, por ejemplo, leemos lo siguiente:

> ¡Cosa honda y difícil ésta de conocer el *hecho vivo!* Cosa la única importante de la ciencia humana, que se reduce a conocer hechos en su contenido total. Porque toda cosa conocible es un *hecho (factum),* algo que se ha hecho. El Universo todo es un tejido de hechos en el mar de lo indistinto e indeterminado, mar etéreo y eterno e infinito, un mar que se refleja en el cielo de nuestra mente, cuyo fondo es la ignorancia. Un mar sin orillas, pero con su abismo insondable, las entrañas desconocidas de lo conocido, abismo cuyo reflejo se pierde en el abismo de la mente *(OC.,* III, 45).

Un mar "cuyo fondo" es la *ignorancia,* o *lo indistinto e indeterminado,* o *lo eterno e infinito:* es decir, el fondo *inconsciente* de la vida del alma del individuo o de los pueblos, la intrahistoria personal o nacional; *Erlebnis* quizá, de un lado, *Volksgeist,* tal vez, por lo que respecta a los pueblos.[9] Ya mar *es* todo esto y sus infinitas posibilidades, conceptuales y sentimentales.

Esta sustitución total —elevación de la metáfora a símbolo *privado*— es ya evidente cuando, a las pocas páginas, al principio del tercer ensayo, se nos dice que Calderón —cuyo teatro es expresión típica del espíritu castizo—, porque no intuyó nunca la vida íntima de las ideas, fue "a buscarles alma al reino de los conceptos obtenidos por vía de remoción excluyente, a un idealismo disociativo y no al *fondo del mar* lleno de vida" *(OC.,* II, 49): *fondo del mar* es, lo sabemos ya de sobra sin necesidad de apoyos comparativos, intrahistoria; vale decir, *es* lo continuo inconsciente; *es* lo eterno en cuyo "abismo insondable", fundidos en masa "inorgánica" viven su vida más difusa y real los "hechos vivos" no disociables. *Mar,* además, *fondo del mar,* ya lo sabemos también, expresa el anhelo de Unamuno de *anegarse* en ese abismo eterno.

Esto es ya clarísimo para quien ha ido siguiendo el hilo de varias obras posteriores de Unamuno —o nuestros anteriores capítulos— cuando, al final del cuarto de los ensayos, vuelve a

[8] Cf., por ejemplo, *ibid.,* 43-44

[9] Cf. su única mención concreta del *Volksgeist* (concepto germen de *En torno al casticismo),* en la p. 110.

predicar el "aneguémonos en nuestra intrahistoria" con las siguientes palabras:

> Resistimos abrirnos al ambiente y descender, desnudos de toda visión histórica, a nuestro profundo seno *(OC.*, III, 94).

Palabras que, aunque originadas por el primer concepto y su metáfora, apuntan ya hacia el anhelo personal de Unamuno de hundirse en el seno materno (*mar* según hemos visto) "lejos de la historia", "desnudos" de ella. No tenemos ya aquí ni siquiera el símbolo, sólo sus ecos; pero en ellos queda abierta el alma de Unamuno, su "mar de lo indistinto e indeterminado".

Ya para finalizar *En torno al casticismo* pretende Unamuno resumir en un párrafo su consejo y nos dice lo siguiente:

> Tenemos que europeizarnos y *chapuzarnos* en pueblo. El pueblo, el hondo pueblo, el que vive bajo la historia, es la masa común a todas las castas, es su materia protoplasmática; lo diferenciante y excluyente son las clases e instituciones históricas, y éstas sólo se remozan *zambulléndose* en aquél *(OC.*, III, 111).

Ni la mención del *mar* es ya necesaria. Tan símbolo ha llegado a ser el mar, y tan privado, que bastan las referencias indirectas a él para que el lector, ya sumergido en el pensamiento de Unamuno, como Unamuno mismo, lo sienta palpitando bajo cada palabra en su silencio continuo. Estos dos verbos (*chapuzarse* y *zambullirse*), tan comunes en español en su significado directo y metafórico, son ya aquí propiedad de Unamuno, valores exclusivos que sólo adquieren su plena significación si percibimos la enorme y difusa carga de ideas y sentimientos que encierran por surgir de donde surgen, del concepto y de la metáfora iniciales, de sus complejas y continuas derivaciones y, en última instancia, del símbolo *mar*.

Después de *En torno al casticismo,* por orden de publicación, la obra más importante de Unamuno es *Paz en la guerra,* novela cuyos más hondos significados dependen, en gran parte, de la función principalísima –real o descriptiva, metafórica y simbólica– que tienen en ella varias formas del agua y ciertos verbos que significan penetración en el agua. Esta presencia del agua en *Paz en la guerra* es evidente desde que, al principio, se nos dice que Pedro Antonio "amaba los días grises y de lluvia lenta" *(OC.,* II, 21), hasta que, para finalizar, asistimos a la revelación en que, contemplando el mar, se le da a Pachico el verdadero sentido de la realidad. Ahora bien, en Bilbao y en el resto del País Vasco (donde ocurren los hechos de la novela) *realmente* cae con gran insistencia la lluvia lenta *(sirimiri)* y Bilbao, *realmente,* se halla situado frente al mar; de lo que podría deducirse, a primera vista, que la presencia del agua en esta novela responde a necesidades puramente descriptivas. Pero, como hemos dicho, tenemos razones para sospechar que la visión de Pachico fue de Unamuno; desde luego, hemos visto cómo una intuición similar sirve de apoyo metafórico al concepto de intrahistoria desarrollado en *En torno al casticismo* donde, además, el mar llega a alcanzar la realidad independiente del símbolo. Si no olvidamos que, así como *En torno al casticismo* es la presentación racional del concepto de intrahistoria, *Paz en la guerra* es la presentación de un mundo en que viven y mueren personajes intrahistóricos, comprenderemos que la misma necesidad metafórica y simbólica de *En torno al casticismo* es la que lleva a Unamuno a referirse al agua en la novela con otra intención que la puramente descriptiva. Esto parecerá obvio a quien haya leído *Paz en la guerra* ensimismándose en su ambiente, que siempre nos lleva más allá de su pura presencia. Pero si necesitara probarse, podríamos indicar que Ignacio (en el *lecho* de cuyo espíritu se ha ido asentando la tradición durante su infancia: cf. *OC.,* II, 26, 27 y 38-40) entra a su primera batalla, como soldado de las tropas carlistas, bajo la lluvia, que ésta es tan insistente que le cala el alma, un alma en cuyo interior, bajo sus pensamientos —en su intra-conciencia—, también llueve *(OC.,* II, 155). Cuando va Ignacio a recobrarse de sus primeras heridas a la casa que sus padres tienen en el campo, se nos dice que vivía ya "fermentando" por la lluvia *(ibid.,* 158). Y, un poco más adelante, para indicarnos el alejamiento de lo histórico en que vive esos días, se nos dice que oía las conversaciones *históricas* "como quien oye llover" *(ibid.,* 159). Podríamos también recordar que en el momento de su muerte nos dice Unamuno que, al entrar en la paz de ella, dejó para siempre Ignacio las olas de la Historia *(ibid.,* 251-252). Metáfora ésta de *En torno al casticismo* que vuelve a usar Unamuno en su novela varias veces: alguna vez en términos generales, para referirse a la vida intrahistórica de los campesinos *(ibid.,* 89-90), o, por ejemplo, a propósito de la meditación de Pachico sobre la muerte de Ignacio *(ibid.,* 274). Podríamos recordar también que, al final de esa meditación, se encuentra Pachico como en un *baño* de calma *(ibid.,* 275), o que Pedro Antonio, como hemos visto, va a buscar su paz y el sentido eterno de su vida (y de la de su hijo ya muerto) junto a un riachuelo cuya cháchara sin sentido le canta, sin letra, el misterio de la vida, o que Josefa Ignacia, su mujer, encuentra la resignación en la iglesia, cuya luz difusa le es como una *llovizna de paz (ibid.,* 310), dulce efluvio *(ibid.,* 312) en que va encontrando el sentido de la vida y la muerte, de la guerra y la paz.

Estas referencias al agua —y muchas otras a lo largo de la novela— son puramente simbólicas y podrían desentrañarse a fondo. Pero prefiero detenerme aquí en una frase vulgarísima que aplica Unamuno a Pedro Antonio, no sólo porque en ella se concentra todo el valor simbólico que da Unamuno al agua —y concretamente al mar en este caso—, sino porque nos demuestra, precisamente por ser una frase española trivial, hasta qué punto era Unamuno un escritor plenamente consciente de la lengua que manejaba y cómo todo lo que toma de ella adquiere resonancias particulares dentro del tejido complejísimo de su simbología privada. Se trata de la siguiente situación: está Unamuno, al principio de la novela, describiendo la monotonía de la vida de Pedro Antonio, la satisfacción que encontraba el buen chocolatero en su vivir intrahistórico, en vivir, como perdido, en la maraña oscura de lo "cotidiano eterno". Después de haber descrito sus principales actividades cotidianas, Unamuno resume todo ello en una frase metafórica: Pedro Antonio vivía *como pez en el agua (ibid.,* 20).

Si en su origen era común y trillada la metáfora de *En torno al casticismo,* pocas frases se encontrarán en español más vulgares y trilladas que ésta. Tanto es así, que el lector que no vaya rebuscando en el lenguaje de Unamuno lo olvidado de puro sabido, resbalará por la frase o, en el mejor de los casos, se asombrará de que Unamuno no haya encontrado palabras más "originales" para resumir su descripción de la vida de Pedro Antonio. Y, sin embargo, la frase es exactamente la necesaria, está empleada aquí sin ironía ni concesiones y, ya dentro del especial mundo de símbolos y conceptos de Unamuno, significa y expresa mucho más de lo que significa y expresa la frase en su sentido más común; algo más complejo y, en verdad, distinto. Una vez llamada la atención sobre la frase y el contexto en que aparece, no creo que sea necesario explicar sus significados. Sin embargo, bien vale recordar que, en la novela, Pedro Antonio prefiere los días de lluvia lenta a los de sol, que es un personaje intrahistórico, y que los hombres de la intrahistoria —"madréporas suboceánicas"— viven en el fondo del mar. Fuera ya de *Paz en la guerra* recordamos el cuento *Solitaña,* germen de la novela, y cómo a su protagonista (germen de Pedro Antonio) lo llama Unamuno "el hombre húmedo" *(OC.,* II, 551), cómo nos habla de la "humedad de su alma" *(ibid.,* 555), del deleite con que solía dormir arrullado por la lluvia *(loc. cit.),* de cómo le gustaba ver el mar *(ibid.,* 552), y cómo "*Solitaña* era siempre el mismo: tenía en la mirada el reflejo del suelo mojado por la lluvia" *(loc. cit.).* Recordamos también que, en un momento central del cuento, nos dice Unamuno que "En las grandes profundidades del mar viven felices las esponjas" *(ibid.,* 549). De ahí que *Paz en la guerra* (como *Solitaña,* como *Amor y pedagogía* también) sea una narración "húmeda". No porque en Bilbao llueve y se tiene el mar enfrente, sino porque la expresión del mundo interior, inconsciente, continuo y eterno que concibe Unamuno como sustancial a todo lo que se percibe en la superficie, requiere, una vez creada la metáfora original, su empleo insistente como símbolo. En cada una de las referencias al agua de *Paz en la guerra,* pues, como en las de *En torno al casticismo,* debemos ver implícita una sustitución de términos. Sólo así llegaremos, en cuanto que esto sea factible, a su máximo sentido.

Después de *Paz en la guerra,* siguen oyéndose en la prosa de Unamuno los ecos del *mar.* Los escuchamos, por ejemplo, en *Nicodemo el fariseo,* y no sólo cuando Unamuno le aconseja al alma dejarse perder "en el mar de la vida divina" *(OC.,* IV, 24), frase en que *mar,* ya sabemos, quiere decir *—es—* eternidad, inconsciencia, continuidad, ausencia de egoísmo histórico, etc., sino, incluso, cuando al escoger las palabras de Cristo a Nicodemo que mejor expresen su visión de la realidad cita las siguientes:

> Respondió Jesús: De seguro y bien seguro te digo que el que no naciere de agua y de espíritu no puede entrar en el reino de Dios *(ibid.,* 22).

El valor simbólico de esta *agua,* la forma en que se lo apropia Unamuno por el solo hecho de escoger estas palabras, y la continuidad conceptual e imaginativa, así como el anhelo de este Unamuno contemplativo, son evidentes.

Por los mismos años, aparte de las referencias concretas al mar y de la repetición de la metáfora de *En torno al casticismo* (por ejemplo en *¡Adentro!, OC.*, III, 209-216), es insistente la repetición de los verbos *chapuzarse* y *zambullirse* que ya hemos visto y de ciertos verbos relacionados con éstos, como, por ejemplo, *sumergirse*.

Después, desde 1903 aproximadamente, aunque las encontramos aquí y allá, escasean las referencias metafóricas o simbólicas al mar en sus ensayos de batalla. La razón de este hecho la sabemos por lo ya dicho en nuestro Capítulo II.[10] Sin embargo, estas referencias dominan sus libros de paisajes y su poesía, como hemos indicado en nuestro recuento. No vamos a detenernos aquí a presentar cada caso. Dado que sólo nos interesa en este capítulo entender la *función* simbólica del mar en la obra de Unamuno, tomaremos un par de ejemplos que el lector puede aumentar con otros de su propia cosecha.

En *Poesías*, por ejemplo, esta función simbólica es definitiva. Si no la tomamos en cuenta, algunos de los poemas más importantes del libro pierden mucho de su carga conceptual y expresiva. Ello es evidente, por ejemplo, en "En el mar de encinas", uno de los poemas centrales y mejores del libro. Leamos sus tres primeras estrofas; bastarán para nuestro propósito:

En este mar de encinas castellano
los siglos resbalaron con sosiego
lejos de las tormentas de la historia,
lejos del sueño
que a otras tierras la vida sacudiera;
sobre este mar de encinas tiende el cielo
su paz engendradora de reposo,
su paz sin tedio.
Sobre este mar que guarda en sus entrañas
de toda tradición el manadero
esperan una voz de hondo conjuro
largos silencios.......

No cabe duda que *mar* tiene en estos versos dos vertientes significativas. En primer lugar, dentro del poema mismo, según se nos presenta y se desarrolla en él, es, sencillamente, el término de comparación de una metáfora descriptiva: "encinar a lo lejos, quieto y verde oscuro como el mar a los lejos". Pero tras este significado, *mar* tiene valores expresivos que le llegan

[10] Precisamente porque estos ensayos son del agonista y el Unamuno contemplativo se "sumerge" entonces en su prosa de paisajes y en su poesía.

desde fuera del poema, de un arsenal de símbolos interior y privado que Unamuno maneja en toda su obra. Ello es clarísimo si nos damos cuenta de que "la idea" que desarrolla Unamuno aquí es, exactamente, la misma de *En torno al casticismo:* este mar, como el de *En torno al casticismo,* está "lejos de las tormentas de la historia", sobre él han "resbalado", con sosiego, las tormentas (productos de los *sueños* –o sea *ensueños*– de los hombres de conciencia temporal) que han sacudido a otras tierras más *históricas* (la Europa moderna y progresista y, desde luego, siglos atrás en la Historia, esta misma Castilla). Pero en sus entrañas, "de toda tradición el manadero" (intrahistoria), palpitan "largos silencios" en espera de una voz de "hondo conjuro" que los despierte ("España –su tradición eterna– está por descubrir, y sólo la descubrirán españoles europeizados", *En torno al casticismo, OC.,* III, 109). Este mar de encinas es, pues, no sólo parte de una metáfora descriptiva, sino, como todo *mar* en Unamuno, la intrahistoria.

Tenemos, pues, en este poema un cruce de la metáfora descriptiva y del símbolo y, aunque no nos cabe duda de que la metáfora se basta a sí misma para crear su propia realidad y belleza (como se basta a sí mismo el poema sin el resto de la obra de Unamuno), nos parece innegable que las más hondas dimensiones de ese *mar* –y por lo tanto, de todo el poema– se nos escaparán si no atendemos al hecho del cruce, si no vemos en cada mención del *mar* una carga de valores simbólicos que, como ocurre en la obra de todo autor insistente, le llegan de otra parte de esa obra, o sea, en este caso, de fuera del poema.

Parecido es el caso de "Hermosura", otro de los poemas fundamentales de *Poesías.* Como ya hemos indicado (cf. p. 139), es éste un poema sumamente complejo y de la mayor importancia para comprender al Unamuno que nos ocupa en su relación con el agonista. Pero no vamos aquí a estudiar su significación más amplia –de la que ya hemos dicho algo en nuestro capítulo anterior–, sino uno de sus detalles: la función simbólica que en él desempeña el agua y, muy particularmente, el mar. Sin embargo, el haber escogido para nuestro comentario un aspecto esencialmente relacionado con el todo, concentrado además, como se verá, en una sola de las "partes" del poema, nos obliga a describir la estructura total del poema, lo cual, a su vez, no puede menos de recordarnos algunos de los problemas generales que presenta su interpretación. Veamos, pues, brevemente, cómo está compuesto el poema.

En todas las ediciones que de él conocemos, sus 73 versos se ofrecen divididos en dos grupos o partes: una larga tirada de 66 versos a los que siguen, tras un silencio total marcado tipográficamente por puntos suspensivos, los siete últimos versos. Como ya hemos dicho,[11] estos siete versos son una postdata y representan el despertar de la conciencia crítica que pone en duda una visión descrita en los versos anteriores y basada en la idea de la perennidad de la "Hermosura" descubierta en un paisaje provocador de la visión. Parecería, pues, que éstas son las únicas dos partes del poema, ya que la consistencia editorial puede significar que así lo dejó indicado el manuscrito de Unamuno. Ahora bien, si fijamos la atención, vemos en seguida que los 66 versos anteriores al despertar crítico de la conciencia se dividen asimismo, por lo menos, en otras dos partes: una primera de 35 versos, casi puramente descriptiva de la belleza de un paisaje, y una segunda parte en la que Unamuno ofrece los pensamientos nacidos en su ánimo de la contemplación de ese paisaje descrito en los primeros 35 versos.

Esta "segunda parte" de los primeros 66 versos es la que presenta los mayores problemas de interpretación (la postdata es obvia) ya que, por ser reflexiva, se desarrolla, como siempre que Unamuno trata de discurrir racionalmente sobre una realidad cualquiera –en este caso la "Hermosura" del paisaje–, entre dudas y profundas alternancias de contrarios.[12] Estas vacilaciones nos preparan, desde luego, para la duda radical de los últimos siete versos, pero, aun a pesar de ellas, entendemos que es esta parte una meditación reposada en la que el pensamiento parece entregarse casi plenamente a la belleza sin contenido eidético de un paisaje. He aquí, para muestra, cómo empieza la lenta meditación en el verso 36:

> El reposo reposa en la hermosura
> del corazón de Dios que así nos abre
> tesoros de su gloria.
> Nada deseo,
> mi voluntad descansa,
> mi voluntad reclina
> de Dios en el regazo su cabeza
> y duerme y sueña . . .
> Sueña en descanso
> toda aquesta visión de alta hermosura . . .

[11] Cf. Cap. V, pp. 138-139 y nota 31.

[12] Ya hemos explicado cómo es la presencia de la razón activa la que provoca las dudas y, por consiguiente, la agonía.

Ya hemos tenido oportunidad de citar antes estos versos y es inútil volver a comentar su significado y su importancia. Los citamos de nuevo, sin embargo, porque surgen directamente de la "primera parte" del poema que vamos a comentar ahora ya que, veremos en seguida, el paisaje que en ella se describe aparece todo él sustentado sobre el agua.

Lo que describe Unamuno en la "primera parte", en versos de sencillísima belleza, es la quietud de un paisaje contemplado, quizá, desde una altura, y compuesto por un río, una alameda, una torre citadina y el cielo. Desde el primer verso, el agua sirve de *base* a toda la visión; es el fondo en que la visión se asienta o desde el que nace:

> Del agua surge la verdura densa,
> de la verdura
> como espigas gigantes las torres
> que en el cielo burilan
> en plata su oro.
> Son cuatro fajas:
> la del río, sobre ella la alameda,
> la ciudadana torre
> y el cielo en que reposa.
> Y todo descansando sobre el agua,
> fluido cimiento,
> agua de siglos,
> espejo de hermosura.

Aunque sea por demás significativo que un poema de este tipo se le dé a Unamuno frente a un paisaje que se sustenta sobre el agua, esa agua que, durante años, ha ido asociada en su obra a la quietud eterna, debemos cuidarnos de creer que tiene aquí un valor simbólico absoluto: no sólo puede ser aquí el agua un símbolo sino que, además, y primero, es en el poema parte real del paisaje contemplado: el río *está* en verdad ahí, a la vista, y aparece nombrado directamente en el poema.

No es sino hasta el final de la "primera parte" del poema cuando aparece el agua –*mar* ya esta vez– con pleno valor simbólico. Durante quince versos ha seguido Unamuno describiendo la visión "inmoble" y termina la "primera parte" con estos siete versos:

> El tiempo se recoge;
> desarrolla lo eterno sus entrañas;
> se lavan los cuidados y congojas

en las aguas inmobles,
en los inmobles álamos,
en las torres pintadas en el cielo,
mar de altos mundos.[13]

Notemos ante todo que el último verso citado –último de toda la "primera parte" del poema y su cima –es una metáfora:

. . . .
en las torres pintadas en el *cielo,*
mar de altos mundos.

Notémoslo porque es apenas la tercera metáfora de estos 35 versos (antes, en los versos 11 y 13, Unamuno ha llamado al agua *fluido cimiento* y *espejo de hermosura)* y porque surge inesperadamente cuando, en rigor, la descripción, ya ha terminado. Con esta metáfora parece Unamuno adjetivar innecesariamente el sustantivo *cielo,* última palabra "necesaria" estructuralmente para describir un repetido elevar los ojos desde el río hasta el cielo. De cinco descripciones que hace Unamuno del paisaje contemplado, cuatro siguen el orden ascendente *río, alameda, torres, cielo*[14] y, dentro de este sencillísimo orden natural, cada una de las partes del paisaje *(agua, alameda, torres, cielo)* aparece nombrada con la pureza elemental del sustantivo, sin metáforas ni adjetivos que pretendan ampliar su significado más allá del nombrar mismo.[15] Son cuatro ojeadas que, naciendo del agua, se elevan en la gozosa calma del nombrar sustantivo hasta el remanso del cielo. Y, así como cuatro de las cinco descripciones siguen esta norma, el todo de la "primera

[13] En realidad estos versos son como una cima conceptual de la "primera parte", ya que se introduce en ellos, por vez primera claramente, una *idea* ("desarrolla lo eterno sus entrañas"), gracias a lo cual sirven como de comentario parentético que prepara la entrada para la "segunda parte" del poema que es, como hemos dicho, meditativa y conceptual.

[14] La única excepción a este orden aparece en los versos 25 a 28 en que Unamuno describe el mismo paisaje fijándose primero en lo que apunta hacia el cielo (torres y álamos), luego, lógicamente en el cielo mismo, para terminar bajando la vista hacia el agua que todo lo sustenta:

A la gloria de Dios se alzan las torres,
a su gloria los álamos,
a su gloria los cielos,
y las aguas descansan a su gloria.

[15] La sola excepción es la de las metáforas ya notadas de los versos 11 y 13.

parte" la sigue: la primera palabra que escribe Unamuno (exceptuando *Del* naturalmente) es el sustantivo *agua;* la última, 33 versos más tarde, *cielo.* Podemos, pues, decir que esta parte del poema empieza en el *río* y culmina, tras lenta y ensimismada descripción, en el *cielo.* Si ello es así, el verso 35, "mar de altos mundos", la metáfora que nos ocupa, parecería un añadido inútil por postfinal e inesperado.

Pero nada es jamás un añadido en un buen poema. ¿Cuál es, pues, el significado y el valor poético de este último verso que parece dejar cojeando algo que, según creíamos, ya se había cerrado a perfección? Si el solo valor de esta metáfora fuese el de su sentido más directo, el que nace y muere en la pura visión descriptiva ("cielo azul como un mar"), estaríamos frente a una metáfora como las dos anteriores *(agua-espejo de hermosura),* pero, a diferencia de ellas, nacida *a posteriori* e incrustada en el poema a destiempo. La verdad es que hay una radical diferencia entre estas dos primeras metáforas y la que ahora nos ocupa. Las dos primeras nacen del paisaje mismo y, en cuanto ello es posible en un poema, y especialmente tratándose de una metáfora, terminan en él. No traen nada desde fuera de la visión ni nos llevan conceptualmente fuera del poema mismo. Son, en este sentido, puramente descriptivas, como casi toda la "primera parte" del poema en que se encuentran. En cambio, la metáfora que nos interesa *(cielo-mar de altos mundos)* nace, a una vez, del paisaje mismo ("cielo azul como alto mar azul") —o de la tradición, ya que es muy común— y de *fuera* del poema, del caudal de símbolos que Unamuno incorpora a toda obra suya para darle su último significado.

Porque se trata aquí, una vez más, de una metáfora construida sobre un símbolo, sobre una palabra-concepto *—mar—* que tiene ya, desde 1895 por lo menos, valor constante en Unamuno y que, colocada en este último verso de la "primera parte", surge inesperadamente, pero con pleno sentido, y actúa como resumen interior y privado de toda la visión quieta y como eterna descrita en los 34 versos anteriores. Al decir aquí *mar,* recoge Unamuno todos los significados conceptuales y expresivos que ha dado a este símbolo anteriormente, fuera del poema, a la vez que concentra la significación de toda la primera parte, dentro del poema mismo, dándole con ello su cima y su último y más preciso sentido. Al decir *mar,* por lo que ya sabemos, nos dice Unamuno *continuidad interior, eternidad, inmutabilidad, inconsciencia:* precisamente lo que ha venido describiendo en los 34 versos anteriores. Al decir, además, *mar de altos mundos,* atribuye al cielo, por referencia al mar, abismo de entrañas vivas y desconocidas, al "hecho vivo" de que hablaba en las páginas de *En torno al casticismo* (cf. *supra,* p. 233), la propiedad de ser el más alto mundo en que la mente puede "perderse": idea ésta que es, precisamente, el contenido de la meditación que sigue y de la cual surge, con toda naturalidad, el nombre de *Dios,* el más alto y silencioso "hecho vivo" a que se entrega el hombre.

Así, con la extraordinaria consistencia —consciente o inconsciente— que se da en todo autor penetrado de su obra, queda la visión de Unamuno concentrada en una palabra, en uno de esos símbolos del agua que serán siempre sustanciales en su obra contemplativa.

En otro poema, también de *Poesías,* leemos estos versos:

> Déjame descansar en tu reposo,
> en el reposo vivo,
> y en su dulce regazo,
> en tu seno dormido,
> ¡guarda-me Señor!
> Guárdame tranquilo,
> guárdame en tu mar,
> mar del olvido. . .
> mar de lo eterno. . .
> ¡guarda-me, Señor! *(P.,* 121-122).

Versos que no adquieren su total valor si el lector no conoce la relación que en la obra de Unamuno existe entre el regazo materno y el agua, símbolos, vueltos aquí a lo divino, de la vida eterna e inconsciente que busca el contemplativo y que, en no pocos momentos, encuentra para su goce.

Muchos son los poemas, narraciones y pasajes de ciertos ensayos que, como los aquí citados, sólo adquieren su expresión más compleja (a la vez que más concreta) cuando entendemos la función simbólica que en ellos desempeña el mar. Para no cansar al lector con lo que podría ser una lista interminable de casos de lo mismo, citaré, último ejemplo, un soneto que publicó Unamuno en 1922 en *Andanzas y visiones:*

> Déjame que en tu seno me zambulla,
> donde no hay tempestades; como esponja
> habrá en Ti de empaparse mi alma, monja
> que en el cuerpo, su celda, se encapulla.

Mientras Satán sobre esta mar aúlla
al husmo de almas con que henchir su lonja,
más dulce aquí que jugo de toronja
me es tu agua, Señor. Ni me aturulla

el vaivén de su mundo, ya que dentro
vivo de mí viviendo en tu bautismo;
sólo perdido en Ti es como me encuentro:

no me poseo sino aquí, en tu abismo,
que, envolviéndome todo, eres mi centro,
pues eres Tú más yo que soy yo mismo *(OC.,* I, 527).

La relación que tenía la metáfora original de *En torno al casticismo* con el lenguaje y los conceptos de la mística, se desarrolla aquí ya plenamente. El mar de que hemos venido hablando queda en este soneto sólo aludido, pero las referencias son suficientes *(tempestades,* frente a *celda,* por ejemplo; el empleo de los verbos) para ver, por última vez, cómo una expresión que puede parecer tradicional y ajena a la originalidad de Unamuno resulta ser plenamente suya y le sirve para comunicar la realidad más positiva y extrema de aquel otro *yo* contemplativo que siempre dijo llevar bajo el exterior de la agonía.

2. La especial importancia del lago

En uno de los poemas de *Teresa* habla Unamuno de un dolor que va "lentamente alagándose"; luego, en una extensa nota *(T.,* 211), explica que no se trata de una errata de imprenta: en efecto, ha escrito *alagar,* sin hache, neologismo que extrae del portugués donde el verbo existe con el sentido de "hacerse lago". No es éste un juego sin importancia: el Unamuno contemplativo que busca y encuentra lo "inmoble" en la llanura, en el río, bajo las olas del mar, lejos de la Historia, anda, quizá desde su infancia, a la caza de lo quieto hondo, de la quietud del agua más quieta y, desde el principio de su obra, se le nota tantear en busca de un símbolo que sea como el centro de su tendencia a la inmersión, a la pérdida de su *yo* en lo eterno inmutable; este símbolo es el del *lago,* y apoyándose en su significado escribe Unamuno algunos de sus poemas más personales y, desde luego, la novela en que —para bien o para mal— parece rechazar definitivamente la agonía: *San Manuel Bueno, mártir.* Así, su manera de aquietar el tiempo y todo movimiento resulta ser, en verdad, un "alagar" la realidad para perderse en ella. Si toda la tendencia de Unamuno a lo inmoble se centra en los símbolos de la madre y el agua, el agua, a su vez, adquiere su pleno sentido al verse referida a la quietud del *lago*. Cuando en *Paz en la guerra,* por ejemplo, quiere Unamuno hablar de la quietud absoluta de un valle, dice que era "un verde lago de reposada luz" *(OC.,* II, 113); en *Andanzas y visiones* habla de la quietud del "lago del alma" *(OC.,* I, 527), de la "inmensa laguna sin fondo y sin orillas de la eternidad de la historia" *(ibid.,* 721) y del "lago del pensamiento de la eternidad quieta" *(ibid.,* 720). En *Poesías,* todo el largo poema "No busques luz, mi corazón, sino agua" *(P.,* 189 y sigs.) se sustenta sobre el valor simbólico que ya tiene para él el lago junto a cuyas "aguas dormidas", "aguas sencillas", "aguas sin ondas", encuentra el alma su paz con mayor facilidad que a plena luz del sol en la llanura e, incluso, "mejor que junto al río"... (En otra parte habla de un río "de aguas tan quedas que semejan lago", *RD.,* 55). Agua mansa del lago que, lógicamente, no presenta para el buscador de lo eterno los problemas del fluir del río o de las olas encrespadas de la mar. En el lago, todo es quietud, y no le resulta necesario a Unamuno buscar *bajo* su fluir o bajo sus olas. Todo lago es para él "cuna de calma" (Vivanco, *Antología...,* 305-306). Por eso, al querer resumir en un símbolo el mundo de paz absoluta a que se entrega el alma contemplativa, lo llama en el *Rosario de sonetos líricos* "mística laguna" *(RSL.,* 109), y en el *Cancionero* escribe que todo "dolor sin orillas se hace lago" *(C.,* p. 392), es decir, se *alaga.* En verdad, siempre que Unamuno habla del agua quieta podemos leer entre líneas la idea de *lago,* porque hasta el agua del fondo del mar de la costumbre es lago: "el agua del lago es la costumbre –dice en *Teresa–,* es la canción eterna de la historia" *(T.,* 189; cf. también 216).

Ahora bien, al lago, por lo general, le falta la dimensión que permita a Unamuno hablar de la carencia de *orillas* sin la cual no es posible el enajenamiento total del alma. Por ello, lo que hace muchas veces es fundir en un solo concepto los símbolos *lago* y *mar:* los mares de Unamuno, cuando encuentra en ellos la total quietud, *se alagan.* De ahí que haya hablado de la *mar lagotera (FP.,* 102). Y, viceversa, cuando dice que el agua del lago es "la canción eterna de la historia", añade para dar exactitud a la idea: "lago sin fondo y sin orillas, mar" *(T.,* 216), con lo que se complementan los símbolos y resultan ser partes, incompleta cada una en sí, del símbolo general *agua.*

No creo que sea necesario detenerse más en los sentidos que para Unamuno tiene el lago. Baste decir que recorren toda la gama que va desde la expresión de la contemplación positiva de la eternidad y la fusión del alma de Unamuno con el alma de un Todo sin nombre o de Dios, hasta la expresión de la desaparición, plenamente negativa, del alma en la idea de la Nada. De lo primero, encontramos, un caso entre muchos en el *Rosario de sonetos líricos,* el soneto "Junto a la Laguna del Cristo",[16] o, por ejemplo, en el *Cancionero,* un poema lleno de melancolía, pero positivo a pesar de ello, ya que en los días que pasan todos iguales a sí mismos —lago sin fondo— descubre Unamuno una vez más el quedarse del Tiempo en la eternidad.[17] En el extremo

[16] *RSL.,* 150-151:

> Noche blanca en que el agua cristalina
> duerme queda en su lecho de laguna,
> sobre la cual redonda llena luna,
> que ejército de estrellas encamina,
>
> vela, y se espeja una redonda encina
> en el espejo sin rizada alguna;
> noche blanca en que el agua hace de cuna
> de la más alta y más honda doctrina.
>
> Es un rasgón del cielo que abrazado
> tiene en sus brazos la Naturaleza;
> es un rasgón del cielo que ha posado,
>
> y en el silencio de la noche reza
> la oración del amante resignado
> sólo al amor, que es su única riqueza.

Superfluo es casi indicar la conjunción de todos los símbolos que se encuentra en este poema.

[17] *C.,* p. 67:

> Los ayeres derretidos — en un solo y mismo ayer
> hacen el lago sin fondo — del hoy, nuestro único haber.
> Días vacíos que pasan; — el paso les hinche el ser;
> la vaciedad les da campo — en que se puedan mover.
> En un quieto instante eterno — los siglos han de coger;
> son los días más vacíos — los de más rico poder.

Es interesantísimo este poema por la manera como expresa, claramente, la oscura y callada duda interior que a veces palpita en el Unamuno contemplativo: a primera vista el poema es una interpretación negativa de la quietud (los ayeres *derretidos* hundidos en el lago sin fondo son la muerte que rodea el *hoy,* "nuestro único haber"). Sin embargo, estos días *vacíos* que, juzgados apresuradamente, podríamos creer que son la Nada, pueden muy bien ser días *vacíos de Historia,* es decir, por oposición, *llenos* de vida intrahistórica. En efecto, Unamuno mismo les da en seguida este sentido, salmás negativo, el *lago* viene a ser el símbolo de la Nada quieta: se encuentra un buen ejemplo también en el *Cancionero*[18] y, desde luego —¡qué lector no lo habrá pensado ya!— en *San Manuel Bueno,* la obra en que el Unamuno no agonista se nos aparece más claro en su falta de fe. Es el lago de Sanabria en esta novela el símbolo de lo que queda "más allá de la fe y la desesperación" *(OC.,* II, 1232), mundo en el que "no pasa nada" *(loc. cit.):* la atracción que por él siente don Manuel es una con su tendencia a dejarse perder en lo ajeno a sí, e, incluso, con su tendencia al suicidio. Ahora bien, no olvidemos que en esta novela de complejísimo significado, el mismo lago que para don Manuel simboliza la Nada es la Eternidad viva para el pueblo de su parroquia que *sí* cree en la existencia de Dios y en la fusión última y perfecta de todos los elementos de la realidad. Pero, positivo o negativo, el sentido simbólico del lago lleva siempre a Unamuno "más allá de la desesperación", es decir, a un modo de sentir y expresar la vida por completo ajeno a la agonía, y a los gritos y violencias con que la agonía suele expresarse.

---

vándose así de su tristeza desde la vertiente positiva de su ser contemplativo: la vaciedad misma de estos días les *hincha el ser* (por oposición al *parecer* de la Historia). De lo cual ya es fácil pasar a la idea de lo eterno del verso siguiente, y, por fin, a la fe de que los días vacíos son "los de más rico poder". Es necesario pues, siempre, leer con mucho cuidado las palabras, de apariencia más sencillas de Unamuno. Es también necesario —insistamos una vez más— cuidarnos de juzgar siempre estos giros de su pensamiento como *engaños* y trampas que se hacía a sí mismo y que nos hace.

[18] *C.,* p. 394:

> San Martín de Castañeda,
> espejo de soledades,
> el lago recoje edades
> de antes del hombre, y se queda
> soñando en la santa calma
> del cielo de las alturas,
> la que se sume en honduras
> de anegarse ¡pobre! el alma... etc....

Nótese que en este poema (de tema igual a *San Manuel Bueno* y escrito en junio de 1930) al alma que así se deja llevar por la presencia del lago se la llama "pobre", pero, y esto es lo que nos importa, la tendencia del alma a *anegarse* está ahí, incontrolable.

3. La lluvia y la nieve

Harto hemos hablado ya tangencialmente sobre la lluvia en páginas anteriores. Y es que entre los símbolos del agua, la lluvia desempeña un papel muy especial, sobre todo ese "fino orvallo que lentamente bañas/ los robledos que visten las montañas/ de mi tierra y los maices de sus vegas" *(RSL.,* 52). En la poesía de Unamuno, en su prosa de paisajes y en sus narraciones, la lluvia es el "rumor continuo" que "acaba uno por no oírlo y se duerme brezado por él" *(OC.,* I, 609): el monótono caer de las horas vividas inconscientemente, cotidianamente, horas que caen "gota a gota en la eternidad como la lluvia en el mar" *(OC.,* I, 606).[19] Ya hemos indicado que en *Solitaña* inconsciencia y costumbre son lo mismo que lluvia; idéntica a la de este cuento es la relación entre la manera de vivir la vida cotidianamente uno de sus personajes y la lluvia en "Don Martín, o de la gloria" *(OC.,* V, 1005-1010): habla ahí Unamuno de don Martín, escritor famoso, que "hoy tiene la gloria, pero no la oye; hoy sus libros gotean de las oficinas de los libreros, uno a uno; lentamente, en venta regularizada ya, como de autor clásico, gotean como lluvia dulce y continua, y el pobre don Martín, que no la siente, suspira por los días en que desataba chaparrones sobre el público" *(ibid.,* 1006). Don Martín –intelectual y agonista sin duda, por oposición a Solitaña y a los personajes de *Paz en la guerra*– no se daba por satisfecho con el monótono remedo de la eternidad que es el llover; pero, con una cierta tristeza resignada, el Unamuno no agonista, su creador, se conforma muchas veces con el "oír llover no más".[20] Y a veces, no con tristeza, sino con verdadera alegría se entrega a la contemplación de la lluvia sobre el campo que le produce un "deleitoso esponjamiento espiritual" *(OC.,* I, 511), porque cuando "canta la lluvia en la arboleda... el canto se alza hasta el Señor" *(C.,* 353). Música, una vez más, sin letra, en cuyo rumor Dios se hace presente.

El mejor ejemplo de la dulce sensación –mezcla de tristeza, alegría y melancolía– que produce la lluvia en el espíritu de Unamuno lo encontramos en el poema "Llueve", prácticamente desconocido hasta hace poco.[21] Leemos ahí que la lluvia le vuel-

[19] Cf. también *Andanzas y visiones (OC.,* I, 720-721).
[20] Cf. *RSL.,* 14-15, el soneto "La vida de la muerte".
[21] Publicado ahora por García Blanco, *op. cit.,* pp. 382-392.

ve a los días de su infancia en los que se unían en dulce "comunión" la tierra y el cielo y su alma. Es la lluvia en este poema como resignado y monótono canto de cuna sin letra, gracias al cual descubre Unamuno, una vez más, la presencia real de lo eterno en lo que pasa y de un Dios bueno y protector ("mi dulce Abuelo") a quien se entrega sin agonía de ninguna clase.

La lluvia no sólo es símbolo de la vida de la costumbre, sino que su humedad ayuda al alma al enajenamiento porque en ella se borran los contornos que aíslan y oponen las cosas, las personas y las ideas —toda realidad— unas contra otras en agonía. A Ignacio, por ejemplo, en *Paz en la guerra,* la lluvia "le difuminaba los paisajes interiores" *(loc. cit. supra);* con la lluvia, en efecto, "el horizonte se empaña" *(RSL.,* 52) y se abrazan, fundiéndose, la tierra y el cielo *(C.,* p. 162), gracias a lo cual todo perfil desaparece y queda el alma libre —sin orillas— para perderse en lo ajeno a sí misma.

Si así la lluvia, más aún, en cierto sentido, la nieve; porque "la nevada es silenciosa" y "ver nevar es, más aún que ver llover, algo así como ver la caída del tiempo en la clepsidra celeste" *(OC.,* V, 829). No habla mucho Unamuno de la nieve, pero cuando lo hace es ello para decirnos que, como la lluvia, la "nieve borra esquinas" *(OC.,* II, 1230), es decir, funde las realidades antagónicas para permitir, en su contemplación, el abandono del alma a la idea de su propia fusión con lo eterno silencioso. Vuelta esta idea a lo divino —cima positiva última a que llega siempre su ser contemplativo—, encontramos que la nieve simboliza alguna vez para Unamuno la "ternura de Dios" *(C.,* p. 192).

En el tejido cerrado y consistente que son los símbolos del agua en Unamuno, hemos tenido oportunidad de ver, por ejemplo, que los ojos de su mujer —paz, costumbre, continuidad de la tradición inconsciente— son *ríos;* que la paz total, como mar sin tierra que lo limite con tiempo e historia, es una *paz sin orillas (C.,* p. 337), de la misma manera que *mar sin orillas* es la vaga penumbra del mundo de lo inconsciente *(OC.,* III, 44), o los ojos de Berta en los cuales se pierde por amor el don Juan de *Dos madres.* Idea ésta del "mar sin fondo y sin orillas" en que se resume, por ejemplo, toda la descripción que hace Unamuno en *Recuerdos de niñez y mocedad* de cómo, cuando asistía de niño a las seisenas de la Congregación de San Luis Gonzaga, se enajenaba de sí ayudado por la penumbra reinante en la iglesia, por la voz monótona del sacerdote y por la monotonía de la música del órgano. Tras una página entera de descripción de ambiente, cuando ya parece haber agotado el concepto y las comparaciones, lo resume todo en estas palabras: era aquél, dice, un "mundo vislumbrado por la imaginación, mundo de quietud, de mar sin orillas" *(OC.,* I, 89-91),[22] con lo que, de nuevo, el mar resulta ser un símbolo en que se concentra todo el sentimiento de Unamuno en sus significados y asociaciones más íntimos.

Y si la paz total e inconsciente es "mar sin fondo y sin orillas", la paz que encuentra, por ejemplo, en la catedral de Barcelona es un *remanso* en el cual la muchedumbre indiferenciada que reza *es agua eterna y pura* cuyas heridas la catedral *lava,* porque ella es eterno *manadero* de paz *(P.,* 64-66), como Dios es *fuente* que riega el espíritu *(P.,* 93), como *fuente* de calma es el buen sueño de dormir *(P.,* 137): *fuentes, remansos, mares* en los que se *baña* el ser contemplativo de Unamuno y el de no pocos de sus personajes que se bañan en "muchedumbre humana" *(OC.,* II, 787-788), o en "las aguas vivas de la Humanidad" *(OC.,* III, 247), o "en la Naturaleza" *(OC.,* II, 787-788), o en "el reposo del páramo" *(OC.,* I, 906), o en la noche cuajada de estrellas *(C.,* p. 399).

Tal parece como si cada vez que Unamuno se detiene ante un paisaje o una idea que lo lleve a la revelación interior de lo esencial eterno inconsciente, va ello ligado, con la sorprendente insistencia de los valores irracionales, al tema del agua. Y como hemos visto, antes y después de sus experiencias "místicas" frente al mar de Fuerteventura. Y es que, junto con el símbolo complejo *madre-cuna-regazo,* con el cual se entrecruza constantemente, es el del agua el más importante de su obra contemplativa.

[22] Cf., en nuestro Cap. siguiente, pp. 261-263, un comentario más amplio sobre este pasaje.

VIII

LA LUZ DIFUSA: SÍMBOLO ÚLTIMO DE LA CONTINUIDAD INMATERIAL E INCONSCIENTE

1. La teoría del matiz y del nimbo

"No busques luz, mi corazón", decía Unamuno en un conocido poema, "huye de la luz",

> porque la luz, mi alma, es enemiga
> de la entrañada entraña
> en que vuelve el espíritu a sí mismo *(P.,* 189-190).

La luz es, en efecto, enemiga del mundo interior, vagaroso y difuminado, al que gusta entregarse, cerrado a la Historia y abierto a la comunión directa con el alma de las cosas, el Unamuno no agonista. La luz "disipa la intimidad del recogimiento" *(OC.,* I, 838) porque aísla los cuerpos unos de otros, enfrenta sus individualidades en lucha de límites y separa el alma de Unamuno de ellos impidiendo esa fusión del espíritu del contemplativo con el de las cosas y el de los demás hombres que, por ejemplo, logra Pachico en el atardecer final de *Paz en la guerra,* cuando todo ha perdido su caparazón, su bulto recortado por el día.

Muchos años después de *Paz en la guerra* y de *Poesías,* en el *Cancionero,* insiste Unamuno en la misma idea: la luz, dice, "da cuerpo de tomo" *(C.,* p. 86). Lo que se logra en la penumbra recogida "a la luz se olvida" *(C.,* p. 163). Luz y penumbra son para Unamuno, veremos, los equivalentes de la conciencia crítica y de la inconsciencia, respectivamente. Por ello, el contemplativo que en *Paz en la guerra* hablaba del "alma de las cosas" y que buscó siempre la eternidad y la inconsciencia en el interior de toda realidad, ha hablado también de un místico buscar "el interior del alma de la luz" *(C.,* p. 213) en el cual desaparece, fondo vivo donde todo es uno, su cruda fuerza deslindante externa.

Así, pues, frente a la luz total, preferirá el Unamuno contemplativo la penumbra; no la oscuridad absoluta, sino esa luz imprecisa filtrada, que, a manera de suave lluvia, caía sobre Josefa Ignacia en la Basílica de Bilbao; esa misma luz en que venían envueltos los dulces recuerdos de Augusto Pérez cuando se acordaba de su madre; la *difusa luz* de que habló alguna vez (*P.*, 56). Frente a la crudeza, el *matiz,* la continuidad que propicia el "esponjamiento" del espíritu necesario para la "inmersión" en la realidad más honda.

Es notable en un hombre cuya agonía parece sustentarse sobre violentos contrastes de ideas —luces y oscuridades radicales—, en un escritor cuyo estilo ha sido juzgado duro, machacón y carente de las formas más sutiles de la transición y del matiz, la insistencia con que elabora y desarrolla el tema de la *luz difusa,* del nimbo, de la penumbra, desde 1895 hasta 1936.[1] Es un tema tan sorprendente en Unamuno como el de la música, y a él va ligado las más veces.

Ya en las páginas de *En torno al casticismo* (1895) aparece el concepto de la *difusa luz* sirviendo nada menos que de punto de apoyo teórico para el análisis del espíritu castellano del que Unamuno deriva las conclusiones más importantes sobre la forma de haber sido España "en su Historia". En el primero de los cinco ensayos, como ya hemos visto, desarrolla Unamuno su concepto de la intrahistoria; en el segundo, entra ya en el estudio de "La casta histórica", la que al aferrarse a un pasado caduco ha impedido que España descubra su verdadera tradición eterna. La casta histórica la encuentra Unamuno simbolizada por Castilla: el segundo y tercer ensayos son, pues, un análisis del espíritu castellano. Es aquí donde Unamuno, antes de proceder al análisis, introduce su teoría del *nimbo* de la cual se vale para precisar la diferencia de concepción del mundo existente entre la casta histórica castellana y el pueblo verdaderamente —eternamente— tradicional. Como antes había recurrido metafóricamente a la idea del *mar,* recurre aquí Unamuno a la del *nimbo* en un esfuerzo por ampliar su visión de la tradición eterna, su intuición de la vida como *continuidad* interior eterna.[2] Leemos:

> En la sucesión de impresiones discretas hay un fondo de continuidad, un *nimbo* que envuelve a lo precedente con lo subsiguiente; la vida de la mente es como un mar eterno sobre que

[1] Cf. el artículo de Juan Marichal, "La voluntad de estilo de Unamuno y su interpretación de España", *Cuadernos Americanos,* XII, 3, 1953, pp. 110-119, donde, con un propósito diferente del nuestro, se estudia bien este asunto.

[2] Por algo en el poema citado *supra* (p. 221), en que Unamuno dice "No busques luz, mi corazón", añade: "sino agua".

> ruedan y se suceden las olas, un eterno crepúsculo que envuelve días y noches, en que se funden las puestas y las auroras de las ideas. Hay un verdadero tejido conjuntivo intelectual, un fondo intra-consciente, en fin *(OC.,* III, 43).

Nimbo equivale, pues, a penumbra, a elemento de transición en eterna continuidad difusa.[3] Como lo dice Unamuno mismo en otra parte, el nimbo es lo que "envuelve y aúna los contrarios" *(OC.,* III, 219): días y noches, puestas y auroras de ideas, lo temporal y lo eterno, la vida y la muerte. Como la *niebla* de que hablará años más tarde, el *nimbo* hace rezumar el alma de las cosas, y en este derramarse en que se logra la comunión absoluta[4] penetra el espíritu la realidad en que todo se funde en todo; continuidad verdadera indestructible. En un importante pasaje de "A lo que salga" (1904) —puente, tal vez, entre *Paz en la guerra* y *Niebla*— leemos lo siguiente:

> Una mañana de niebla en que salí de casa —de esto hace cinco o seis años— me produjo el espectáculo de la niebla matutina, con ser frecuente en esta ciudad de Salamanca, un efecto singular, y como nunca antes me lo había producido, merced, sin duda, al estado en que acertara a encontrarse entonces mi alma. Y fue que al ver los arbolillos que bordan la carretera que pasa junto a mi morada de entonces, y verlos sumergidos en la niebla, así como los objetos todos de mi alrededor, y veladas por ella las lontananzas, parecióme como si a aquellos arbolillos se les hubiesen rezumado o extravasado las entrañas, y que ellos no eran más que corteza, continentes de árboles sumergidos en sus propias entrañas, algo así como hollejos de uva dentro del mosto. Y que las entrañas éstas de los arbolillos y de las cosas todas se habían fundido unas en otras, dejando a sus cuerpos como armaduras de un guerrero que ha muerto y se ha hecho polvo. Y recuerdo que, a partir de semejante imaginación, continué mi camino rumbo a la Universidad, a dar mi clase, pensando en un remoto reino del espíritu en que se nos vacíe a todos el contenido espiritual, se nos rezumen los sentimientos, anhelos y afectos más íntimos, y los más recónditos pensares, y todos ellos, los de unos y los de otros, cuajen en una común niebla espiritual, en el alma común, dentro de las que floten las cortezas de nuestras almas, estas cortezas que son hoy casi lo único que de ellas ofrecemos a nuestros prójimos, y casi lo único que recibimos de éstos. Y continué pensando que es poco menos que forzoso el que sean escri-

[3] Como bien dice Marichal, art. cit., p. 114.

[4] Sobre esto de la comunicación y comunión, cf. el art. cit. de Marichal y nuestro *Unamuno, teórico...* Segunda parte.

> tores u oradores neblinosos cuantos se propongan verter al público, por escrito o de palabra, su espíritu, la savia de sus sentires y sus quereres, y no tan sólo su inteligencia, no sus pensamientos tan sólo (*OC.*, III, 533-534).[5]

Una vez más, bajo la corteza (individualidad o Historia) la personalidad, lo que entra en comunión con la Humanidad eterna en el *mar* (o niebla), destruido ya el "*yo* egoísta". Como esta *niebla* y como el *mar,* el *nimbo* es el matiz en que, en perpetua y "suave transición", vive eternamente el alma de las cosas y de la Humanidad. En las páginas de *En torno al casticismo* leemos lo siguiente:

> Nimbo o atmósfera ideal, es lo que da carne y vida a los conceptos, lo que los mantiene en conexión; lo que los enriquece poco a poco, irrumpiendo en ellos desde sus entrañas (*OC.*, III, 45).

Ya con esta teoría por delante se va a lanzar Unamuno al análisis del espíritu castellano. Pero antes nos hace aún una advertencia:

> Y no debe perderse de vista esto del nimbo, clave de las inquisiciones que hemos de hacer en la mente castiza castellana, porque es la base de la distinción entre el hecho en bruto y el hecho en vivo, entre su continente y su contenido (*loc. cit.*).

Y el estudio de la "mente castiza castellana" empieza —y casi se reduce a ello— por un análisis del teatro de Calderón.

En este teatro, el más castizo de todo el castizo teatro español (según el casticista Menéndez Pelayo), encuentra Unamuno que todo es rapidez a-psicológica y "siluetas precisas", "grabados al agua fuerte", bulto sin contenido y "hechos en bruto yuxtapuestos por de fuera". "Por ver los hombres en perfil duro no sabe [Calderón] crear caracteres, no hay en sus personajes el rico proceso psicológico interno de un Hamlet o un Macbeth". Los hechos aparecen bien recortados en su teatro, "sin quebrar su cáscara y derramar sus entrañas en el espíritu que los recibe, sin entrar a él envueltos en su nimbo y en éste desarrollarse". En este teatro castizo la interioridad queda sacrificada a la claridad simbólica y todo resulta *burilado,* todo se *petrifica.* El tan traído

[5] En lo esencial, ya lo habrá notado el lector, esta revelación es como la de Pachico al final de *Paz en la guerra.* Desde luego, también es claro en este pasaje uno de los posibles orígenes de *Niebla.*

y llevado idealismo de Calderón es disociativo; desconoce "la continuidad y vida íntima de la idea". Y, asociando, naturalmente, la idea del nimbo con la de la música, añade:

> Este espíritu castizo no llegó, a pesar de sus intentonas, a la entrañable armonía de lo ideal y lo real..., no consiguió soldar los conceptos, anegándolos en sus nimbos, ni alcanzó la inmensa sinfonía del tiempo eterno y del infinito espacio.

Según Menéndez Pelayo, "Calderón nos presenta la realidad con sus contrastes de luz y sombra, de alegrías y de tristeza", pero nos la presenta "sin derretir tales contrastes en la penumbra del nimbo de la vida" (para todo lo citado, cf. *OC.*, III, 47-49).

Ni verdadero idealismo ni capacidad de matiz, pues, en Calderón; no supo en su teatro intuir el real *Volksgeist* español, o sea el "nimbo colectivo" –mar– en que vive eternamente la España intrahistórica. Precisamente porque Calderón es, como dice Menéndez Pelayo, el "símbolo de la raza", no se encuentra en su obra ese "coro irrepresentable de las cosas" que encontramos por ejemplo –y según la teoría musical de entonces, que Unamuno parece haber meditado– en Wagner, cuya música es *"leitmotiv* de melodía infinita que se desarrolla en sinfonía armónica e inarticulada" *(ibid.,* 47).[6] En Calderón no vibra el *motivo sinfónico del mundo,* ni hay en su obra "adecuación de lo interno con lo externo" *(ibid.,* 76); todo queda en su teatro como burilado a hachazos, a plena luz dura; "todo es en él claro, recortado, antinebuloso" *(ibid.,* 52-53). Calderón, como en su nivel Pereda, otro castizo que, recordamos, no sabía fundirse con la naturaleza, lo ve todo en blanco y negro, no funde nunca su subjetividad con la del mundo objetivo que crea, ni logra que sus personajes vivan la vida interior difusa en que todo participa de lo ideal y lo real en la penumbra nebulosa donde se revela el alma eterna de las cosas y de los hombres, de cuya revelación se pasa a la comunión. Calderón viene a ser, pues, el polo exactamente contrario de lo que este

[6] Mucho le interesaban a Unamuno por estos años los conceptos de la estética wagneriana, entonces tan de moda. En otra parte encontramos estas palabras: "De las más hondas concepciones wagnerianas es, a la vez que la de la tragedia, tomada en mucho de Schopenhauer, la de la integración de las artes todas en el teatro y la del carácter religioso de éste. Aún no ha influido Wagner lo que debiera fuera de la música" *(OC.,* III, 156, nota al pie). Desde luego, en él sí influyó; es decir, le ayudó a confortar su ya de por sí idealista –¿krausista?– concepto de la continuidad y de la íntima y última "integración" de todas las facetas de la realidad.

Unamuno contemplativo pretende ser. Así, llevado de sus propias revelaciones frente a la Naturaleza, e influido por sus lecturas de psicología inglesa y de filosofía idealista alemana, Unamuno —vasco nebuloso y romántico en su juventud— se opone teóricamente al espíritu castellano y, en la práctica, escribe *Paz en la guerra,* novela en que trata de presentar en vivo el espíritu anegado de eternidad de los hombres y mujeres de la intrahistoria.

Como el teatro de Calderón, así el espíritu disociativo castellano, saturado de luz, que todo lo deslinda y lo enfrenta todo en guerra. A falta de nimbo, todo en este espíritu es dureza guerrera, dogmatismo y *odium theologicum (ibid.,* 55-56). Y como Castilla, su lengua.[7] Y así también la violenta oposición que en la "casta histórica" se encuentra entre la *individualidad* (límites bien marcados hacia fuera) y la *personalidad* (no-límites hacia dentro, comunión con el dentro de lo de fuera): domina en el espíritu castellano la individualidad sobre la personalidad, lo petrificado dogmático (y aparente) sobre lo difuso vivo.[8] Y conformando esta manera de ser y como participando de ella, el paisaje castellano y su luz dura que elimina toda posibilidad de matiz;[9] paisaje que sólo permite pensar en lo que destaca a plena luz en el concepto o en la Historia, accidental y discontinua: "«Sólo Dios es Dios, la vida es sueño, y que el sol no se ponga en mis dominios», se recuerda contemplando estas llanuras" *(ibid.,* 39). Unos años más tarde, y volviendo a la metáfora musical, dirá Unamuno que "aquí nos

[7] Cf. el art. ya citado de Marichal, y M. García Blanco, *Don Miguel de Unamuno y la lengua española,* Salamanca, 1952, p. 17.

De aquí, entre otras cosas, sus elogios al krausismo y su defensa de aquel lenguaje que tanto atacó Menéndez Pelayo (cf. *OC.,* III, 367): los krausistas pretendían expresar una nueva realidad, contraria a la castiza, y por ello necesitaban una nueva lengua en la que se pudiese expresar la continuidad y fusión de los contrarios.

[8] Cf. su ensayo "El individualismo español", de 1902, en *OC.,* III, 388 y sigs.; en especial 390-394.

[9] Dice del paisaje castellano que no es en él posible la "comunión con la Naturaleza"; que es, "si cabe decirlo, más que panteístico, un paisaje monoteístico, este campo infinito en que, sin perderse, se achica el hombre, y en que siente, en medio de la sequía de los campos, sequedades del alma" *(OC.,* III, 38). Habla sin duda aquí el vasco todavía no castellanizado. Con los años se irá acostumbrando a la luz abierta de Castilla (como se entusiasmó por la de Fuerteventura) y llegará a decir cosas como éstas: "Recorriendo estos viejos pueblos castellanos, tan abiertos, tan espaciosos, tan llenos de un cielo lleno de luz. . . , es como el espíritu se siente atraído por sus raíces a lo eterno de la casta" *(OC.,* I, 558).

falta armonía y nos sobra compás, en este pobre pueblo cristalizado" *(OC.,* III, 257).

Ya en *Paz en la guerra,* por oposición a los vascos interiores y lentos, amantes de la llovizna y del matiz, había descrito a Sánchez, un castellano:

> Sánchez, un castellano... sobrio en sus manifestaciones todas..., seco como una cepa de vid..., sin fronda y sin arroyos... Hablaba poco..., mas una vez roto el nudo de su lengua, brotábanle las palabras precisas y sólidamente encadenadas las unas a las otras. Pensaba liso y llano, mas con violento clarooscuro... *(OC.,* II, 235).[10]

Este violento claroscuro en el pensar viene de que, por tradición histórica, el alma castellana afirmó "dos mundos y vivía a la par en un realismo apegado a sus sentidos y en un idealismo ligado a sus conceptos" *(OC.,* III, 73). "Nada de componendas, ni de medias tintas, ni de pasteleo: nada de nimbo moral" *(ibid.,* 66) en el espíritu castellano –por desgracia.

En la lamentable Historia del pensamiento español y de su efecto en la Historia, por oposición a este espíritu disociativo, la mística intentó unir los dos mundos opuestos entre los que se desgarra España. Los místicos buscaron "la perfecta adecuación de lo interno con lo externo" *(ibid.,* 76), se esforzaron por hallar "el motivo sinfónico del mundo", pero, desgraciadamente, afirmaron demasiado su individualidad y, en vez de perderse o anegarse en Dios, pretendieron ser de Él poseedores *(ibid.,* pp. 78-79). Por ser también ellos, inevitablemente, castizos, fracasaron en su intento de dar amplitud y sutileza interior al espíritu castellano.

Más cerca de la solución estuvo el humanismo que quiso salvar a la casta castellana "de estos despeñaderos mórbidos" *(ibid.,* 84). "El ministro por excelencia de su consorcio fue el maestro León..., platónico, horaciano y virgiliano, alma en que

[10] Es notable que, por los mismos años en que escribe estas palabras, en las páginas de *En torno al casticismo,* haga un gran elogio de Pedro Mudo, castellano seco, cortante y silencioso... hasta que rompía a hablar como quien ataca con implacable espada (cf. *OC.,* III, 40). Incluso en estos detalles encontramos dos Unamunos en alternancia. Y algo más: el entusiasmo que puede provocar la Historia gloriosa hasta en los que la rechazan; porque Unamuno habla de Pedro Mudo a propósito de la cerrazón y falta de nimbo de Castilla, que deplora, pero no puede evitar sentirse atraído por esta gran figura legendaria. Siempre ambivalente la realidad en quien la recibe a plenitud.

se fundían lo epicúreo y lo estoico en lo cristiano, enamorado de la paz del sosiego y de la armonía" *(ibid.,* 84-85). Por oposición al espíritu castellano castizo, "es en él profundísimo el sentimiento de la Naturaleza" y "la fineza del sentir" *(loc. cit.).* Amante de la armonía eterna, Fray Luis vivía la fusión de elementos e ideas, sabía del matiz, "del concierto ideal... de los elementos espirituales, del concierto del mundo y del equilibrio interior de todos sus elementos" *(ibid.,* 85-89).

Pero con la cerrazón de España a las corrientes europeas —victoria castiza— fracasó el humanismo que hubiese podido cambiar el espíritu castellano, el cual no es, a fin de cuentas, más que producto de su Historia: en esta nota termina el tercer ensayo de *En torno al casticismo* y entra Unamuno en el tema de la regeneración históricamente necesaria para poder llegar a comprender y desarrollar ese espíritu eterno que no ha logrado aún su verdadera expresión en la Historia.[11]

No nos detengamos ya más en la idea central de *En torno al casticismo,* que nos alejaría demasiado de nuestro tema. Ha sido preciso subrayar algunos de sus aspectos, los que pueden llevarnos al centro que nos ocupa. Pero antes de terminar, anotemos aún los puntos de comparación en que se apoyaba Unamuno para su análisis.

Por un lado, y de manera algo tangencial a nuestro tema de este capítulo, hay que notar la constante referencia a ideas musicales *(concierto de los elementos, sinfonía del mundo, sinfonía del tiempo eterno, armonía* frente a *compás,* etc.). Ya hemos visto en nuestro capítulo V lo importante que es para Unamuno la música: este tipo de música silenciosa que imaginaba como fundamental al *mar* continuo e inconsciente de la intrahistoria. Por otro lado, y esto es lo que aquí nos importa, subrayemos los símiles pictóricos en que se basan sus conclusiones: *nimbo, matiz, penumbra, continuidad interior,* etc., frente a *siluetas precisas, grabados al agua fuerte, hechos en bruto, burilados,* etc.; todo ello en defensa de la comunión de lo externo con lo interno, del *derramarse* del alma de las cosas, de la continuidad y de la paz. Es éste el mismo Unamuno que, años más tarde, en 1922, hablaba de la "honrada" pintura vasca, sencilla e interior, para oponerla como intrahistórica o "natural"

[11] Entendido así, como ya hemos explicado en nuestro Cap. II, *En torno al casticismo* resulta no ser tan distinto del *Idearium español,* con cuyos sueños histórico-fantásticos parece marchar en desacuerdo. Desde luego, dadas las relaciones entre Ganivet y Unamuno, podía esperarse un tal acuerdo interior y anterior a todo desarrollo lógico de sus ideas.

a la pintura castellana de violentos claroscuros *(OC.,* I, 777). El mismo Unamuno que se deleitaba en la contemplación de la pintura "íntima", no histórica, de los "interiores penumbrosos" de Lecuona *(ibid.,* 778) y del impresionismo "verde tierno" de Adolfo Guiard, artista que, nos dice, supo ver el alma de los niños y de los campesinos "apacibles", un "alma difusa, un alma que se confunde con la naturaleza que les rodea"; Guiard, insiste, "no procedía por masas de claros y oscuros", "no era un claroscurista a la española" *(ibid.,* 779-783). Idea ésta en que se vuelven a fundir su concepto de la luz, de la Naturaleza y del alma de los hombres y mujeres de la intrahistoria.

Es el mismo Unamuno que en las páginas de *En torno al casticismo* protestaba, sarcástico, contra los que oponían *patrióticamente* la luz castellana a las "brumas del Norte":

> ¡Claridad! ¡Claridad! ¡Bendita claridad, que al matar lo indeterminado, lo penumbroso, lo vago, lo informe, mata la vida...! ¡Oh nítida claridad meridional, no empañada por nieblas hiperbóreas, por brumas germánicas, británicas o escandinavas!... ¡Que vengan, que vengan todos esos pintores morados y neblinosos bajo nuestro cielo y se curarán! *(OC,* III, 368-369).

El mismo Unamuno que en una carta de 1897 se explicaba a sí mismo como sigue:

> ¿Que tiendo a la nebulosidad o a cierto romanticismo *sui generis*? Mi obligación es trasladar mi personalidad a mis escritos, y por consiguiente ser nebuloso y romántico, o lo que sea.[12]

Tendencia a la nebulosidad por la que, curiosamente, como hemos dicho *(supra,* p. 86), era conocido Unamuno antes de que la leyenda nos diera de su figura una estatua calderoniana.

En este Unamuno, la insistencia en la busca de la luz difusa continúa a lo largo de toda su obra según va encontrando su mayor deleite en *anegarse* en la niebla *(OC.,* II, 320), en la luz *cernida* y *dulcificada (ibid.,* 116), según se va dejando vivir, más y más por debajo de sus guerras, "lejos del mundo de la luz y el ruido" *(P.,* 99). Muchas cosas, en efecto, cambian en la obra de Unamuno después de 1900, pero el tema de la *difusa luz,* como los otros temas y símbolos que hemos venido estudiando, sigue vivo en ella hasta el día de su muerte.

[12] Citado por Carlos Clavería, *op. cit.,* p. 63, nota 6 bis.

2. Las iglesias

Como habrá podido notar el lector en nuestras páginas sobre el significado del hogar en la obra de Unamuno, la luz difusa es elemento fundamental en su manera de sentir los interiores. Muy en especial es indispensable esta luz para su entrega al ambiente de las iglesias que tanto visitaba. Para entenderlo, pocas páginas suyas como las que escribe en 1908 evocando los ejercicios espirituales de la Congregación de San Luis Gonzaga, en los que participó durante algún tiempo en su niñez de fe inocente y plena. En *Recuerdos de niñez y mocedad* leemos lo siguiente sobre las seisenas a que asistía con todo fervor:

> Era al anochecer, en el claustro llamado el Ángel, de la Basílica de Santiago. Cuando entrábamos en él se veía algún negro bulto femenino, acurrucado en la sombra; se oía algún levísimo cuchicheo, alguna tos solitaria. Pronto se iban las mujeres. Iba cerrándose la sombra, filtrábase un poco de la luz derretida del crepúsculo moribundo por las ventanas de colores, y nosotros, lleno el espíritu de las cien nonadas del día, nos colocábamos en nuestros asientos y empezaba la seisena.
>
> El director o su ayudante, a la luz de una bujía, único y débil luminar que ardía en las sombras, leía un trozo de meditación, cesaba, empezaba el armonio en un rincón y cada cual echaba a volar su fantasía, quién por el tema propuesto, quién por otro cualquiera. Era la imaginación, no la razón la que meditaba... Y nada más hermoso que una imaginación infantil, de alas implumes, cuando medita. Al arrullo del armonio, mecida en sus sones lentos, arrastrados y graves que rebotaban por el claustro, mi pobrecita imaginación, plegadas sus implumes alas, acurrucada, no meditaba en vuelo, sino soñaba en quietud.
>
> Era una edad en que la mente no podía aún fijarse en el tremendo misterio del mal, de la muerte y del sentido; era una edad de frescura, en que la imaginación se me dejaba brizar en la poesía exquisita de la vida de santidad; era una edad en que aspiraba el perfume de la flor sin gustar el fruto. De perfumes se nutría mi alma. Era la edad en que en medio de misterios penetra el alma la serenidad de la vida y sólo se imagina a la muerte en remota lejanía, confundidos sus confines con los de la vida, como cuando bajo el cielo sereno parece el mar continuarse en él.
>
> ....
>
> Los ojos se habían acostumbrado a lo oscuro del claustro, y al salir a la calle, el aire y el bullicio, penetrando por las ventanas del alma, la turbaban, volviéndola al carnaval incesante

> de las impresiones huideras; parecía salirse a flote y sentíase un pesar grande al ver hundirse aquel otro mundo vislumbrado por la imaginación, mundo de quietud, de mar sin orillas *(OC.,* I, 90-91).

He aquí, recreado con lenta nostalgia, el refugio ideal del niño-hombre (iglesia como el claustro materno) para desembarazarse de la armadura de la agonía y perderse por el sueño recogido y quieto (buen sueño) de la paz imaginativa hacia dentro. Es éste un ejemplo casi perfecto del procedimiento que suele seguir el espíritu contemplativo de Unamuno para olvidar la guerra y abandonarse a la serena contemplación de la unidad última de la vida y la muerte. Como Pachico frente al mar en las páginas finales de *Paz en la guerra,* parte aquí Unamuno de un ambiente sensible para pasar, con casi imperceptible transición, al reino del espíritu. Dados este lugar y ambiente adecuados —el interior de una iglesia al atardecer—, la primera impresión es la de una penumbra a través de la cual se ve —se imagina casi— algún "negro bulto acurrucado" mientras se oye aquí "un levísimo cuchicheo", más allá "una tos solitaria". Lo característico de este ambiente es lo indefinido, lo impreciso, el *nimbo* que envuelve a la realidad en la penumbra interior. Ambiente que prepara al espíritu para el abandono del Tiempo, de la Historia y de la guerra. Y, después de la "tos solitaria", silencio y sombra; pero sombra no absoluta, sino difuminada por la vaga *luz filtrada, derretida,* de un *crepúsculo moribundo:* la tranquila agonía del Tiempo.[13] Dado de este modo el ambiente, buscado y sentido así el interior de la basílica, avanza Unamuno un paso más en sus galerías para la huída del alma: le guían ahora, imprecisos también y vacilantes, "la luz de una bujía" y la voz lenta del religioso en lectura de meditación. Y, al fin, el silencio para recogerse en vaga y quieta libertad; pero no, tampoco, silencio absoluto, sino silencio interior sustentado por la melodía monótona del armonio que rebota por el claustro —reflejo de reflejos—, por esos sones lentos y suaves —sin letra— que Unamuno asocia tan a menudo con sus momentos de abandono.[14] En esta libertad para perderse —perfume sin pecado—,

[13] Para entender esto de "tranquila agonía", frase al parecer paradójica si consideramos que, en el sentido unamuniano más común, *agonía* significa lucha, cf. adelante, donde explicamos cómo en este Unamuno contemplativo hasta la palabra *agonía* pierde el significado que él mismo le dio.

[14] La idea de intimidad y recogimiento difuso asociada a la música del armonio es bastante común en Unamuno. Recuérdese que para resumir en

como en el ambiente a cuyo calor ha germinado, domina lo impreciso: "el tema propuesto, otro cualquiera"; ninguno quizá. Como desaparece en la penumbra la materia que a la luz del día se destaca en bruto, desaparece el dogma conciso y limitado, *la letra* de cualquier manera de pensamiento.

Dados este ambiente y esta libertad, ya todo es abandonarse, dejar dormir las potencias del alma, dejarse *brizar (cunar, mecer,* siempre) en la idea amorfa de la "serenidad de la vida", confundiéndolo todo (dentro y fuera, vida y muerte) en "lejanía", "como cuando bajo el cielo sereno parece el mar continuarse en él", perdidos ya los límites del horizonte impuestos por la luz que todo lo mata en la guerra que surge del deslindar realidades concretas y opuestas.

Notemos también que este ambiente y esta fuga del alma se nos ofrecen recordados en una prosa casi ensimismada que quiere ser melódica; estilo rítmico, lento, hacia dentro. Una prosa que, un poco como la de *Paz en la guerra,* se remansa en el polo opuesto a la de la *Vida de don Quijote y Sancho* o a la de *Del sentimiento trágico.* "Mundo de quietud", en verdad, de "mar sin orillas" el de este interior de iglesia recordado que es como todos los que Unamuno busca y encuentra desde su *yo* contemplativo. Iglesia que duele dejar para salir de su penumbra a la realidad de las *impresiones huideras,* como le duele al hombre la idea de haber salido del claustro materno a la luz del tiempo, o como duele volver de la eternidad de la Naturaleza al ruido y apariencias de la Historia.[15]

El Unamuno que así tenía su centro en la memoria viva de una niñez recogida y acogedora,[16] tiende siempre, por necesidad de paz absoluta, a buscar en las iglesias este mismo ambiente propicio al abandono espiritual. Cierto, desde luego, que quien entre en la iglesia con la conciencia del dolor de Cristo, sentirá vivamente que en ella perdura la pasión de Jesús, su dolor y

una sola oración la grandeza y hondura del *Obermann* dice que "deja en el alma la impresión de un solo de órgano a quien lo lee entero" *(E.,* II, LVI). Hemos visto también *(supra,* p. 167) que la llanura a que puede entregarse el alma es como un solo de órgano.

[15] Este mundo se deshace, por fuera, cuando sale el niño a la luz, como se destruía, por fuera, la paz de Pachico al bajar del monte a la ciudad (de la Naturaleza a la Historia). Pero, en los dos casos, queda vivo *por dentro* —"ideas" madres—, condicionando al hombre para su entrega a estados de alma que lo llevan siempre a buscar la penumbra o la Naturaleza, es decir, lo ajeno a la Historia y sus guerras.

[16] Nótese la reminiscencia del tema de la edad de oro: "Era una edad en que..., era una edad de frescura...", etc.

la sangre derramada. Innumerables veces lo sintió así el Unamuno agonista que veía al Cristo, sobre todo al "Cristo español", como puro dolor de carne y sangre:

> Porque este Cristo de mi tierra es tierra...
> ....
> Cuajarones de sangre sus cabellos
> prenden, cuajada sangre negra,
> que en el Calvario le regó la carne,
> pero esa sangre no es ya sino tierra.
> ¡Grumos de sangre del dolor del cuerpo,
> grumos de sangre seca!
> ....
> Oh Cristo pre-cristiano y post-cristiano,
> Cristo todo materia,
> Cristo árida carroña recostrada
> con cuajarones de la sangre seca,
> el Cristo de mi pueblo es este Cristo;
> carne y sangre hechas tierra, tierra, tierra... *(OC.,* I, 766-768).

Pero éste es el Unamuno de la agonía, bien conocido, y no poco se ha escrito sobre sus Cristos españoles. Las iglesias que para su paz y abandono encuentra el Unamuno contemplativo cantan también, sí, la pasión de Cristo, pero la cantan esperanzadamente, en ambientes diluidos de suave luz difusa, como el de la Basílica de Bilbao. En *El Cristo de Velázquez*[17] por ejemplo, leemos que

> ....Canta la Esposa,
> la Iglesia, tu pasión, y su esperanza
> con cantos amamanta, y a tu imagen
> envuelve nimbo de armonía dulce *(CV.,* 158).

Muy lejos de los Cristos de *tierra* éste de Velázquez al que Unamuno describe con un vocabulario nacido de lo más hondo de su ser contemplativo. *Dulce,* en verdad, el *nimbo de armonía* en que se recoge esta *Esposa*-madre que *amamanta* la esperanza. Muy lejos todo ello de la pasión interpretada agónicamente en, por ejemplo, *La agonía del cristianismo.*

Como a este Cristo de Velázquez sentía Unamuno las iglesias que visitaba. Todo es siempre en ellas *vaga música espiritual*

[17] No olvidemos que *El Cristo de Velázquez* está escrito *contra* "El Cristo yacente de Santa Clara", para "limpiarse" de la agonía que produjo ese terrible Cristo de sangre y tierra.

(OC., II, 312), *calma serena, difusa luz (P.,* 56), *dulce efluvio sedante (ibid.,* 60), que mece con suavidad al alma como la madre mece al niño.[18] Gracias a la penumbra matizada son las iglesias para Unamuno *islas* de paz y serenidad en medio del mundo de la guerra *(ibid.,* 79). Contra sus pórticos rompen "oleadas de pasión" *(loc. cit.),* que quedan siempre fuera, cuando a ellas acude a curar sus heridas esa otra mitad del corazón que no tiene voluntad de lucha ni saca su esperanza de la desesperanza; dice la Catedral de Barcelona:

> Venid a mí cuando en la lid cerrada
> al corazón os lleguen las heridas *(ibid.,* 66).

Y a ella va el Unamuno que sentía inclinación por la paz, y no por la guerra. *Islas* en que encuentra el alma un reposo que participa de lo eterno:

> Es mi sombra divino bebedizo
> para olvidar rincones de la tierra,
> filtro de paz, eterno manadero *(loc. cit.).*

Así canta la Catedral. Como la madre; como el agua.

Es siempre, como vemos, la luz difusa el elemento que hace de las iglesias recintos seguros y propicios para la entrega a las formas recogidas e imprecisas del sueño de dormir y del olvido. La luz filtrada y los silencios musicales son el dulce mundo en que todo se funde y se asienta; un anticipo de la armonía eterna. En otra parte del mismo poema, dice aún la Catedral de Barcelona:

> Aquí bajo el silencio en que reposo,
> se funden los clamores de las ramblas,

[18] La comparación directa entre Cristo y los brazos de la madre aparece constantemente en Unamuno; por ejemplo, en *El Cristo de Velázquez*:

> Bajo las blancas alas de tus brazos
> abiertos como están los de una madre *(CV.,* 130).

La relación iglesia-madre es bien clara:

> La Catedral de Barcelona dice:
> ....
> Ven, mortal afligido, entra en mi pecho,
> entra en mi pecho y bajaré hasta el tuyo;
> modelarán tu corazón mis manos
> —manos de sombra en luz, manos de madre— *(P.,* 63-64).

aquí lava la sombra de mi pecho
heridas de la luz del cielo crudo...
Funde mi sombra a todos, sus colores
se apagan a la luz de mis vidrieras;
todos son uno en mí, la muchedumbre
en mi remanso es agua eterna y pura *(ibid.,* 64-65).

Todos son uno en mí: mundo para olvidar la individualidad, su bulto, sus límites y sus guerras; inconsciencia que busca y encuentra, de tan diversas maneras, el Unamuno contemplativo —pero siempre con el mismo lenguaje: *fundir, lavar, apagar; agua eterna y pura.*

Ya en *Paz en la guerra* algo así había sentido Pedro Antonio (para quien "la iglesia fue su distracción y su refugio", *OC.,* II, 311) cuando después de rezar en el anonimato en que todo se funde y confunde, "de aquella plegaria común..., de aquella música espiritual", sentía que "brotaba íntimo efluvio de recogimiento, perfume de fraternidad de humildes y de sencillos, bálsamo de un hábito que adormece el alma" *(ibid.,* 312). Algo así sentía Josefa Ignacia, su mujer, cuando a poco de morir su hijo, salía de la iglesia "consolada, mientras parecía descender lenta llovizna de paz en la luz que bajaba cernida desde los rosetones de las naves góticas de la basílica bilbaína" *(ibid.,* 310). Sensación similar a la que, bajo la misma luz difusa, siente don Avito, el padre de *Amor y pedagogía,* cuando va a la iglesia también a consolarse de la muerte de su hijo.

Como sus personajes, Unamuno dejaba descansar y vagar su espíritu, "libre de la losa del pensamiento", en la Catedral de Barcelona, en la misma Basílica de Bilbao y en tantas otras iglesias de cuyas bóvedas sentía bajar "compasivas" las "oraciones" de su "infancia lenta" *(P.,* 76), mientras se adormecía su alma en el buen sueño de la fusión con lo eterno sin nombre, o con Dios, o con lo eterno de la Historia, la Humanidad continua. Así, si la Basílica de Bilbao es *isla,* la capilla del Cristo de Cabrera, por ejemplo, es *nido (P.,* 56) en el cual se puede "descansar renunciando a todo vuelo" *(loc. cit.).* En las iglesias y en sus claustros, como en la idea del seno de la madre, como ante la quieta y eterna naturaleza,

...el morir un derretirse dulce
en reposo infinito debe ser (loc. cit.).

Gracias a varios estudios importantes sabemos que Unamuno iba a las iglesias con la intención expresa de recapturar la fe de su infancia; que no la recobró nunca plenamente, también lo sabemos. Lo que nos ha ocupado aquí, sin embargo, no ha sido el problema de la fe de Unamuno, sino, como a lo largo de todo este libro, una tendencia de Unamuno, una cierta manera de ser no agónica de su personalidad que fluye libremente bajo diversas circunstancias y situaciones; en este caso ayudada por la luz difusa de las iglesias que visitaba, con el mismo resultado —anterior e interior a la letra del dogma— en su madurez que en su infancia. Prueba evidente de la persistencia de su *yo* contemplativo bajo la agonía.

3. Los atardeceres y el alba

Fuera ya de todo recinto, en la Naturaleza abierta, la *difusa luz* es igualmente esencial para el Unamuno contemplativo; y pocos momentos en que esa luz se dé más cernida y propicia que a la hora del crepúsculo. El paso de la tarde hacia la noche, la luz imprecisa de la puesta de sol, la primera penumbra, envuelve en armonioso nimbo las páginas más significativas que Unamuno haya escrito sobre la Naturaleza. Ya en *Paz en la guerra,* por ejemplo, "la luz derretida del crepúsculo" de que hablaba en *En torno al casticismo (OC.,* III, 39) es la continuidad armónica de que surge "el coro irrepresentable de las cosas" *(ibid.,* 47); y es la paz que este *coro* trae el matiz que convierte a la naturaleza en regazo para el olvido y recogida fusión del alma del hombre con el alma de las cosas; el tono ambiental que lleva a Unamuno a su prosa más lenta, menos burilada, más cálida, menos agónica.

> Hay en día sereno y claro —escribe en 1922—, en el día del cielo, una hora en que el tiempo parece, como río en un lago, detenerse y reflejar la infinita hondura de la eternidad. Es como si el tiempo se abriera poniendo al descubierto sus entrañas. Y esa hora es la hora que sigue al ocaso, cuando la luz se derrite en la sombra, el celaje es como de plata encendida y el paisaje pierde su masa y se hace como cortina que cuelga del cielo *(Inquietudes y meditaciones,* Afrodisio Aguado, Madrid, 1957, p. 226).

Casi todos los momentos de paz total, de plenitud de olvido y de comunión se dan en la vida y en la obra de Unamuno en esta hora predilecta.

En *Paz en la guerra,* por ejemplo, leemos que cuando Ignacio "volvió con el buen tiempo" a sus antiguas correrías por los montes, que le daban paz",

> Envolvíale... la calma del campo, mientras de la tierra tibia y verde parecía subir un bálsamo que le curaba del vaho de la calle. Puesto el sol, se diluía la luz en sombra, y las montañas del fondo se recortaban azuladas en el cielo blanco. Era la hora de la oración en que descansa la vista en el dulce derretimiento de los colores *(OC.,* II, 50-51).

La comunión con la realidad eterna, la pérdida de la conciencia de los límites de su individualidad, la paz y el abandono de la voluntad, le llegaba siempre a Ignacio "en aquellas tardes solemnes e inmóviles en que el tiempo parecía detenerse y convertirse en pasajera eternidad" *(OC.,* II, 243), tardes en que "la luz se disolvía en la sombra", mientras, a lo lejos, sonaba "la oración... recogida e íntima, como si subiese de la cansada tierra" *(ibid.,* 279).

Como Ignacio, también Pedro Antonio, su padre, buscaba ese momento del día para perderse en vagarosa inconsciencia y olvidar —ya cerca del final de la novela— la muerte de su hijo y la de su mujer:

> Desde que enviudó, Pedro Antonio, solo en el mundo, vive tranquilo y sin contar los días... Su pasado le derrama en el alma una luz tierna y difusa; siente una paz honda, que hace brote de sus recuerdos esperanza de vida eterna... Es su vejez un atardecer como una aurora... Su paseo favorito es la subida a Begoña... A la caída tibia de la tarde... baja al pecho frescura y al alma paz... *(OC.,* II, 319).

Paz y tiempo suspendido en la luz *derramada* del atardecer —agua y luz difusa en una sola imagen— que, como la idea del regazo de la madre y de su recuerdo ("lumbre derretida y dulce", cf. *supra,* p. 130), hace caer a Unamuno, como a sus personajes, en el olvido de los días y la Historia. Espíritu el de Unamuno siempre dispuesto a la dilatación difusa, como la voz de la campana aquélla que era lo único que marcaba los días para Pedro Antonio,

> los pastosos tañidos de la campana de la iglesia, que morían adelgazándose en larga dilatación hasta derretirse en la calma del campo *(OC.,* II, 279).

La dilatación matizada, derretimiento dulce y lento del sonido, es ahora el símbolo de la eternidad que se encierra en lo interior de lo cotidiano.

La revelación quizá más importante de *Paz en la guerra* –suma y síntesis de todas las demás y de su significado–, la de Pachico, ocurre también, como se recordará, con la caída de la tarde.

Muchos años después de *Paz en la guerra,* en 1928, por ejemplo, encontramos que Unamuno se entusiasma en un poema con "una tarde de aquéllas en que se olvida el alma... / ...una tarde de aquéllas en que todo era puesta de sol" *(C.,* p. 112). Ya en 1899, casi a continuación de su primera novela, había confesado en un artículo: "Me encanta lo monótono..., como el son de una campana que se disipa y muere adelgazándose en el derretimiento de la luz crepuscular" *(OC.,* V, 493). Y, de nuevo en el otro extremo de su vida, en 1933, dejando fluir esta vez su pesimismo, pero siempre con resignada dulzura, según la tarde entra imperceptiblemente en la noche, escribe el siguiente poema:

> Se muere el sol en un jergón de nubes
> ensangrentándolas; a las miradas
> se miran Dios y el Hombre; el campo yermo
> se yergue al yermo cielo en la esperanza
> de las estrellas; íntimos sollozos
> pasan callados por el aire; baja
> del azul derretido unción de noche
> la agonía solar, ya resignada,
> a ungir en santa paz; nace el olvido;
> la inmensidad suspira por la nada;
> se diluye la luz; queda en la Tierra,
> único centro universal, el alma *(C.,* p. 446).

Entre resonancias de Bécquer –aquel otro entusiasta de la luz difusa no poco admirado por don Miguel–,[19] recoge Unamuno aquí uno de sus temas favoritos (el suspirar de la tierra, como de su alma, por la nada y el olvido) cobijado en el mismo vocabulario con que siempre se refiere a la luz de la tarde propiciadora de la inmersión de la más honda realidad –Todo, Dios,

[19] Como en el poema que hemos comentado *supra,* p. 209, nota 39, sigue también aquí Unamuno el procedimiento característico de Bécquer que hemos descrito. Pero en este poema, además del procedimiento, ciertas palabras, y en particular la oración "íntimos sollozos pasan callados por el aire", nos recuerdan al sevillano.

o Nada. El juego de matices del sutil diluirse de la luz hacia la noche le vuelve a sus más interiores conceptos contemplativos y, aunque en este caso hay una imborrable tristeza, todo ello se le da sin gritos, en armoniosa lentitud que nos habla de paz resignada más allá del olvido de la agonía de la paz misma. Y, nótese: a pesar del tono negativo de esta revelación, no deja de dársele en su cima, como siempre, la presencia del alma. No nos extrañe, pues, que dentro de esta sensibilidad suya hasta la palabra *agonía,* al hacerse resignada, pierda la significación que él mismo le dio en otras obras.

Volviendo de nuevo al principio de siglo, vemos que en *Por tierras de Portugal y España* nos habla del "hermosísimo valle de Mena, ancho y sereno..., que a la caída de la tarde de un día de fines de julio era una visión de paz y eternidad" *(OC.,* I, 436).

Harto insistente es el tema en *Poesías* (1907). Recojamos sólo tres referencias salteadas. En la p. 29, por ejemplo, encontramos esta estrofa de su canto a Salamanca:

> Y de otro lado, por la calva Armuña,
> ondea el trigo, cual tu piedra, de oro,
> y entre los surcos al morir la tarde
> duerme el sosiego.

Esa lentitud en la entrega contemplativa y la intuición del sosiego, asociadas al atardecer, aparecen de nuevo en la página 58 del mismo volumen:

> Por eso cuando el sol en el ocaso
> se acuesta lento,
> como perfume espiritual del campo
> sube místico rezo
> que es como el eco
> que de los siglos al través repite
> el resignado ruego
> de la pobre alma hasta la muerte triste...
> . . . .
> mientras desciende al valle
> santo sosiego.

En otro poema, llevado de esa perfecta lógica interior con que todos los símbolos se unen en la obra de un autor poseedor de mundo propio y consistente, la contemplación del atarceder culmina en la visión enajenada del *cielo-mar:*

Cuando se acuesta el sol en el ocaso
. . . .
y allá por las alturas, abriéndose encendida
la creación augusta se revela
en campo sin medida
. . . .
el insondable mar del firmamento
en que esta pobre tierra
se pierde en la infinita muchedumbre
de los mundos sin cuento.
Al disiparse así en tu regazo
el sol de la vigilia engañadora
¡oh, sueño! ¡mar sin fondo y sin orillas! *(P.,* 101-102).

De nuevo entre reminiscencias de Fray Luis se funden los mundos —tierra y estrellas— en armoniosa paz y continuidad universal al morir la luz y *abrirse* el alma; en este momento positivo de comprensión de la realidad (en él se *revela* la "creación augusta" y el "engaño" de la realidad objetiva que nos equivoca a la luz del sol) se borran los límites todos de las cosas ("campo sin medida") para permitir la lenta huída hacia el interior del tiempo (hacia su *regazo:* buen sueño e inconsciencia eterna) como en la contemplación del mar "sin fondo y sin orillas".

En el *Rosario de sonetos líricos* (1912) son también varios los poemas contemplativos que se le dan a Unamuno cuando su alma se aquieta frente a una puesta de sol. Así, por ejemplo, "Al toque de oración" *(RSL.,* 266-267) o "Al tramontar el sol" *(ibid.,* 60-61), poema este último donde leemos lo siguiente:

La agonía del sol en el ocaso
sobre el negro verdor de las encinas
de su lecho detrás de las cortinas
de leves nubes de purpúreo raso.

Y allá en levante, ya de luz escaso,
en el luto agonizan las colinas
mientras del cielo en cúpula y pechinas
se asienta el polvo del febeo paso.

Morir así...

He aquí, de nuevo, que, al entregarse Unamuno a la visión de la caída de la tarde, el sustantivo *agonía* y el verbo *agonizar* pierden el sentido que tienen en *Del sentimiento trágico* y llegan a significar lo que no sospecharíamos si vemos en Unamuno sólo sus guerras: *agonizar* es ahora para este contemplativo un simple dejarse morir dulcemente en el nimbo de la luz difusa. ¡Y todo el soneto escrito con esa voluntad de suavidad bucólica clásica, desgraciadamente no lograda! ¡Quién imaginaría, fijándose sólo en las huellas que ha dejado su *agonía,* un Unamuno que devuelve al verbo *agonizar* su sentido convencional, que desea *morir así,* como el sol, y que habla del *febeo paso!* Pero no nos extrañe demasiado: el Unamuno que gusta de enajenarse en la luz cernida de una puesta de sol como en la idea de la madre o en los cantos sin letra de la mar, pretende a veces seguir mucho más de cerca a Garcilaso que a Kierkegaard; por algo lleva el soneto un epígrafe del toledano:

> Las nubes coloradas
> al tramontar del sol bordadas de oro. . . *(Égloga Primera).*

Quien siente así la naturaleza y los matices, es natural que lea y cite a Garcilaso. (Lo cual, de pasada, bien debe hacernos pensar que ya es hora de que dejemos de imaginar a Unamuno lector sólo de Pascal, Kierkegaard, Ibsen y teólogos protestantes).

Tal vez el poema más definitivo en este sentido sea, en el *Rosario de sonetos líricos,* el titulado "Ir muriendo", del que ya hemos tenido oportunidad de citar los versos finales *(RSL.,* 120-121). De nuevo frente al ocaso funde ahí Unamuno las imágenes *cielo* y *mar,* le vuelve a quitar al verbo *agonizar* el sentido que él mismo le ha dado y, rechazando los afanes del Tiempo y sus guerras, se abandona a la idea de dejarse morir, perdiendo "gota a gota" sus límites en la Naturaleza:

> Ves al ocaso en limpio mar de plata
> flotar vagos islotes de ceniza
> celeste, entre los cuales agoniza
> el dragón que los días arrebata:
>
> Santa visión que el alma te rescata
> del mundo que a su afán nos esclaviza
> y la esperanza, de la fe melliza,
> despierta en ti. Y en ese que retrata
>
> del cielo el mar arrullador regajo
> que entre tomillo y mejorana brota
> dejas correr el alma aguas abajo
>
> mientras el siglo desbocado trota
> y gozas, libertado del trabajo,
> rincón en que morirte gota a gota.

Bien distinto este Unamuno que *deja* "correr el alma aguas abajo" del agonista que se aferraba al alma y cuerpo que tenía sin permitirles ni la dilatación ni el vuelo libre en que todos los límites se pierden. ¡Y qué perfecta unión, de nuevo, del tema de la luz con el del agua! Y, de nuevo, qué claro el eco de Fray Luis de León.

En 1928, y esta vez recordando a Fray Luis de Granada, vuelve Unamuno a abandonarse en el "regazo" de un atardecer en el cual se le revela, libre ya de toda tensión agónica, la idea de la inmortalidad:

GRANADA

Aquel sereno atardecer del Albaicín,
polvo de oro de sol andaluz,
posó de Dios y mi alma eterna en el confín;
....
Posado el corazón
y soñando dormía,
soñaba la visión
que entre el cielo y la tierra me envolvía.
Granada en su regazo me cunaba,
Granada me soñaba
como a Fray Luis y al Padre Suárez les soñó;
....
Lumbre pura sobre pura nieve,
morosa claridad;
sobre mis sienes el soplo del vuelo leve
del arcángel de la inmortalidad *(C.,* pp. 183-184).

También en *De Fuerteventura a París* ha cantado Unamuno al ocaso; así, por ejemplo, en el soneto LIII, "Horas serenas del ocaso breve...", donde la palabra clave es, una vez más, el verbo *fundir:* fundirse de la luz en la sombra imperceptiblemente, sin violentos contrastes; dejarse fundir el alma en el difuso mundo que lleva hacia el interior del tiempo y del olvido.

Como la luz muriente del ocaso, la leve luz nueva del amanecer lleva también a Unamuno, de vez en cuando, a serenas y recogidas visiones. Me detendré brevemente en el poema "Salmo de la mañana", escrito en 1907.[20] Es éste un canto de paz y de

[20] Este poema se publicó por primera vez en la revista *Renacimiento:* está ahora al alcance de todos en la antología que incluye García Blanco en su *op. cit.,* pp. 380-384.

fe en el cual Unamuno, guiado por la luz cernida del nuevo día, encuentra la presencia de Dios:

> Acabo de nacer, Señor; un nuevo mundo
> has abierto a mis ojos, que del sueño
> resurgen renovados;
> . . . .
> Es la hora del milagro:
> me despertó la vida.
> Sobre las aguas va el Espíritu Divino. . .

Se cruzan una vez más los símbolos principales del Unamuno contemplativo –la luz difusa, el agua, la cuna; vehículos del *milagro*– y canta el poeta al amanecer al mismo tiempo que, temeroso, rechaza la *luz vengadora* del pleno día que este milagro, a su pesar, anticipa:

> Vas Tú subiendo al cielo espiritual, tu reino,
> y mi sombra –remordimiento– se me espesa,
> se me ennegrece
> a medida, Señor, que mi alma abrasas
> desde lo alto
> con tu luz vengadora;
> mas ahora, al romper de la mañana,
> te veo a flor de tierra
> y me puedo mirar en tu mirada
> pálida y dulce,
> Sol mañanero.
> También Tú acabas de nacer, Dios mío,
> ésta es tu aurora.

Toda realidad está hecha de contrarios, sabe Unamuno, y a esta *dulce* y *pálida* luz seguirá la claridad brutal que simboliza el Tiempo, su paso y la agonía. El "verdadero pecado original es la condenación de la idea al Tiempo, al cuerpo", dijo Unamuno alguna vez, y de este pecado es *vengadora* la luz. El Unamuno consciente de la realidad de la lucha y de la muerte se expresa claramente en este poema, sin duda; pero es clara también la *voluntad* del contemplativo (nacida, como siempre de su *tendencia),* como es clara la entrega positiva a la idea de Dios.

Más adelante en el mismo poema vuelve a comparar la luz de la mañana con el agua eterna "sin alto, ni fondo" –sin orillas– que ya sabemos es también, no pocas veces, Dios; al contacto de esta suave luz "se gastará el pecado", nos dice: el pecado de la luz plena que da cuerpo y bulto y voluntad de inmortalidad fenoménica, obligando al hombre a cerrarse en su tiempo activo y limitado, impidiéndole la contemplación más pura y abierta de lo inconsciente continuo, el enajenamiento de sí mismo.

Recordemos, para terminar, estos excelentes versos de *El Cristo de Velázquez:*

> Es como el alba
> tu cuerpo; como el alba al despojarse
> del negro manto de la noche, en rollo
> a sus pies desprendido. Con tus brazos
> alargados en gesto dadivoso
> de desnudar tu cuerpo y de ofrecerlo
> a cuantos sufren del amor hostigo,
> descorres la cortina de tinieblas
> del terrible recinto del secreto
> que a la casta de Adán le acongojaba
> mientras ansiosa consumía siglos;
> con tus abiertos brazos la negrura
> del abismo de Dios, tu Padre, rasgas
> y echándolo hacia atrás, de tu cruz cuelgas
> el negro manto en que embozado estabas
> dándotenos desnudo. . . (*CV.*, Primera parte, VII).

La revelación de la verdad más alta es, así, una con la imagen del alba.

Más adelante (sección XII de la Primera parte), leemos en el mismo poema que todo este Cristo es *Alba*:

ALBA

> Blanco estás como el cielo en el naciente
> blanco está al alba antes que el sol apunte
> del limbo de la tierra de la noche:
> que albor de aurora diste a nuestra vida
> vuelta alborada de la muerte, porche
> del día eterno. . .
> . . . .
> Como la cima altísima, de noche,
> cual luna, anuncia el alba a los que viven
> perdidos en barrancos y hoces hondas,
> ¡así tu cuerpo níveo, que es cima
> de humanidad y es manantial de Dios,
> en nuestra noche anuncia eterno albor!

4. El otoño

Ninguna luz como la de las tardes de otoño para propiciar la dilatación lenta del alma hacia su fusión con el alma de la Naturaleza, de la Humanidad eterna, o de Dios. Así pareció sentirlo el Unamuno que hablaba con recogido entusiasmo de "las tardes doradas y tranquilas del otoño" *(T.,* 110) y que compara la dulce y santa muerte de la tía Tula –como la muerte de la madre de Augusto Pérez– con el apagarse "suave y melancólico de una tarde de otoño" *(OC.,* II, 1169). En la luz de

> . . . . aquellas tardes serenas
> del mes de septiembre muriente
> cuando están las veredas llenas
> de paz de otoño. . . *(C.,* p. 131),

encuentra Unamuno toda la vaguedad de matiz que propiciaba su olvido de la guerra.

El tema recorre, como en sordina, toda su obra. En *Andanzas y visiones españolas,* por ejemplo, leemos lo siguiente:

> Mientras viva reposará en el lecho de mi alma, por debajo de la corriente de las impresiones huideras, aquella santa caída de la tarde que a principios del dulce mes de setiembre gocé en el Albaicín, todo blanco de recuerdos. Fue como un baño en algo etéreo. Las lágrimas me subían a los ojos y no eran lágrimas de pesar ni de alegría; éranlo de plenitud de vida silenciosa y oculta *(OC.,* I, 530).

Nótese, desde luego, cómo la intuición de plenitud viene expresada por referencias al agua ("baño de algo etéreo") y cómo parte de la metáfora del río. Y nótese, sobre todo, que es éste un momento de plenitud en el que las lágrimas, ni alegres ni tristes –más allá de lo humano concreto–, expresan, en silencio, la verdad y belleza de la revelación. Y la expresión de este momento, sentimiento "ambiguo e indeciso" *(RSL.,* 80), lenta como la luz misma de un atardecer de septiembre; expresión carente de esa violenta rotundez de carne, hueso y tierra de su prosa más agónica.

A lo largo de toda su obra –y el lector podrá recordar muchos ejemplos– son insistentes las referencias de Unamuno a esos días "del sosegado otoño de las montañas, en que el sol, cernido por disuelta telaraña de neblina, llueve como llovizna lenta de recogida luz, sobre el campo" *(OC.,* II, 164).

Muy acertadamente ha estudiado Jeschke el sentido melancólico romántico que el atardecer y el otoño tienen en los autores de la generación del 98. Dentro de la comunidad generacional de actitud, quedan, sin embargo —y siempre—, las diferencias personales: no confundamos, por ejemplo, el otoño de Unamuno con el de Valle-Inclán. Hay en Unamuno, sí, como en Valle (y en Machado y Azorín), una cierta tristeza frente a los atardeceres de otoño que apunta hacia lo decadente; pero aparece casi siempre sublimada por la idea de "plenitud" que acabamos de ver, rara en el Valle-Inclán de la primera época que estudia Jeschke. Tal vez porque levanta Unamuno casi siempre los ojos al cielo, es poco común en él la morbosa contemplación del gris fijo de las hojas ya muertas sobre la tierra. Tampoco se encuentra en Unamuno ese deleite puramente sensual —y tantas veces exclusivamente literario— por los colores riquísimos del otoño que entusiasmaban a los últimos románticos y a los modernistas.[21] Ni Unamuno se fija en esa riqueza, ni su paleta tiene esos colores: luz difusa, gris, dulzura abierta y cálida es lo que encuentra en las tardes de otoño; y todo ello reflejo siempre de eternidad, llena de Dios, o, a veces, vacía de contenido concreto.

De cualquier manera, bien sea que las meditaciones otoñales de Unamuno le acerquen más de lo que podríamos sospechar a la tristeza negativa de Valle-Inclán, de Azorín, de Baroja o de Machado, como quiere Jeschke, o bien destaquemos lo que de elevado y puro pueden tener esos momentos de contemplación, es en ellos evidente —por su búsqueda del matiz, por su entrega de la conciencia a la idea de lo eterno— un Unamuno radicalmente otro del de las páginas "buriladas" a golpes de contrarios en *Del sentimiento trágico.*

5. La noche estrellada y la luz de la luna

> ¡Gracias a Dios que al fin se fue la noche!
> . . . .
> La noche ya pasó con sus negruras,

exclamaba Unamuno en un angustioso poema (*P.*, 164-165). Y es que, así como la luz plena es el medio propicio para la agonía del Tiempo, la noche total, mundo para repensar la agonía,

[21] Cf. Amado Alonso, "El modernismo en *La gloria de don Ramiro*", en *Ensayo sobre la novela histórica,* Buenos Aires, 1942, pp. 196 y sigs.

es el reino del terror. De noche, encerrado en la soledad sin compañía de su estudio, cree Unamuno sentir dolores del corazón y presiente, de manera vivísima, su muerte;[22] de noche siente su vida correr "a disolverse en el eterno abismo" *(P.,* 164) que tanto temía, mientras la razón crítica le niega al corazón la posibilidad de sus sueños:

> Es de noche, en mi estudio,
> Profunda soledad; oigo el latido
> de mi pecho agitado
> —es que se siente solo,
> y es que se siente blanco de mi mente—
> y oigo a la sangre
> cuyo leve susurro
> llena el silencio.
> ...Aquí, de noche, solo, éste es mi estudio;
> los libros callan;
> ....
> de los poetas, pensadores, doctos,
> los espíritus duermen;
> y ello es como si en torno me rondase
> cautelosa la muerte *(ibid.,* p. 281).

Encerrado en su casa, "allá en los días de las noches largas/ frías y amargas", en su estudio o en la cama, padece Unamuno a veces de un terrible insomnio en que se le revela lo inútil de su agonía.[23]

Sin embargo, en buena parte de la poesía del Unamuno contemplativo, la noche "madre de los blandos sueños" de que habla en *El Cristo de Velázquez (CV.,* p. 17) es la realidad última en que perderse, libre ya el alma de toda luz que aísla realidades y "el cielo cierra":

> Canta la noche y con su canto lava
> las visiones que al alma congojosa
> le metió bajo el sol que el cielo cierra
> el silencio mortal del mediodía... *(P.,* 208).

Lejos ya del encierro que en su estudio le empuja al autoanálisis destructivo, la noche abierta con estrellas y luna, la noche

[22] Sobre los dolores del corazón —del "corazón de carne, el fisiológico"— que decía sentir Unamuno, véase, por ej., su carta a Maragall del 9 de marzo de 1911 en la p. 99 del epistolario ya citado.

[23] Cf. ahora los excelentes —terribles y quevedescos— sonetos sobre el insomnio que publica García Blanco, *op. cit.,* pp. 398-400.

"nuestra madre", como la llama a veces, es un amplio refugio donde la luz difusa propicia el abandono de la conciencia. Como la Catedral de Barcelona, la noche *lava* visiones congojosas.

Recordemos que, ya en *Paz en la guerra,* Pedro Antonio

> de noche se asomaba un rato al balcón cuando el temple era apacible. Borrados los diurnos accidentes del paisaje, presentábasele éste cual amasado con sombras y surgiendo de ellas la lejana lucecilla de algún caserío, anuncio, en las tinieblas, de un hogar perdido en la montaña. Inconcio del perdurable rumor del arroyo, de puro oírlo sin cesar, érale cual canto de silencio, profunda melodía no oída, en cuyo curso monótono iba dejando fluir sus vagas imaginaciones *(OC.,* II, 279).

Tenemos aquí, dados en la noche apacible, varios de los elementos que hemos venido analizando a lo largo de nuestro trabajo: ante todo, como punto de partida de la meditación, la idea del paisaje ya *borrado;* de la paz intrahistórica; y, por último, el agua que con su rumor, melodía no oída, simboliza también la inconsciencia del vivir inmerso en lo cotidiano. *Temple apacible* de una noche abierta de verano —por oposición a esas noches "largas" y "frías"—, *balcón* al cielo. En noches así, "al fin el alma se olvida" *(RD.,* 17) bajo la luz lejana y difusa de las estrellas y la luna:

> Noche de orilla del río,
> chopo ceñido de estrellas,
> santo silencio que sellas
> la quietud del albedrío.
> . . . .
> Paz desnudada de guerra,
> agua que duermes fluyendo,
> cielo que velas teniendo
> lecho de amor en la tierra *(C.,* p. 418).

En este poema de 1930 —a treinta y tres años de distancia de la publicación de *Paz en la guerra—* persisten, purificados tal vez en lirismo, los elementos y el tono de la actitud de Pedro Antonio. Aquí, como en la novela y en toda la obra contemplativa de Unamuno, dominan el símbolo del agua que fluye inconsciente de sí misma, la idea del silencio y la idea de dormir en quietud.

Ante la belleza de la noche y su quietud abierta en entreluz hacia el mundo sin horizontes, le nace a Unamuno su más elemental poesía contemplativa —enumeración casi pura— que, frente a su lírica agónica, es como un canto de gozo y de gracias:

> En el silencio de los cielos arde
> el Verbo creador,
> y al cerrarse la tarde,
> se abre con las estrellas
> palpitantes de ardor,
> lento, callado, sílabas, centellas
> del poema de amor *(C.,* p. 121).

En otro poema de sus últimos años (1929), entre recuerdos de San Juan y Fray Luis, leemos:

> Noche del cielo desnudo,
> desnuda noche del cielo,
> consolación del desvelo
> de tener que alzar escudo.
> Noche serena del alma,
> noche del alma serena,
> alma noche toda llena
> de serenidad que calma.
> Noche de Cristo dormido,
> vela su sueño la luna,
> hácenle estrellas la cuna,
> ponen la cruz en olvido *(C.,* p. 347).

Noche serena y *noche serena del alma,* conjunción ideal del interior y lo exterior del hombre, son ya la misma cosa; tranquilidad y alegría de no "tener que alzar escudo". Este poemita es además, claramente, una síntesis de los varios símbolos que aquí hemos visto.

Nueve años antes había Unamuno publicado *El Cristo de Velázquez,* Cristo que, como el de este poema, duerme bajo la luna "poniendo en olvido la cruz" de la agonía del Cristo de carne y tierra. Es *El Cristo de Velázquez,* en efecto, el centro del simbolismo lunar de Unamuno.[24] Todo este largo poema se basa en la idea de la armoniosa fusión, derivada del análisis de la luz del cuadro, que Unamuno siente entre la oscura noche, la oscura cabellera de Cristo y la suave luz de la luna que los baña. Hasta tal punto es central en el poema la presencia de la luna que, en cierto momento, habla el Cristo y dice: "Yo soy la luna" *(CV.,* p. 25). *Luna* que es, a la vez, *lago, regazo y cuna* en que se deja

[24] Cf. C. Clavería, "Don Miguel y la luna", en su *op. cit.,* pp. 137-156.

mecer el hombre, inmerso en el sueño de dormir en que se olvidan los sueños malos *(loc. cit.)*.

En otro momento del poema habla Unamuno de la "hermosa luna", "...blanca luna/ como el cuerpo del Hombre en cruz...". Y, en la sección VIII de la Primera parte, reuniendo todos sus símbolos en un solo momento expresivo, escribe los siguientes versos (que ya hemos tenido oportunidad de comentar):

> ....Tu blanco pecho quieto,
> de la lámpara velo, no respira:
> lago sin ondas, retratando al cielo
> en su quietud serena y resignada,
> nos da la lumbre inmoble y sin principio.
> ¡Oh luz queda, sin olas, luz sin tiempo,
> mar de la luz sin fondo y sin riberas,
> mar de la muerte que no se corrompe
> y de la vida que no pasa mar! *(CV.,* 26).

Ocho años antes, en el *Rosario de sonetos líricos* (1912), había escrito ya Unamuno un soneto lunar en el que, fundiendo una vez más los símbolos luz de la luna-agua, le sentimos abandonarse a la contemplación tranquila y resignada:

> Noche blanca en que el agua cristalina
> duerme queda en su lecho de laguna,
> sobre la cual redonda llena luna,
> que ejército de estrellas encamina,
>
> vela, y se espeja una redonda encina
> en el espejo sin rizada alguna;
> noche blanca en que el agua hace de cuna
> de la más alta y más honda doctrina... *(RSL.,* 150-151).

Pero es quizá en su poema a "La torre de Monterrey" *(P.,* 35-37) donde Unamuno nos ha dejado su más teórica explicación del valor que para él tenía la luna como difuminadora de cuerpos contrarios y pensamientos angustiosos, como elemento que permite la fusión del alma del hombre con la de las cosas. Veamos un par de estrofas del poema. La sexta dice así:

> De la luna la unción por arte mágica
> derrite la materia de las cosas
> y su alma queda así flotante y libre,
> libre en el sueño *(P.,* 36).

Desaparece de nuevo el Unamuno cuya agonía se basa en la busca de *la eternidad temporal* (y la contradicción que encierra esta frase es el origen de la agonía) en la que nada se *derrite* puesto que derretirse es perder los límites que aquí se tienen y que el Unamuno agonista insiste en seguir teniendo. Es éste un hombre que, como la torre de Monterrey misma, está dispuesto a dejar flotar su alma —libre de cuerpo— en el mundo inmaterial de un sueño que, por definición, es *bueno*. Porque este sueño del contemplativo, por si pudiéramos aún dudarlo, es muy otro de los sueños del agonista; es el sueño de

> un mundo inmaterial. . .
> de libertad, de amor, sin ley de piedra,
> mundo de luz de luna confidente. . . *(loc. cit.)*.

Llegamos, pues, por nueva vía, y una vez más, al mismo centro que al analizar su tendencia a entregarse a lo esencial eterno e interior de la Naturaleza; al mismo centro a que nos llevó su concepto del *desnacer:* inmersión en el alma de las cosas antes, o rezo de madre sin letra; luz de luna ahora: he aquí, de nuevo, el Unamuno que desde niño se dejaba llevar de una tendencia incontrolable hacia el aflojamiento de la conciencia. De esa inclinación nacen todos sus cantos a la noche alta y abierta y estrellada, y a la "Luna compasiva", *madre* del ensueño de paz. Contra la luz del día, contra el dolor de la conciencia, la noche, como una madre, es el refugio más amplio y acogedor:

> Canta la noche; arrulla el sueño dulce
> de los rendidos hijos de la vida
> y en su regazo los acoge a todos
> bajo una sola manta negra y suave.
> Sombra no se hacen entre sí los seres
> ni luchan por la luz; todos se abrazan
> en el regazo de la buena madre *(P.,* 207).

Regazo para abandonarse, para perderse, sin guerra, en la pura inconsciencia a que este Unamuno se entrega gozoso:

> Qué noches las que he vivido
> en el sueño más profundo;
> tesoro que recojido
> he de llevarme del mundo.
> Qué hipoteca de inconciencia,
> vida pura sin razón,
> qué capital de inocencia,
> qué prenda de salvación *(C.,* 412).

¡Y qué satisfacción la suya al encontrar, en sus últimos años, bajo la noche, lejos ya el sol a sus espaldas, al niño calladito que había sido en su Bilbao!

> Vuelvo a cantar de nuevo mi primera canción
> la que al brotar mi alma con el alma brotó.
> Se abre al venir la noche como una estrella en flor
> que se cerró en el alba anegada en el sol.
> El alba de mi vida cantando se cerró
> y hoy en mi dulce ocaso se me abre la canción (*C.*, 23).

Como le ocurría a su Pedro Antonio al final de *Paz en la guerra,* encuentra aquí Unamuno, en sus últimos años, fundidos en una última realidad, el atardecer y la aurora: fusión ésta bien ajena al agonista que quería fincar su inmortalidad en el tiempo, dejándola esculpida de bulto —él su propio monumento— en un estilo violento, duro y siempre, al parecer, en pugna consigo mismo.[25]

[25] No olvido que gran parte de la poesía y la prosa contemplativa de Unamuno, como se habrá notado en nuestro Cap. sobre la Naturaleza, está escrita bajo la impresión de la clara luz abierta en su quietud hacia la eternidad. Aquí he querido sólo subrayar la importancia de la luz *difusa;* la otra luz habla por sí sola en los ejemplos que hemos dado.

EPÍLOGO:

LOS DOS UNAMUNOS

Hemos partido en este libro, postulando por necesidad expositiva lo que en rigor era conclusión de un análisis previo, de la idea de la existencia de dos facetas alternantes y contrarias de la personalidad de Unamuno. Dando por bien conocida la realidad y la leyenda del Unamuno *activo* o agonista (y agónico), tras de haber visto cómo Unamuno mismo dijo llevar dentro de sí dos hombres, hemos pretendido llegar a la realidad de aquel *yo* suyo que él llamó *contemplativo*, demostrar su real existencia y entender las formas en que pudo expresarse. Así, a lo largo de nuestro estudio, hemos tenido oportunidad de subrayar algunos temas y símbolos básicos; un cierto vocabulario que, usado de manera positiva, es extraño al vocabulario en que se afirman las ideas del autor de la *Vida de don Quijote y Sancho* o de *Del sentimiento trágico*[1] y ciertos rasgos de estilo ajenos a la prosa y el verso del agonista. En el fondo de todo ello, un concepto central: el de la continuidad inconsciente de la vida personal y de la Historia; y la tendencia que siente Unamuno a entregarse a esa continuidad. Si tuviéramos que resumir, diríamos, pues, que el Unamuno contemplativo es el que se deja llevar al enajenamiento atraído por el rumor de las aguas eternas de lo inconsciente; un hombre que, así como el agonista busca y necesita la limitación de lo temporal, tiende a la quietud de lo ilimitado eterno. Como "La cigarra" de que hablaba en un poema de 1899, su mayor anhelo es entrar "al coro universal", ser del "mar inmenso gota leve".[2]

Ahora bien, antes de dar por terminado nuestro estudio, conviene aclarar de manera sistemática, aunque breve, algunos de los problemas que a lo largo de él hemos tocado sólo tangen-

[1] Al decir que este vocabulario es "extraño" a *Del sentimiento trágico* o a la *Vida de don Quijote y Sancho* no pretendo sugerir que Unamuno no lo emplee en esas obras, sino que, si lo emplea, lo hace con signo contrario al que en este libro hemos estudiado; es decir, cuando se refiere a los conceptos y vivencias que este vocabulario expresa, el Unamuno agonista lo hace para rechazarlos.

[2] Publicado ahora por García Blanco, *op. cit.*, pp. 367-370. Son especialmente interesantes las estrofas de la p. 369, en que el mismo concepto de paz y armonía de *Paz en la guerra* y *En torno al casticismo* se expresa de la manera más positiva posible.

cialmente. Y ante todo, el de las dos maneras extremas (y racionalmente contrarias) en que Unamuno expresa tanto su tendencia a lo inconsciente como la realidad que en el mundo de la inconsciencia encuentra.

Ya hemos visto que en el mundo de lo "intraconsciente" a que se entrega el Unamuno contemplativo (el fondo del ser de la persona o de la Historia; la Naturaleza) se encuentra, a la vez que la quietud, el silencio. Es decir, la intuición de la eternidad continua, por ser una intuición de lo silencioso, es inefable. El problema expresivo (es decir, de conocimiento racional) que esto plantea es tan viejo como el del primer hombre que se preguntó por el contenido de un trance: ¿Cómo se llena de significado una intuición inefable? ¿Cómo se nombran su plenitud o su vacío vividos inconscientemente?, y, ¿desde qué sistema de valores? Entre las diversas formas con que, sin planteárselas explícitamente, responde Unamuno a estas preguntas, hemos encontrado dos denominadores comunes, dos modos principales, alternantes, y sólo racionalmente contrarios, de juzgar él mismo, en distintos momentos, su ser contemplativo.

Por una parte, en los momentos más negativos de su abandono, o al juzgar ese abandono negativamente, vuelto ya su espíritu a la razón, declara Unamuno sin rodeos que la realidad intuida en el silencio es la Nada, el vacío absoluto; vale decir: la misma muerte que le aterró en su crisis de 1897. Su tendencia irracional a enajenarse en lo otro resulta ser así "canturreo del espíritu de Disolución" *(OC.,* III, 497); *tedio, galbana,* como dice en un poema, un *aflojamiento (FP.,* 77) que se apodera de él porque, a pesar de toda su voluntad de conciencia, no sólo es un hombre activo, sino también "contemplativo". La paz que encuentra entonces en el seno de la inconsciencia no es, desde el punto de vista agónico, más que *engaño.*

Muchísimas otras veces, sin embargo, y en el extremo contrario de su mismo ser contemplativo, Unamuno llena de contenido positivo tanto sus intuiciones de lo inconsciente como su tendencia al abandono: lo intuido en esas simas del enajenamiento no es entonces silencio total y vacío, sino *musical silencio,* la continuidad armoniosa y dulce del hombre y el Universo, de su alma y de la de las otras cosas, de lo interior suyo con el interior de lo externo; la realidad verdadera en que se funden y confunden todos los contrarios; la Eternidad y, no pocas veces, incluso Dios. En estos momentos, el ritmo interior[3] del hombre

[3] Para el Unamuno que gustaba de razonar con metáforas (cf. "La locura

concreto, el de la Historia y el del Universo y el de Dios son ya la misma verdad positiva y última. En este ritmo —"plenitud de plenitudes y todo plenitud" (*OC.*, III, 497)— se deja dormir Unamuno en paz auténtica y dichosa, anegado su *yo* temporal y agónico en el *tú* eterno que es lo otro,[4] lejos ya de la razón provocadora de la agonía que, si es acaso recordada desde este extremo, resulta ser sólo *losa* que pretende impedir su vuelo al alma.[5]

Lo que nos importa dejar ya en claro aquí es que estas dos maneras racionales, extremas y contrarias de calificar la intuición de lo inconsciente son dos formas alternantes que tiene Unamuno de hablar sobre lo mismo, de nombrar la misma realidad. Nuestro hecho *único* en este libro ha sido, por esta razón, el de la tendencia de Unamuno a abandonarse a lo inconsciente, tendencia que alguna vez llegó a convertir en doctrina declarando: "Hay que desconcientizarse". Como ya hemos indicado, creemos que no somos nosotros quién para juzgar sobre el contenido de una intuición ajena de lo inefable. Lo más que podemos hacer es indicar con todo rigor en este caso concreto que, para Unamuno, la inconsciencia es algunas veces la Nada

del Doctor Montarco", *OC.*, III), esto del "ritmo" es un concepto que trata con todo rigor racional cuando nos habla, por ejemplo, de "cómo la suprema fórmula de cada ser puede resultar fórmula de función rítmica" (*OC.*, III, 225), o, en "El perfecto pescador de caña", de la conjunción del ritmo interior del hombre con el de la Naturaleza (*OC.*, III, 518-519), o cuando nos dice que la más honda e inefable realidad de un paisaje —su sentimiento rítmico— sólo se puede expresar musicalmente (*OC.*, I, 745) y, en general, que la realidad *real* del hombre sólo puede expresarse poéticamente con metáforas y gracias a la *unción* rítmica (cf. nuestro *Unamuno, teórico...*, Segunda parte). En la práctica, es fundamental la intención rítmica de la prosa de libros como, por ejemplo, *Paz en la guerra* y *San Manuel Bueno* (por oposición a los ritmos de *Del sentimiento*).

[4] Tiene Unamuno varios poemas acerca de la entrega del *yo* al *tú* (*tuísmo* llama a veces a este fenómeno) en el *Cancionero;* cf., por ej., pp. 51, 56, 61-62, 303.

[5] Cf. el poema citado *supra*, p. 141, y este otro que leemos en el *Cancionero* (p. 75):

> Solo en la cama, quieto, — viajando por mí mismo
> a descubrir rincones — en mi entraña perdidos.
> ¡Qué grande soy! Me pierdo — en mis campos... ¡Quedito!
> No consigo abarcarme — y el pensar va en peligro.

Siempre que no consigue Unamuno *abarcarse* (cerrarse en su conciencia) el pensar va en peligro, para ventura del contemplativo y dolor del agonista que se siente así llevado a una realidad cuya existencia no quisiera reconocer.

y, muchas otras veces, el Todo, llámese este Todo Eternidad, Dios o continuidad intrahistórica. El único denominador común entre estas dos maneras racionales de nombrar alternantes y contrarias, es el hecho de la existencia de una inclinación irracional a entregarse a lo inconsciente que va de la mano con una incontrolable voluntad de entregarse. Tendencia y voluntad éstas contra las que, bien sabemos, lucha vigorosamente el agonista. Por ello no hemos creído necesario a lo largo de nuestro trabajo comentar sistemáticamente y por separado estas dos maneras de nombrar la misma realidad, sino sólo tangencialmente, aquí y allá, cuando hemos necesitado aclarar detalles de perspectiva mientras seguíamos las normas expresivas del hilo central de la tendencia y la voluntad de inconsciencia. Nos ha parecido especialmente necesario este procedimiento que subraya la unidad del ser contemplativo de Unamuno dado que él mismo, muchas veces, prefirió no dar contenido a la realidad intuida en los momentos de abandono. "Yo no pienso cuando quedo sola", dice su Teresa,

> me quedo en ti, y así, como dormida,
> yo no sé si es aquello muerte o vida (*T.*, 91):

como Teresa en esta reminiscencia de San Juan, Unamuno mismo innumerables veces.

Una última aclaración. Como hemos llamado a este Unamuno *interior* en algún momento, como hemos pretendido encontrar sus raíces en la infancia y hemos demostrado su continuidad bajo el estruendo de la agonía, podríamos también nosotros caer en la tentación en que cayó él mismo cuando dijo alguna vez que su ser contemplativo era el verdadero y que el otro, en este caso el "activo", era sólo producto circunstancial de una Historia (personal, europea y española) que, como toda Historia, no pasa de ser accidente, es decir, apariencia. No nos dejemos llevar de esta idea simplista: el Unamuno que así opinaba era, precisamente, el contemplativo, es decir, *una* de sus dos personas. Hemos partido de dos Unamunos y a esos dos tenemos que volver para completar su figura, para devolverle al solo Unamuno toda su compleja personalidad. Nada que descubramos ya en su vida o en su obra podrá borrar la realidad legendaria del hombre que, desde la agonía, escribió, por ejemplo, *Del sentimiento trágico* y *Cómo se hace una novela*. Frente al Unamuno que hemos estudiado, alternando y conviviendo con él, ahí queda, y quedará por muchos años, el Unamuno que dijo: "el mundo es para la conciencia" *(OC.,* IV, 470). Basta abrir cualquier página de *Del sentimiento trágico* para encontrar su apasionada defensa de la limitación circunstancial y sus ataques a cualquier tipo de filosofía o de doctrina religiosa que nos habla de la disolución gozosa de la conciencia en el Todo, o en Dios, o en la Nada, o en la Materia. Para no caer en la tentación de mutilar la personalidad de Unamuno, como él mismo pretendió hacerlo desde su actitud contemplativa, basta recordar estos versos en que ataca toda forma de caída en el olvido:

> Búscate, alma, en el recuerdo y serás tuya,
> nunca olvides, nunca olvides, que el que olvida
> pierde el alma y no la encuentra, y es su muerte
> al morir definitiva *(P.,* 245).

O estos otros en que rechaza la idea de dejarse morir con la puesta de sol, como el atardecer mismo:

> Verse envuelto en las nubes del ocaso
> en que al fin nuestro sol desaparece
> es peor que morir. Terrible paso
> sentir que nuestra mente desfallece *(RSL.,* 11).

El Unamuno contemplativo que aquí hemos estudiado, no suplanta, pues, a este agonista que sentía desde el dolor de su conciencia que "la muerte..., la verdadera muerte", era "el anonadamiento" *(OC.,* V, 1027); no lo viene a sustituir, sino que, esperamos, lo completa para su mayor complejidad. Porque, terminemos por donde empezamos, Unamuno es, por lo menos, dos en alternancia. Quizá sea más importante para la Historia del pensamiento moderno el agonista, pero los dos eran igualmente importantes para *él* cuando lograba contemplarse dividido en dos, como desde una tercera persona; los dos deben ser igualmente importantes para todo el que no se contente con medias realidades, para quien pretenda el conocimiento más completo posible del hombre entero y verdadero que no es, nunca, de una sola pieza.

Es evidente que afirmar esta dualidad de la persona única implica pensar, desde luego, que así como el Unamuno contemplativo era real, real era la agonía del Unamuno activo. La farsa de que se acusó él mismo y en la que han creído algunos de sus comentaristas no es sino la más íntima de todas sus contradicciones; angustia mucho más honda que la provocada por la lucha entre el corazón y la cabeza. Si el Unamuno contemplativo es, acaso, el "fundacional", como él mismo creyó a veces, igualmente real es el agonista que vivió sus guerras a plena luz de la Historia. Ya aquí la leyenda es realidad, porque, aunque a veces quiera Unamuno negarlo, el hombre vive en la Historia, su ser es su parecer y es hijo de sus obras, como ya lo había intuido al escribir *En torno al casticismo*. Esencia y existencia —ser contemplativo y ser activo— se funden y confunden así en el vivir a plenitud el tiempo y, en el tiempo, la idea de la eternidad. En sus últimos años, debido al peso que sobre él ejercieron violentas y contrarias fuerzas históricas —políticas principalmente—, Unamuno llegó a dudar de su agonía y de su duda. Creyó ver que bajo sus gestos sólo se escondía el silencio de la Nada y se llamó a sí mismo hipócrita, con lo cual, desde el fondo más negativo de su manera de ser contemplativa, pretendía destruir su leyenda de agonista, es decir, la realidad de las obras que le hicieron el que conocemos. Pero él mismo, con palabras que no podríamos igualar nosotros, devolvió en seguida la realidad a su leyenda. Leamos de *Cómo se hace una novela:*

> ¿Es que represento una comedia hasta para los míos? ¡Pero no!, es que mi vida y mi verdad son mi papel . . . ¿Hipócrita? ¡No! Mi papel es mi verdad y debo vivir mi verdad que es mi vida *(OC.,* IV, 956).

Y unas páginas antes:

> Esta leyenda, esta historia, me devora, y cuando ella se acabe me acabaré yo con ella. . . El Unamuno de mi leyenda, de mi novela, este Unamuno me da la vida y muerte, me crea y me destruye, me sostiene y me ahoga. Es mi agonía *(ibid.,* 942).

Todo ello como respuesta del agonista a aquella parte de su ser que le planteaba la siguiente pregunta:

> ¿No estaré acaso a punto de sacrificar mi yo íntimo, divino, el que soy en Dios, el que debo ser, al otro, al yo histórico, al que se mueve en la historia y con su historia? *(ibid.,* 955).

En la respuesta a esta pregunta ("la esencia de un individuo y de un pueblo es su Historia", *ibid.,* 941) vuelve Unamuno al concepto dinámico que había esbozado en *En torno al casticismo* y, con ello, cambia de nuevo la actitud acerca de la Historia, la

Naturaleza, la esencia y la existencia que hemos visto en el "contemplativo".

Afirmar, pues, la realidad absoluta del ser contemplativo de Unamuno y negar la verdad de la agonía, como se ha pretendido hacer al descubrir que en *una* parte de ese ser contemplativo sólo se encuentran silencios vacíos,[6] significa olvidar que quien ha sufrido una crisis de conciencia como la que sufrió Unamuno en 1897 no puede ya dejar de vivir bajo sus efectos; significa olvidar que, para su más profunda nostalgia, el hombre vive en la Historia, aunque sienta en sí el llamado de lo eterno; que esta doble dimensión de su existencia es, en rigor, su esencia, su manera de ser en el Tiempo, verdad angustiosa que pocos hombres han intuido y expresado con la profundidad de Unamuno. De no entender así a Unamuno, no entenderemos jamás su verdadera importancia.

Los silencios –positivos y negativos– del alma contemplativa de Unamuno los hemos encontrado antes y después de 1897; de igual manera su real agonía nos parece indiscutible dada la verdad de aquel joven que perdió su fe inocente a raíz de sus encuentros con el racionalismo desde 1880. Fue el sino trágico de don Miguel, poseedor de un alma candorosa, mística y tierna, el haber perdido la fe. De ahí sus dos maneras de ser; de ahí, en el fondo, su más profunda tristeza, la de sentirse inclinado a entregarse a la inconsciencia mientras, con una parte de su espíritu, necesitaba la conciencia. "Dime tú lo que quiero, que no lo sé", escribió en *Poesías* (p. 119); podía haber dicho: "Dime quién soy yo, que no lo sé".[7]

Dos Unamunos, pues, contrarios y alternantes, y los dos ver-

[6] Como lo ha hecho especialmente Sánchez Barbudo en sus arts. cit. En sus estudios, por lo demás agudísimos y fundamentales, comete Sánchez Barbudo, a nuestro parecer, dos errores básicos que podemos ya dar en forma de resumen: (1) escoger del Unamuno que le ocupa sólo el aspecto negativo; (2) juzgar que ese Unamuno es el verdadero, y *el otro,* es decir, ahora el agonista, sólo un hipócrita (habla, por ejemplo, de "El Unamuno de novela y el *de verdad*", *RUBA,* art. cit., p. 205: es éste nada menos que el título de una de las secciones del artículo). No ha sido ajeno a nuestra intención de indicar lo errado de cualquier juicio de este tipo, el que hayamos insistido tanto en subrayar la unidad de los dos Unamunos, lo positivo del "contemplativo" y la *verdad* de la realidad agónica, indisoluble de su leyenda.

[7] En el fondo de esta dualidad, pero más allá de todo dolor y de toda tristeza y alegría convencionales, se da la mayor resignación de Unamuno, su profundidad más compleja. De este complejo fondo de su alma nace, por ejemplo, *San Manuel Bueno, mártir,* novela en que, en una prosa extrañamente tierna y sin violencias, vale decir, sin agonía expresiva, se funden

daderos. Dos maneras de ser que si muchas veces se expresan con pureza absoluta y, por lo tanto, sin contacto entre sí que provoque la agonía, no pocas veces parecen reflexionar la una sobre la otra en un primer plano de la conciencia racional, sintiéndose entonces como enemigas la una de la otra. De esta reflexión resulta que, tantísimas veces, la inclinación por lo inconsciente que hemos visto en este libro no se exprese libre de trabas sino por referencia a la agonía, como voluntad de huir de ella. Al igual que en el caso de Fray Luis, a quien no podemos llamar místico porque cada vez que reflexiona sobre sus intuiciones de la armonía eterna siente la necesidad de referirse al *odio* y *recelo* que en su meditación ha abandonado ("Vida retirada"), o al *vulgo ciego* que no comprende la "no perecedera/música, que es de todas la primera" ("Oda a Francisco Salinas"), Unamuno rechaza a menudo en sus momentos de contemplación a su contraria –y "engañosa"– voluntad de agonía y de vivir en la Historia. Aunque, como hemos tenido amplia oportunidad de ver, se dan en él no pocas veces los momentos de entrega absoluta al Todo, a la Nada, o a Dios, son más comunes, desde su ser contemplativo, las meditaciones sobre su ser agónico; última manera ésta en que se prueba que el agonista no era un "hipócrita".

Unas palabras cuya mayor importancia se pierde en el capítulo de *Del sentimiento trágico* en que aparecen, nos aclaran cómo, aunque estas dos maneras de ser no se dan nunca en rigor simultáneamente, aparecen como contrarias cuando Unamuno logra abstraerse de sí y observarse como desde una tercera persona:

> Contemplando el sereno campo verde –dice tras haber insistido en la necesidad que siente de vivir siempre en lucha agónica– o contemplando unos ojos claros, a que se asome un alma hermana de la mía, siento la diástole del alma y me empapo en vida ambiente, y creo en mi porvenir; pero al punto la voz del misterio me susurra ¡dejarás de ser!, me roza con el ala el Ángel de la muerte, y la sístole del alma me inunda las entrañas espirituales en sangre de divinidad *(OC.,* IV, 493).

La diástole del alma –dilatación, apertura espiritual– corresponde a la entrega del *yo* a lo ajeno a sí, a la pérdida de la conciencia; la sístole –cerrazón y fluir de la sangre– significa

más allá de toda explicación racional posible las dos maneras alternantes y contrarias de su personalidad.

la vuelta de la conciencia a sus propios límites (que son vida agónica, puesto que la sangre fluye con fuerza), a la vida consciente, temporal, desde la cual la razón cree ver claramente el "engaño" de todo enajenamiento (cf. *supra*, pp. 138-139 y 239-241). He aquí, pues, expresada con gran precisión metafórica, la alternancia de contrarios de que hemos venido hablando.

Terminemos con unas palabras que, escritas en *En torno al casticismo*, significan el primer intento de Unamuno por descifrar el problema de la dualidad, al parecer inevitable, del hombre y de su Historia:

> Es tal el arte con que el sujeto condensa en sí el ambiente, tal la madeja de acciones y reacciones y reciprocidades entre ellos, que es entrar en intrincado laberinto el pretender hallar lo característico y propio de un hombre o de un pueblo, que no son nunca idénticos en dos momentos de su vida *(OC.*, II, 97).

¿Dónde termina el ser "fundacional" y dónde empieza su historia?, ¿dónde se separan la intra-vida y su apariencia? Después de todo, decía Unamuno algunos años más tarde, "Hay un continuo flujo y reflujo difusivo entre mi conciencia y la naturaleza que me rodea...; a medida que se naturaliza mi espíritu saturándose de realidad externa, espiritualizo la naturaleza saturándola de idealidad interna. *Yo y el mundo nos hacemos mutuamente*" *(OC.*, III, 265). A lo que podríamos añadir esta advertencia:

> Tan luego como una ciencia analítica y atomizadora hunde el escalpelo en la trama viva en que se entretejen y confunden la leyenda y la Historia, o trata de señalar confines entre ellas y la novela y la fábula y el mito, con la vida se disipa la verdad, quedando sólo la verosimilitud, tan útil a documentistas y cuadrilleros de toda laya. Sólo matando la vida, y la verdad verdadera con ella, se puede separar al héroe histórico del novelesco, del mítico, del fabuloso, del legendario, y sostener que el uno existió del todo o casi del todo; el otro, a medias, el de más allá de ninguna manera... *(OC.*, III, 170).

No hemos querido, desde luego, hacer en este libro lo que Unamuno llamaba "ciencia", como no hemos pretendido, ni por un momento, que el ser "contemplativo" sea lo específicamente suyo. Nuestra sola intención ha sido hallar una faceta de la personalidad de Unamuno que la leyenda había ya hundido bajo su gesto trágico; tal vez aquella primera forma de su ser sobre la que se amontonaron esas "capas de aluvión" de que hablaba en *Nicodemo el fariseo* (cf. *supra,* p. 81):

> Y basta, no hablamos más uno con otro, tu yo íntimo y oculto y el público y manifiesto. ¿Son realmente dos? *(OC.,* III, 995).

Que sirvan estas páginas nuestras, si de algo sirven, para ayudarnos a comprender esta pregunta sin simplificar, para indicar la presencia de dos maneras de ser de Unamuno en una sola persona, complejísima, entera y verdadera.

ÍNDICE ONOMÁSTICO

ÍNDICE GENERAL